Het vliegt voorbij...

TINEKE BEISHUIZEN

Als zand door mijn vingers
Wat doen we met Fred?

Leverbaar bij Uitgeverij De Arbeiderspers

Tineke Beishuizen

Het vliegt voorbij...

Singel Pockets

Eerste druk (als Singel Pocket) 2007
Tweede druk 2007

Singel Pockets is een samenwerkingsverband tussen BV Uitgeverij De Arbeiderspers, Uitgeverij Archipel, Athenaeum—Polak & Van Gennep, Uitgeverij Balans, Nijgh & Van Ditmar en Em. Querido's Uitgeverij BV

Omslagontwerp: Harry Draai
Omslagfoto: Jeroen van der Spek

ISBN 978 90 413 3139 7 / NUR 311
www.singelpockets.nl

Voorwoord

Leuk hoor, die eerste opdracht!

De kwaliteit van dweilen vergelijken. De smeuïgheid van verschillende merken pindakaas. Iets zinnigs zeggen over de verhouding vocht en doppertjes in een literblik. En dit alles onder de noemer van een 'consumentenpagina'.

Ik probeerde al jaren voet aan de grond te krijgen bij een krant of een tijdschrift, maar niemand zat op mij te wachten. Deze opdracht van Libelle kwam als een geschenk uit de hemel. Maar niet een erg spannend geschenk. Ik heb moedig geprobeerd er iets van te maken, en dat het lukte heb ik te danken aan mijn twee zonen, die peuters waren toen ik met de rubriek begon, en die ik erbij betrok om de boel een beetje op te fleuren.

Na twee jaar had de hoofdredacteur het wel gezien met die pindakaas en de doppertjes.

'Ga maar door met je zonen,' zei hij.

Zo gaan die dingen soms.

We zijn nu zo'n dertig jaar verder. De kinderen willen allang niet meer dat er over ze geschreven wordt, 'doe me een lol, mam!' maar ik kan nog steeds de rubrieken van toen niet lezen zonder dat ik een brok in mijn keel krijg.

Wat is het lang geleden. Wat is het snel gegaan.

En ik denk aan de woorden van mijn moeder, die met

mijn baby in haar armen naast mijn kraambed zat.

Flauwe, sentimentele oma-woorden, vond ik toen.

Maar wat had ze gelijk, toen ze zei:

'Geniet er maar van, kind, het vliegt voorbij...!'

Voor de tijd die een droom duurt

Vannacht droomde ik dat ik een baby had. Het is een droom die ik een paar keer per jaar heb, en altijd word ik met een glimlach wakker omdat het zo gezellig en dierbaar was, dat kleine mensje in mijn armen. Het vreemde is dat ik tijdens die droom ook weet dat ik eigenlijk veel te oud ben om een baby te hebben. Maar die twee dingen, de baby in mijn armen, en de oudere vrouw die weet dat het eigenlijk niet kan, botsen niet met elkaar. Wat ik denk in mijn droom is: aan dit kind ga ik heel veel tijd besteden, ik wil geen haast hebben! Als ik wakker word lig ik nog even na te denken over die woorden, en ik weet precies wat ze betekenen. Want toen ik baby's had, was haast de vaste metgezel in mijn leven. Er was zoveel dat gedaan moest worden, zoveel dat mij bezighield, en ik genoot wel van mijn kinderen, maar het waren korte momenten in een zee van drukte en haast. Later heb ik daar een spijtig gevoel over gehad. Waarom heb ik die tijd als zand door mijn vingers laten glijden? Ik had er zoveel meer van kunnen genieten. Maar het ging allemaal zo snel. De ene dag kropen ze, de volgende stonden ze ineens. De ene dag lag hun kleine handje vol vertrouwen in de mijne, het volgende moment liepen ze rechtop naast me en wilden ze zelfs bij het oversteken geen hand meer. Ik weet dat ik er soms naar verlangde dat ze groot zouden zijn. Dan was ik zo moe van alle dingen die gedaan moesten worden, van de dagen die altijd te kort waren, en van de kinderen die zo hangerig of lastig konden zijn. Maar vooral was ik moe van mezelf en van mijn haast, en van het zoveel willen, meer dan eigenlijk kon. In mijn droom, mijn baby in mijn armen, is het allemaal anders. Dan ben ik de ontspannen genietende moeder die ik had willen zijn. Voor de tijd die een droom duurt.

Peuters zijn om op te eten. Maar ondertussen

Kijk naar mijn kind in de zandbak! Een engeltje om te zien, werkelijk, met lichtblonde krulletjes om een lief onschuldig smoeltje. Om op te eten. Maar ondertussen. Kijk, hij is nu aan het graven maar zijn plastic schepje vouwt dubbel, en dat bevalt hem niet, een houten schep zou beter zijn. Hij kijkt om zich heen, en ziet een jongetje met precies het houten schepje dat hij nodig heeft. Graai... hij houdt het schepje triomfantelijk omhoog. Jongetje huilt. Jongetje geeft klap. Mijn engeltje mept terug. Moeder snelt toe. Een pedagogisch verantwoord bestraffend toespraakje over het hoofdje van het engeltje heen. De peuters werpen elkaar een vuile blik toe en spelen verder. Tien minuten later meppen ze beiden een meisje met een wel heel erg verleidelijk emmertje. Peuters, ik vind ze leuk en soms zelfs schattig. Maar nooit heb ik me ook maar één seconde vergist in hun lieve karaktertjes. Want het keiharde egoïsme waarmee ze in hun peuterleven staan, het meedogenloos erop los rammen als iemand iets heeft wat zij willen hebben – het laat weinig ruimte voor illusies. Dat ze die karaktertrekken hebben meegekregen om in een harde wereld te kunnen overleven, is een ander verhaal. Maar als wij, moeders, de kinderen geen sociaal gedrag zouden bijbrengen, zou je nog eens iets meemaken! Ik heb het altijd gezegd en meestal werd er boos op gereageerd door andere moeders. Wat een plezier dus om nu in de krant te lezen dat de mens als peuter het agressiefst is. Agressiever dan in de piek van agressiviteit die bij de leeftijd van achttien tot twintig wordt waargenomen! Het wordt gezegd door een echte hoogleraar aan de Universiteit van Amsterdam, en dus niet zomaar door een moeder die aan de rand van de zandbak naar haar lieverdje zit te kijken. De hoogleraar zegt ook dat criminaliteitspreventie al op de peuterleeftijd moet beginnen. Want als ouders hun kinderen niet leren om agressie in toom te houden, is de kans groot dat het later misgaat met het kind. Dus laat niemand zeggen dat moeders maar zo'n beetje zitten te luieren bij die zandbak, want ze zijn met iets heel belangrijks bezig, en dat mag best eens gezegd worden!

O, dat grotemensenverkeer

Dwars door het woensdagmiddagverkeer heen heb ik hem meegenomen de stad door. M'n jongste. Robbert van zesenhalf, die met een recht ruggetje en precies zoals het hoort al zo vele keren het blokje om heeft gefietst. Verkeerslessen had ik hem bij mij in de buurt al een jaar lang gegeven. 'Rechts houden, Robbert!' 'Geen onverwachte bewegingen maken.' 'Goed links en rechts kijken bij een kruispunt.' 'De linkerbocht is het gevaarlijkst, góéd achteromkijken...!' En dit is dan z'n eerste grote tocht, en ik zal het weten!

We fietsen zo vol goede moed de laan uit. Hij voor me uit, dicht langs de stoep, en ik daarachter, wat meer naar het verkeer toe. Onder het motto: ze zullen toch eerst over mij heen moeten rijden voordat ze aan hém toe zijn! Hij babbelt opgewekt terwijl hij over zijn schouder kijkt. 'Niet omkijken, Robbert!' Maar het babbelen gaat door, nu zonder dat hij z'n hoofd omdraait. Een kabbelend geluid, dat voor het grootste deel verloren gaat in het lawaai van voorbijrijdende bromfietsen en auto's. Alleen flarden ving ik af en toe op: '...Gezellig, hè mam... samen fietsen...?' Maar ik vind het helemaal niet gezellig, want nauwelijks drie straten van huis verwijderd wordt het me al volkomen duidelijk dat niemand in dit waanzinnige verkeer van plan is mijn zoon te omringen met de veiligheid en de goede zorgen die ik de laatste zesenhalf jaar in hem heb geïnvesteerd. Bromfietsjes gieren rakelings langs hem heen, snijden hem af, raken hem bijna. Bij een zijweg werpt een man in een auto één blik op Robbert, die vol vertrouwen doorrijdt, omdat ik gezegd heb: 'Dit is een voorrangsweg', geeft dan vol gas en rijdt bijna over hem héén. Terwijl we door groen licht rijden, moeten we letterlijk van de fiets springen voor een idioot die het nodig vindt om door rood heen te gaan. En Robbert? Die merkt er allemaal niks van. Z'n tong in z'n wang gepropt van inspanning doet hij alles precies zoals ik hem heb geleerd. En hij doet het aandoenlijk goed. Hij houdt rechts, maakt geen onverwachte bewegingen, kijkt goed om zich heen, steekt z'n hand uit. En heeft daardoor duidelijk het gevoel dat hem niets kan overkomen.

Al die keren dat ik zie hoe hij bijna tegen de grond wordt gereden zonder dat ik er iets aan kan doen, omdat het allemaal zo snel gaat, blijft hij babbelen en zingen. Een verrukkelijke tocht vindt hij het dan ook. Maar ik stap bezweet en met trillende knieën van de fiets als we eindelijk ons doel bereikt hebben. Als we terug moeten, durf ik ineens niet meer. Dus gaan we lopen, fiets aan de hand, veertig minuten lang stoep op, stoep af. Hij begrijpt er niks van. 'Ik dééd het toch goed, mam?' 'Tuurlijk, joh, jij was geweldig!' zeg ik. Prop in m'n keel, tranen in m'n ogen van machteloze woede om een stad vol ellendelingen, zo bezeten van 'doorrijden' en 'haast', dat een klein jongetje op een klein fietsje, dat alles precies volgens de regels doet, z'n leven niet zeker kan zijn. En nu? Nu ben ik begonnen met verkeerslessen-nieuwe-stijl. 'Kijk Robbert, dit is een voorrangsweg, dus iemand die uit een zijweg komt, óók als het een auto is, moet op jou wachten. Maar reken daar nooit op, Robbert. Hou ze goed in de gaten...!' 'Als het licht groen is, mag je doorrijden, Robbert, maar kijk toch goed om je heen, want je moet er nooit op rekenen dat al die andere mensen stoppen voor rood.' 'Een zebrapad, Robbert, dat is het gevaarlijkste dat er is. Daar moet je bijna nóg beter uitkijken dan wanneer je gewoon oversteekt, want er zijn automobilisten die dan juist eens extra diep dat gaspedaal indrukken!' En Robbert? Die begint er steeds meer achter te komen dat het maar een raar gedoe is in die wereld van de Grote Mensen...!

Zo'n kleine jongen die groot wil zijn!

Hij praat over een Boeing 747 maar als hij moe is, verdwijnen z'n wijs- en middelvingertje gedeeltelijk in z'n mond, waar hij dan hartstochtelijk op gaat lopen kluiven. Hij heeft rolschaatsen gekregen, en het was deze week de eerste keer dat ik een geschaafde knie van hem verbond zonder dat hij er hartverscheurend bij huilde. Maar slapen kan hij niet als z'n pop niet naast hem ligt. Hij wilde op z'n verjaardag grotejongensspeelgoed. En boven aan de lijst stond een cowboypistool met klappertjes. Maar het etui dat hij uitzocht voor de grote school waar hij voor het eerst naartoe ging, had een clowntje op de buitenkant. Met kraaltjes in de ogen, die bewogen als je het etui een beetje schuin hield. Z'n broer zei: 'Ah joh, daar kan je niet mee aankomen. Je gaat nou naar de gróte school hoor! Daar doen we niet aan die kinderachtige dingen!' En in z'n ogen zag ik de vreugde om het mooie clowntje veranderen in onzekerheid: 'Mam... het is toch leuk... mam?' 'Natuurlijk is het leuk,' zei ik vol overtuiging, terwijl ik onder de tafel z'n grote broer een woedende trap tegen de benen gaf. 'Au...! Reuzeleuk hoor!' riep die schijnheilig.

Hij was wit om z'n neus en erg stil toen ik hem voor het eerst naar z'n nieuwe school bracht. Maar hij stapte kordaat op een paar jongens af en vroeg of die plaats vrij was, en ging zitten alsof hij al jaren dat klaslokaal bezocht. Tegen mij stak hij stoer onverschillig een hand omhoog, zei 'hoi!' met een grotejongensstem en keek me niet aan. Maar toen ik me bij de deur nog even omdraaide, zag ik hem naar me kijken, met grote kinderogen in een wit smoeltje.

Hij wordt heen en weer geslingerd, elke dag opnieuw, tussen groot en klein zijn. En soms is dat zo verwarrend voor hem, wordt hij zo moe van al die tegenstrijdige gedachten en gevoelens en daden van hem, dat hij in een wanhopige driftbui raakt.

Voor het eerst van zijn leven heeft hij moeite met slapengaan. Soms komt hij, uren nadat ik hem in bed heb gestopt, beneden. Staat dan met een moe en verfrommeld gezichtje in de deuropening, steekt een hand met kleine priegelvingers omhoog en zegt: 'Mam... drie plus twee, dat is toch vijf?' En het gebeurt regelmatig dat ik hem nog klaarwakker vind, als ik nog even naar hem ga kijken voor het slapengaan. 'Ik kan niet ophouden met denken...!' zegt hij dan wanhopig. En toch zit hij in een klas waar totaal geen eisen aan hem worden gesteld, zeker dit eerste halfjaar niet. En waar hij zich, in z'n eigen tempo, mag bezighouden met de dingen waarin hij op dat moment het meeste geïnteresseerd is. Hij gaat ook graag naar school toe, en komt blij weer thuis. Maar moe. En ik kan alleen maar vermoeden hoe het hem allemaal aangrijpt. Niet meer de juffies van de kleuterschool. De zandbak. De poppenhoek. De boerderij met de speelgoedbeesten. Het echte strijkplankje. Dat hele veilige vertrouwde wereldje van z'n kleuterleven. 'Tjonge, zit hij al op de grote school? Wat een grote jongen ben jij dan!' zegt iedereen tegen hem. En hij wil best een echte grote jongen zijn, op een echte grote school. Alleen, een deel van hem is nog kleuter. En die kleuter maakt het de grote jongen die hij wil zijn vaak erg moeilijk. Ik sta er machteloos bij. Want ook al probeer ik hem zoveel mogelijk te helpen, probeer ik kalm te blijven als hij weer eens uitputtend onredelijk is, ook al knuffel ik hem als de kleuter daar behoefte aan heeft, en praat ik met hem over vliegtuigen en raceauto's als de grote jongen dat wil, tóch rust het grootste deel van de strijd op zijn kleine schoudertjes. En het is duidelijk, dat het niet meevalt!

En al die wonderen moeten een plekje vinden...

Ooit kwam Peter met builen en schrammen thuis van school. Gevochten. Een vriendje had gezegd dat Sinterklaas niet bestaat. En Peter, onwankelbaar in z'n geloof, was hem aangevlogen. Hij was toen zes. Eerste klas lagere school. Na het sinterklaasfeest zouden we het hem vertellen, want een kind dat te lang in Sinterklaas gelooft valt tegen vijf december van het ene gewetensconflict in het andere.

Hij zat stil te luisteren toen ik vertelde dat het pappa was die aan de voordeur belde en de zak met pakjes neerzette. 'Dat dacht ik wel,' zei hij toen, en frommelde wat met een papiertje in z'n hand. 'Die schoen, daar deed jij zeker wat lekkers in?' Ik knikte. 'En wat deed je dan met die wortel?' 'Die at ik op,' zei ik waarheidsgetrouw. Dat beviel hem wel. Die had hij er tenminste niet helemaal voor nop in gelegd.

Toen hij vond dat het gesprek lang genoeg had geduurd, stond hij op om te gaan spelen. Maar bij de deur draaide hij zich om. Ik kon zien dat er ineens een alarmerende gedachte in hem was opgekomen. 'Kom ik soms ook niet uit je buik?' vroeg hij. Het was een vraag die ik kon begrijpen. Een kind in de buik van een moeder is als wonder niet onwaarschijnlijker dan een man die op een schimmel over het dak rijdt. 'Gelukkig,' zei hij, en verdween naar buiten.

Kennissen hadden het met kinderen van dezelfde leeftijd heel wat moeilijker. Nadat met sinterklaas de man in de tabberd op bezoek was gekomen, werd er onder de kerstboom een kerststalletje ingericht. Het Kind in de kribbe, en de drie Wijzen uit het Oosten met hun lange kleren ernaast. Wat een verwarring toen bleek dat Sinterklaas met z'n tabberd een verzinsel was, maar de drie Wijzen écht hadden bestaan. 'Ook het Kind in de kribbe?' Ja, die ook.

Maar hetzelfde kind dat in de weken voor het sinterklaasfeest uitdagend had lopen zingen: 'Sinterklaas en Zwarte Piet, allebei bestaan ze niet,' stond wit weggetrokken en met een trillende lip te kijken toen Sint en Piet de school bezochten. Omdat het nou eenmaal niet meevalt te geloven dat iemand die je met je eigen ogen ziet rondlopen niet bestaat.

Kleurige linten uit de hoed van de goochelaar op het kinderfeest, kindje uit moeders buik, de Sint op een schimmel over het dak, een Kindeke in doeken gewikkeld, en liggend in een kribbe... het moet allemaal een plekje vinden in dat kleine kinderhoofdje. Het grootste wonder is misschien wel dat het meestal zonder veel problemen lukt.

Ik schrijf brieven aan Sinterklaas

Dat dit het laatste jaar is dat Robbert nog in Sinterklaas gelooft, is heel zeker. Het is zelfs nog maar de vraag of hij deze vijfde december nog wel als Trouw Aanhanger van de Sint zal halen. Misschien als z'n grote broer zich niet verspreekt. Want die is er machtig trots op dat hij er het fijne vanaf weet, en dus bij de grote mensen hoort.

M'n jongste zit aan tafel opgewekt te praten over alles wat hij van de Sint verwacht. Het is zóveel, dat je er de hele stoomboot mee zou kunnen vullen. 'Dat krijg je nooit, Robbert!' waarschuwt z'n grote broer hem ernstig. En hij knipoogt over het kleine hoofdje heen naar ons. 'Sinterklaas moet aan zóveel kinderen denken. En het is ook niet aardig, Robbert, om zoveel te vragen!' Het is duidelijk dat hij zwelgt in de rol van Ingewijde. Hij praat er zelfs volwassener door.

Robbert heeft niks in de gaten. Op straat zingt hij dapper: 'Sinterklaas en Zwarte Piet, allebei bestaan ze niet,' maar dan kijkt hij toch even schichtig naar de daken, want je kan tenslotte nooit weten. En 's avonds in bed vraag hij wat bezorgd: 'Dat vindt Sinterklaas helemaal niet erg, hè mam?' Ik stel hem gerust. Maar uit het bed van zijn broertje bast een stem: 'Ik zou d'r toch maar mee oppassen, Robbert. Ik heb weleens van een jongetje gehoord die zulke liedjes zong en die...'

Ik kan hem nog net de mond snoeren voordat hij aan een ongetwijfeld ijzingwekkend verhaal begint. Maar Robbert is al helemaal ongerust overeind geschoten: 'Wat dan,

Peter, wát is er dan met dat jongetje gebeurd...?' 'O... niks,' roept z'n broer. En schijnheilig: 'Je weet toch dat de Sint een kindervriend is?' waarna hij zich met gesmoorde giechelgeluiden uit de conversatie terugtrekt.

De tijd is nu ook aangebroken dat ik brieven moet schrijven aan Sinterklaas. Ze worden me gedicteerd door Robbert, die streng toekijkt of ik wel heel mooi schrijf. Soms moet z'n brief over. Want een lelijk geschreven brief verkleint de kans op mooie en lekkere zaken in de schoen. En dat moet ten koste van alles worden vermeden.

Zo'n brief neemt ook weleens strenge vormen aan: 'Die trein waar ik u gisteren om vroeg, die had ik vanochtend niet in m'n schoen. Sinterklaas, was u dat vergeten...?' Met moeite weet ik hem er dan van te overtuigen dat het niet helemaal de manier is om iets van de goedheilig man los te krijgen.

'Afwachten maar... afwachten maar,' zegt hij me nijdig na. 'Als ik moet afwachten, kan ik net zo goed niks schrijven aan hem. Wat zou ik dan aan hem moeten schrijven?'

'Je hoeft toch niet alleen maar te schrijven omdat je wat van hem hébben wilt?' probeer ik. 'Je kan toch wat over jezelf vertellen?'

'Toevallig hoeft dat niet. Toevallig heeft Sinterklaas een boek waar alles over me in staat!' roept hij, wanhopig door zoveel sufheid van z'n moeder. Maar uiteindelijk belandt er dan toch een keurige, niet ál te hebberige brief in de schoen. Naast de worteltjes, de tekening en het halve koekje. 'Morgen krijg je de andere helft, paard,' heeft hij grootmoedig in de richting van de schoorsteen geroepen.

Vroeger maakte ik de fout om ze hun schoen in het weekend te laten zetten. Maar dat betekende dan dat we zaterdag en zondag om een uur of zes al gewekt werden door opgewonden gefluister en gegiechel. Nu mag het door de week, twee keer, niet vaker. En de moeders van hun beste vriendjes bel ik op om te vragen wanneer zij beginnen met het schoengebeuren. Omdat het bijna niet uit te leggen is waarom Sinterklaas bij het ene kind wél schoenen vult, en bij het andere niet.

Zo zijn het elk jaar weer ingewikkelde tijden, zo vlak voor de sint. Maar toch... ik zou ze niet willen missen!

Wat een amandelenellende

'Ze moeten er toch maar uit,' zegt de kno-arts. En z'n vriendelijke assistente geeft een klein boekje mee waarin precies geschreven staat hoe we onze zoon moeten voorbereiden op de komende gebeurtenis. Ik bel vriendinnen met oudere kinderen op die het al eens hebben meegemaakt. Veel schiet ik er niet mee op. De een vond het een ramp, een afschuwelijke gebeurtenis waaronder het kind diep heeft geleden. Maar de ander zegt geruststellend dat het eigenlijk niks voorstelde, en dat het kind uiterst opgewekt van het ziekenhuis thuiskwam. In plaats van 'Knibbel knabbel knuisje, wie eet er van m'n huisje', lees ik nu 's avonds dat kleine boekje voor. M'n zoon is maar matig geïnteresseerd, en na de derde avond zegt hij al ongeduldig: 'Ja, ja, dat weet ik nou wel, nou weer van Hans en Grietje.' En zo nadert de grote dag. M'n zoon praat er bijna niet over, en ik vraag me ongerust af of hij er misschien zo over inzit dat hij het uit z'n gedachten verdringt. Maar het wordt steeds duidelijker dat het hem gewoon niks kan schelen. 'Is het nou morgen of óvermorgen,' vraagt hij. En als ik zeg 'morgen' knikt hij tevreden. Want ik heb hem iets Verschrikkelijk Moois beloofd als het achter de rug is, en voor Verschrikkelijk Mooie dingen is hij zeer gevoelig.

Dan is het eindelijk zover. Lood in m'n schoenen. Een prop in m'n keel. Trillende handen. En een opgewekt jongetje naast me in de wachtkamer dat aan elke binnenkomer belangstellend vraagt of daar soms ook de amandelen uit moeten. Er komt een zuster die hem een tabletje geeft om rustig te worden. Ik krijg niks van d'r, en omdat ze blijft kijken kan ik ook niet stiekem dat van m'n zoon naar binnen werken. Want als iemand zo'n tabletje nodig heeft ben ik het op dat moment. Niet dat er uiterlijk wat van te merken is, vlei ik mezelf. Want wie kent niet het lesje van: niet je eigen angsten en zenuwen op je kinderen overbrengen. Dus zit ik hem gezellig voor te lezen en opgewekt te doen tot het zijn beurt is. Hij moet mee en ik moet wachten in een kamertje waar kleine veldbedjes staan. Daar zal hij straks even op liggen bijkomen, heeft de zuster verteld.

Het water staat in m'n handen. Waarom mag ik er nou niet bij zijn? Maar het zal wel een rot gezicht zijn, dat gefrunnik aan die amandelen. Ik haal het grote pak uit m'n boodschappentas. Een prachtige witte politiewagen heb ik voor hem gekocht, met een blauw zwaailicht en een sirene die 'ta-tú-ta-tú' doet. Hij wordt binnen gebracht. Wit smoeltje. Beetje bloed bij z'n mondhoek. Beetje snikkend. Ik kniel naast het bedje, maar hij kijkt niet naar me. Ik pak de grote doos en haal de Volkswagen eruit. Er komt een glimp van belangstelling in z'n ogen. Ik zet het ding op de grond en frunnik er wat aan. De auto schiet uit m'n handen met blauwknipperend licht en een oorverdovend 'ta-tú-ta-tú', en verdwijnt onder een van de bedjes. De deur wordt opengerukt: 'Bent u nou helemaal...!' roept de zuster. Ik duik onder het bedje, maar de wagen is allang onder het volgende verdwenen. Het lawaai is werkelijk niet om aan te horen. M'n haren pieken voor m'n gezicht terwijl ik van het ene naar het andere bed kruip. Goddank, languit op m'n buik liggend krijg ik het ding eindelijk te pakken. Maar hoe moet ie uit? Ik sta er wanhopig aan te frutselen terwijl de zuster me aan staat te kijken alsof ze vindt dat ik eigenlijk niet zou mogen loslopen. En dan ineens is het stil. De zuster snuift en verdwijnt. Ik sta met een rood hoofd en een zweterig gevoel met de auto in m'n handen geklemd. Dan hoor ik ineens een zacht gegrinnik. Ik kijk om. M'n zoon is overeind gekomen en lacht naar me. Als twee bondgenoten verlaten we het ziekenhuis.

Winkelen met Robbert: Eén en al ellende!

Ik sta liever twee uur te strijken, ik lap liever alle ramen in één middag, ik was liever de lakens op de hand dan dat ik kleren koop met Robbert. Want kleren kopen met Robbert is een soort slijtageslag. Een Tour de France, maar dan eentje met alleen maar bergen óp en nooit eens af. En zonder kans op een gele trui of een krans. Kleren kopen met Robbert is proberen een zó uit het oerwoud gehaalde leeuw door een brandende hoepel te laten springen. Wat ik dus eigenlijk zeggen wil is dat kleren kopen met Robbert om de donder niet meevalt. Ik kan hem pas overhalen om naar een winkel te gaan als ik hem met eigen ogen heb laten zien dat de ene helft van z'n broeken te klein is en de andere helft kapot. En dan nog! 'Kan je ze niet groter maken?' zegt hij. 'En kan je die gaten niet dichtmaken?' 'Nee, Robbert, dat kan ik niet.'

Er zitten nu op de ene broekspijp drie stickers over de gaten heen genaaid en op de andere vier. Je loopt erbij als een reclamebord. Ik heb er genoeg van. We gaan broeken kopen!' Dus zijn we een uur later in een winkel met rekken jongensbroeken en veel te kleine pashokjes. Het begint er al mee dat ik z'n schoenen niet uit krijg. Knopen in de veters natuurlijk. Ook dát nog!

Ik kniel voor hem neer, terwijl hij onderuitgezakt en nu al uit z'n humeur luidkeels verkondigt dat ik wat hem betreft best z'n schoenen uit kan trekken, maar dat hij niet van plan is om ook maar één broek te passen! Eindelijk zijn z'n schoenen uit. 'Zal ik nu vast je broek uittrekken, of wil je wachten totdat ik er een paar gehaald heb?' zeg ik. In een poging tot inspraak-weet-je-wel... 'Ik doe m'n broek niet uit en je hoeft geen broeken te halen, want die pas ik dus niet,' zegt hij. Ik stap het hokje uit en zoek een paar broeken. 'Zó,' kom ik opgewekt weer binnen.

'Zo...!' doet hij me kwaadaardig na. 'Ga nou eens staan, dan doe ik je broek uit.' 'Nee,' zegt hij, en blijft onderuitgezakt zitten. Ik trek m'n jas uit. M'n haar is nu al klam. Het liefst rolde ik m'n mouwen ook nog op, maar dat staat zo uitdagend. Ik sjor hem overeind en doe z'n broek uit. Wat eenvoudiger klinkt dan het in werkelijkheid is. Dan sjor ik hem een nieuwe broek aan. M'n rug breekt van het tillen van dat dooie gewicht. Robbert beperkt zich inmiddels tot het zich volkomen slap houden en het roepen van 'au', en 'nee!' Wat een herrie maakt hij. Het gordijntje staat bol van de worsteling die zich in het hokje afspeelt. Het moet géén gezicht en géén gehoor zijn. De broek past niet. Dan de rest dus ook niet. Ik verdwijn weer met de stapel en zoek grotere maten uit. Als ik terugkom, heeft hij z'n oude broek weer aan en is hij bezig z'n schoenen dicht te knopen. 'Uit!' zeg ik. En iets in m'n stem maakt dat hij ijlings doet wat ik zeg.

Een meevaller waarop ik niet had durven rekenen. Ik doe hem een andere broek aan. Te nauw in de taille, maar verder bijna een kwartmeter te lang. En zo'n raar figuur hééft hij helemaal niet. Wat voor soort kinderen heeft zo'n fabrikant in hemelsnaam voor ogen wanneer hij broeken maakt! Ik ruil weer vijf broeken voor vijf grotere. Eindelijk past er één. Dan moet de rest ook passen, maar zo simpel is het natuurlijk niet. Nog vijf keer sjouw ik heen en weer. Ik zie er inmiddels uit alsof ik een week in een draaiende centrifuge heb gezeten. Zo voel ik me trouwens ook. En dan is gelukkig het eens-in-de-tien-maanden-gepas voorbij. 'Pap, moet je eens kijken wat een mooie broeken ik heb!' roept Robbert 's avonds enthousiast. En zonder een spier te vertrekken: 'We zijn gezellig boodschappen gaan doen, pap. Mamma en ik.'

’t Is alles of niets; nu of nooit!

‘Nooit mogen ze wat!’ zeggen ze. ‘Altijd bederf jij ons plezier!’ zeggen ze. ‘Altijd moeten we doen wat jij zegt!’ zeggen ze. ‘Nooit kunnen we eens fijn doen waar we zin in hebben!’ zeggen ze. Hun kinderwereld bestaat uit ‘altijd’ en ‘nooit’. Er is geen tussenweg mogelijk. Er is geen sprake van ‘soms’ of ‘weleens’.

Alles wat er gebeurt geldt voor de rest van hun leven. Hun verdriet is hevig en ontroostbaar. Hun tranen lijken nooit meer op te zullen houden, een oceaan van waterig verdriet. Hun plezier heeft de kracht van een orkaan, hun lachbuien duren eindeloos. Alles heeft de tijd en alles is voor altijd. Ik zou er nu zo langzamerhand aan gewend moeten zijn, maar het vervult me elke keer opnieuw met een diepe verbazing. En eerlijk gezegd ook met afgunst. Wat heerlijk om niet het ene af te hoeven wegen tegen het andere. Wat een luxe om zomaar onzinnige beschuldigingen tegen iemand te uiten, vol overtuiging en zonder dat je denkt: maar dit is eigenlijk ontzettend onredelijk van me! Om vervolgens tien minuten later je armen om iemand heen te slaan en te zeggen: ‘Maar ben je dan nu nóg boos op me? Dat was toch daarnét? Nu zijn we weer vriendjes... voor altijd!’ Ik kijk naar de kwaaie rooie koppen van m’n kinderen en denk: hoe voelt dat nou, wat ze nu denken! Met enig wringen en wurmen lukt het me soms om me in die minihersentjes te verplaatsen. Oef... dat valt niet mee. Een heel benauwd gedoetje is dat eigenlijk op zo’n moment. Ik kijk vol belangstelling naar mezelf door de ogen van m'n kinderen: Daar staat ze, hoor, dat mens dat alles kan doen waar ze zin in heeft en alles mág, alleen maar omdat ze de grootste is.

En die tv kan kijken wanneer ze wil en niemand die zegt:

'Ga jij eens gauw naar bed, morgen ben je weer uit je humeur van de slaap!' Nou, zij is anders vaak genoeg uit d'r humeur, en dan maar zaniken over een gat in m'n broek en dat we ons speelgoed nooit opruimen!

Nadat ik mezelf zo enige tijd heb gadegeslagen vanuit het kwaaie hoofd van één van m'n zonen, wip ik weer gauw terug naar de Moederfiguur, die daar wat hulpeloos, maar toch ook geïrriteerd in de kamer staat. Tjonge, wat zijn die kinderen weer vervelend. Moet je ze zien zitten...! 'Nooit doe jij eens wat met ons,' hebben ze net geroepen. Terwijl ik vanochtend, hedenochtend nog, een legpuzzel van een weiland met madelieven, door een of andere idioot in 425 stukjes groen-met-witte-stippels geknipt, voor ze heb gemaakt. 'En die puzzel dan... hè... die puzzel dan...?' roep ik, heel goed beseffend dat ik taalkundig niet op m'n best ben in dit soort situaties. 'Whááá... die puzzel...!' roepen ze vol minachting. 'Dat was vanochtend!' En m'n jongste voegt er schaamteloos aan toe: 'Het was trouwens niet eens een leuke puzzel... een weiland met madelieven... wat is daar nu aan...!' Op dat moment beginnen er in m'n hoofd kleine alarmbelletjes te rinkelen, teken dat de Grote Woede in aantocht is. Nu ben ik echt ineens verschrikkelijk kwaad. Die 425 stukjes die nu nonchalant opzij worden geschoven, hebben me vanochtend toch erger aangegrepen dan ik vermoedde. Ik haal diep adem, open m'n mond en leef me de volgende vijf minuten uit in een toespraak die hoofdzakelijk neerkomt op de mededeling dat ik kinderen heb die altijd vervelend zijn, nooit eens gezellig en lief, zoals alle anderen kinderen van alle moeders die ik ken. Dat ze altijd te beroerd zijn om meer dan vier puzzelstukjes aan te leggen, en altijd nog een boel andere dingen doen die ik nu niet weet, maar die ik evengoed nooit zal vergeten! Als ik uitgeput ophoud zegt m'n oudste vol waardering: 'Tjonge zeg... wat kan jij lang schelden!' Ik zak neer op de bank. 'Dat heb ik altijd gekund!' zeg ik vermoeid.

Zul je voorzichtig zijn...?

'Mam... ik ga spelen!' 'Goed lieverd. Zul je voorzichtig zijn?' Hoe vaak heb ik dat al gezegd tegen de verdwijnende ruggetjes van m'n kinderen. 'Zul je voorzichtig zijn?' Vanaf het moment dat ze voor het eerst buiten het tuinhek mochten: 'Denk erom... niet van de stoep af! En zul je voorzichtig zijn!' Tot nu, zoveel jaren later. Dan zijn ze om de hoek verdwenen en ga ik door met m'n werk. Maar een klein deel van me blijft met hen bezig. Niet zó dat ik er echt onrustig van word, maar toch...!

Nooit voel ik me zo ontspannen als wanneer ze allemaal veilig thuis zijn. Aan het einde van de dag, als de lampen aangaan en we met z'n allen aan tafel zitten. Gelukkig: we zijn er weer! En nu blijven ze de komende twaalf uren binnen m'n bereik. Dat geeft me een vredig en veilig gevoel. Soms vraag ik me af: zou dat nou altijd zo blijven? Zo lang ik leef? Altijd een beetje dat knagende gevoel ergens in m'n lijf als ik niet precies weet wáár ze zijn en wát ze doen en hóé het met hen gaat? Misschien dat het zelfs nog wel erger wordt. Want er is nu nog een aantal dingen waarvan ik zeker weet dat ze die beslist niet zullen doen. Maar hoe lang blijft dat zo? Hoe lang zullen ze uit die drukke straat blijven omdat ik gezegd heb dat ik dat wil. Hoe lang vinden ze het nog leuk dat ik met ze meega naar dat volle zomerzwembad? Omdat ik vooral Robbert, die net z'n diploma heeft gehaald, niet zonder steun op de achtergrond tussen al die grote wilde jongens wil laten zwemmen. 'Kloek!' scheld ik mezelf dan uit, 'stomme kloek! Je moet ze lóslaten. Laten ze het maar aan den lijve ondervinden!' Maar dat is makkelijker gezegd dan gedaan. Want bij 'aan den lijve' kan ik me zonder enige moeite een serie vreselijke situaties voorstellen. Ik kan echt jaloers zijn op moeders die dat extreem bezorgde niet in zich hebben. Niet dat ze minder van hun kinderen houden dan ik, maar ze zijn alleen nuchterder. 'Het heeft geen zin om je zorgen te maken als je er verder toch niets aan kan doen!' zeggen ze. 'Ik zet het gewoon van me af!' Daar zit wat in. Dus probeer ik die houding ook maar weer eens aan te nemen.

'Mam, mag ik met Frans naar het winkelcentrum?' Bliksemsnel heb ik al berekend dat hij dan drie razend drukke straten en één kruispunt over moet. 'Goed, hoor,' zeg ik nonchalant. Als hij bijna de deur achter zich dicht heeft, roep ik: 'Peter?' Z'n blozende jongensgezicht verschijnt weer om de hoek van de deur: 'Ja ...?' 'Zul je voorzichtig zijn?' Hij trekt een grimas naar me. 'Néé, hoor, natuurlijk niet. Ik kijk níét naar links en naar rechts. Ik doe m'n ogen dicht en rij zó de voorrangsweg op. Met m'n handen lós...!' Ik knik maar eens. Ik weet het... ik weet het... zoiets verdien je als je een jongen van negen jaar te kinderachtig behandelt. En het enige waar ik blij om ben, is dat ik twee zonen heb die zich niet laten ombuigen tot moederskindjes. Ze weten precies wat ze willen. En als ze het gevoel hebben dat het onzin is wat ik zeg, laten ze dat heel duidelijk merken. Ondertussen heeft deze zoon zich trouwens alweer in het Volle Leven gestort en zit ik tóch weer met dat kleine knagertje in m'n lijf. En daar is Robbert. 'Mam, wil je m'n rolschaatsen aandoen?' Trouwhartig gaat hij op de trap zitten, terwijl ik voor z'n voeten kniel en het gevecht aanga met enge vetertjes en knoerharde riempjes. 'Goed zo?' 'Ja, fijn, mam!' Niet al te zeker wankelt hij de gang door, steeds bijna vallend. 'Niet op de middenweg, hè?' 'Ah mam... op de stoep liggen kleine steentjes. Daar kán het echt niet!' Ik zucht. Héér, stuur alsjeblieft een engel die op kleine rolschaatsende jongetjes let! Hij is ondertussen de deur al uit. En heel zacht roep ik hem achterna: 'Zul je voorzichtig zijn?'

Iedere keer dat ik hem hoor huilen, trap ik er weer in

Laat het maar aan moeders over om de verschillende huiltjes van hun kinderen uit elkaar te houden. Zonder het ooit geleerd te hebben, kennen ze exact het verschil tussen het huiltje waarbij ze rustig op hun stoel kunnen blijven zitten, en het huiltje waarvoor ze alles uit hun handen moeten laten vallen om in draf naar hun kind te gaan. Dat is geen moederinstinct, maar pure handigheid. Wie het zichzelf snel aanleert, krijgt in die eerste slopende maanden van moederschap tenminste nog enige rust. Wie er niet áán wil, en op elk huiltje blijft lopen, is in de kortste keren veranderd in een wrak. Geveld door slapeloosheid, overbezorgdheid en groeiende irritatie. Die daarom zo slopend is, omdat je als moeder gewoon weigert dat soort gevoelens voor een weerloze pasgeborene te hebben. Weerloos? In m'n toegeven aan 'het kind heeft mij nodig' heb ik me vaak weerlozer gevoeld dan het kleine wurm, dat vanuit z'n wieg alles wat hij bezat aan charme en overredingskracht ongebreideld op mij losliet.

Kunst, dacht ik soms wrokkig, jíj hebt niks anders te doen dan het ene na het andere uitproberen om mij naast jouw wieg te krijgen. Daar kon ik zeer opstandig van worden. De onzichtbare, maar taaie draden die mij met het kind verbonden, werkten soms zo belemmerend en benauwend. Een jonge moeder hoort gelukkig te zijn. Dat was toen de gouden regel, en dat is het nog. Maar hoe vaak zeggen moeders van kleine kinderen niet tegen me, als ik er even dieper op inga: 'Nou ja, het valt natuurlijk niet méé!' En ik kan er niets aan doen dat er dan, altijd opnieuw, een brede grijns op m'n gezicht komt. Want dat is nou precies wat ik er toen ook al van vond. Leuk, dat wel. Vertederend. Alles wat er aan mooie gevoelens aan te pas komt. Maar het valt om de donder niet mee.

Soms, als het kind een zoete dag had en ik druk voor mezelf bezig was, vergat ik een voeding. Of liever gezegd: ik vergat het kind, en dus de voeding. Als dat me uren later te binnen schoot, zat ik eerst een paar minuten verlamd van schrik en zelfverwijt. Je kind vergeten – wat voor een vreselijk mens moet je dan niet zijn. Dat ik de uren waarin ik me voor het eerst sinds tijden weer een zelfstandig mens had gevoeld heerlijk had gevonden, duwde ik snel en vastberaden weg in de kast: hoeft-niet-meer-open, hebben-we-niet-meer-nodig. Het kind inmiddels wreef me mijn zonde in door nog eens extra lief te zijn. Stralende babylach, alles van 'krkr' en 'prpr', om maar meteen duidelijk te stellen dat een moeder zoals ik een baby zoals hij absoluut niet verdiende. Dat schiep een geweldige band, want ik kon het er volkomen mee eens zijn. M'n baby, die ene die van de twee het handigst was in het bespelen van mijn gevoelens, kan dat nog steeds. Zo perfect kan hij intens-verdriet, plotselinge paniek of die rotbroer nahuilen, dat ik er altijd weer intrap. Met bonkend hart ren ik naar boven, waar hij me grijnzend opwacht. Gefopt, moeder! Toen hij, kortgeleden, voor mijn ogen ruggelings van de trap viel en nog net aan één radeloos uitgestoken hand bleef hangen, dacht ik in eerste instantie aan een foutloos uitgevoerde grap. 'Je lachte!' verweet hij me oprecht snikkend. 'Ik dacht...' zei ik, bijna in tranen. Sindsdien is hij wat voorzichtiger met het naspelen van verdriet. Maar het steekt regelmatig de kop op. En dat sloopt me.

Welterusten!

Ik kan niet slapen als ik niet eerst even bij ze ben gaan kijken. De krakende zoldertrap op. Lichtje aansteken op zolder, zodat er een beetje schijnsel is in hun kamertjes. Op blote voeten sluip ik binnen. En daar liggen ze. Zo verschillend van karakter als ze overdag zijn, zo verschillend liggen ze er 's nachts bij. Robbert als een klein diertje, helemaal opgerold en zo diep mogelijk onder de dekens weggescholen. Soms komt er alleen maar een plukje haar bovenuit.

Dan schuif ik heel voorzichtig het laken wat terug om z'n slapende smoeltje te kunnen zien. Klamme haren over z'n voorhoofd, en een heel vredig gezicht, nu die felle blauwe ogen dicht zijn. Z'n mond is altijd een klein beetje open, en hij maakt zachte pruttelende geluiden als hij slaapt. De geur die om hem heen hangt is van zeep en tandpasta en van slapen en warm en gezellig. In het schemerdonker sta ik naar hem te kijken. Wat klein is hij, en wat kwetsbaar. En zo heel anders dan overdag. Geen spoor is er over van die branieschopper die in z'n eentje probeert om tegen alle grote jongens in de straat op te boksen. Die 's avonds thuiskomt met een stem die schor is van het schreeuwen. En zo vuil dat ik eraan twijfel of ik hem ooit nog schoon krijg. Ik geef hem een zoen en snuffel nog even aan z'n haren en z'n zachte wangetjes. En dan ga ik naar Peter. Natuurlijk, die heeft z'n dekbed weer van zich afgetrapt. Alles is hem altijd te warm. Het raam moet open, z'n pyjamajasje uit, geen laken mag er over hem heen, en nog ligt hij erbij alsof hij door de hitte bevangen is. Nog nooit heb ik iemand gezien die het zo druk heeft met slapen. Z'n wenkbrauwen zijn gefronst en z'n lippen wat getuit, als van een kind dat voor het eerst z'n eigen schoenveters vastmaakt. Hij ligt diep en zwaar te ademen en uit z'n neus klinken blazende en snuivende geluiden. Als ik hem zachtjes over z'n wang aai, begint hij te mompelen. Onverstaanbare woorden. Ik trek het dekbed weer over hem heen. Vergeefse moeite natuurlijk, want hij zal het binnen tien minuten ongetwijfeld wéér van zich afgetrokken hebben. Maar ik vind het gewoon prettig om te doen. Een kind instoppen als het nacht is en donker.

Zien dat alles goed is met ze. Even naar ze kijken, en een beetje glimlachen, omdat ze er zo verschrikkelijk zoet bij liggen in hun slaap. En dan pas kan ik zelf m'n bed in. Soms, als ik zo moe ben dat ik zeker weet dat ik de zoldertrap niet meer op kan, beloof ik mezelf dat het voor deze ene keer niet hoeft. Maar eenmaal in bed ga ik toch liggen woelen, en uiteindelijk kom ik er maar weer uit om nog even naar ze toe te gaan. Want het hoort er gewoon bij. Zoals de dag begint met het gebolder waarmee ze de trap afkomen, zo eindigt hij met het even naar ze kijken als ze liggen te slapen. Het maakt me rustig en tevreden. Dan weet ik dat alles in orde is. De poezen liggen dicht tegen elkaar aan gedrukt in hun mandje te slapen. De kinderen liggen er als engeltjes bij. En Willem roept wat knorrig vanuit dat oh zo aanlokkelijke bed waar ik nou blijf, en of ik nou kóm of niet! Licht uit in de badkamer. Licht uit op de trap. Klein lichtje aan op de gang voor als de kinderen 's nachts naar beneden komen. Slaapkamerdeur dicht. Opzij Willem... ik kom d'r aan...!

Gelukkig dat moeders zo stom zijn

Een paar dagen voor Moederdag, als ik hem net z'n nachtzoen heb gegeven, zegt hij: 'Ik heb iets heel moois voor je. Voor Moederdag...!' 'Robbert!' roep ik, 'het is niet wáár!' 'Ja hoor,' knikt hij vol overtuiging, 'iets héél hééél héééééł erg moois!' 'Tjonge, ik kan bijna niet meer wachten,' zeg ik. Aan z'n gezicht zie ik dat hij er hetzelfde over denkt. Want Robbert en een geheim, dat is een moeilijke combinatie.

Dan krijgt hij iets over zich van iemand die met een volle doos gebak voor zich aan tafel zit. En denkt: zal ik er maar vast één nemen...? Ik voel aan m'n klompen dat hij op het punt staat z'n tot nu toe zo manhaftig bewaarde geheim te verraden. Dus stop ik nog snel even z'n laken in en zeg: 'Nou Robbert, slaap maar lekker, joh...' Maar hij heeft m'n arm al vast. 'Ga 's even bij me zitten, mam. Dan mag je raaien.' Met z'n armen onder z'n hoofd en grote pretogen ligt hij te wachten op wat ik zeggen zal. 'Een hele mooie... eh... eh... vliegmachine van papier!' 'Nei ei ei,' roept hij...

'Een... eh... prachtig mooie tekening met een lint?' zeg ik. 'Nei ei ei... óók niet!' En, stomme oen die ik ben, nu doe ik het ergste wat ik doen kan. Ik raad het per ongeluk goed. 'Een plantje,' zeg ik. De lichtjes verdwijnen uit z'n ogen. Z'n ronde gezichtje trekt wit weg. Trillende lip. Dikke tranen, die – niet meer te stuiten – over z'n wangen rollen. 'O Robbert...!' zeg ik ontdaan. Maar kwaad is hij nu ook. Hij draait zich met een ruk om, ligt schokkend op z'n armen te huilen en roept ondertussen: 'Ik hou geeneens van raaien. Ik hou helemaal niet van raaien. Ik vind raaien geen leuk spelletje!' Ik eigenlijk ook niet meer. Maar ondertussen zitten we ermee.

'Ach Robbert,' probeer ik, 'het duurt nog drie dagen voor het Moederdag is. Dan ben ik het toch allang weer vergeten. Je weet hoe slecht ik dingen kan onthouden. Ik ben het stráks alweer vergeten...!' Het schokken houdt op en hoopvol licht hij z'n hoofd op. 'Ben je het écht straks al weer vergeten?' 'Joh, ik ben het eigenlijk nu al vergeten!' zeg ik overmoedig.

Hij komt ervoor overeind. 'Wát ben je dan nu al vergeten?' vraagt hij achterdochtig. 'Nou eh... waar we het over hadden,' zeg ik. 'We hadden het over Moederdag,' zegt hij koel, 'en jij moest raaien wat je kreeg. En jij raaide het goed.' 'Wát raaide ik dan goed?' zeg ik. Nu slaat de twijfel toe, en ik zie de gedachten door hem heen flitsen: zou het écht mogelijk zijn dat iemand zo snel iets vergeet? Nou ja, moeders zijn weleens meer niet zo slim. 'Dus je weet echt niet meer wat je geraaien heb?' zegt hij. 'Nee... ik zou d'r eens goed over na moeten denken,' zeg ik. En frons en frommel m'n gezicht en kreun en knor en doe van 'eh eh'. En waarachtig. Heel diep in z'n ogen komen de lichtjes weer te voorschijn. 'Ik zei eh... raaide van... eh...'

Dodelijke spanning. Nou durft hij bijna niet meer te ademen. 'Ik zei eh... van een tekening met een lint eromheen! O Robbert is het écht een tekening met een lint eromheen?' Nou straalt hij helemaal. 'Nee... lekker puh. Het is géén tekening met een lint eromheen.' En haastig: 'Maar verder hoef je niet meer te raaien, hoor mam. Nou ga ik lekker slapen.' En hij nestelt zich behaaglijk in z'n kussen. Ik geef hem een zoen en aai de pieken van z'n voorhoofd weg. 'Dag lieverd.' 'Dag mam,' zegt hij met die plotseling opkomende slaperigheid die me altijd weer zo verbaast.

Als ik bij de deur ben, komt z'n stem zacht en tevreden uit het donker: 'Fijn hoor, mam... dat je zo stom bent dat je alles vergeet. Anders had je het nou geweten van dat plantje...!'

‘Ik ben een grotemensentovenaar!’

Wat verrukkelijk dat het leven van kleine kinderen zo vol verrassingen zit. M’n jongste zoon peutert omzichtig een pak speculaas open alsof het een op scherp staande bom betreft. Ontvouwt dan de bovenkant, kijkt naar binnen en roept verrukt: ‘Ooo, kijk eens, mam... een pak vól met speculaas!’

Dit is een totaal nieuw gezichtspunt voor me. Want eerlijk gezegd had ik niet anders verwacht. En dat is dan precies de reden waarom zijn leven zoveel gezelliger is dan het mijne. Ik ga ervan uit dat een boel dingen op een bepaalde manier geregeld zijn: de trein rijdt op tijd, want zo staat het in het spoorboekje. Dat pak zit vol met speculaas, om precies te zijn vijfhonderd gram, want het staat erop en ik heb ervoor betaald. Op vijf december is het sinterklaas, en dat weet je voor je hele verdere leven. En na de vrijdag komt de zaterdag, omdat dat zo is afgesproken door mensen die ik verder ook niet ken. Allemaal dingen waarvan je op aan moet kunnen. Is het prima in orde en naar verwachting, dan is dat geen reden tot vreugde, maar heel gewoon. Gaat er iets mis, dan ben ik woedend. Maar voor mijn zoon ligt dat heel anders. ‘Kijk, mam... daar is de trein al!’ roept hij verrukt als we tien minuten in de kou hebben staan trappelvoeten, omdat er ergens in de verte een wissel bevroren was. Dat het sinterklaasfeest op vijf december valt is een surprise die hem elk jaar opnieuw volkomen onvoorbereid in november toebedeeld wordt.

En regelmatig vraagt hij op vrijdag: 'Wat is het nou voor dag morgen, mam?' om dan 'Hoi, hoi, hoi!' te roepen als hem meegedeeld wordt dat het dan zaterdag en dus een vrije dag is. Zijn plezierige verbazing om van alles en nog wat ontroert me. Wat heerlijk toch als de dag uit allemaal kleine meevallers bestaat. Wat ik daarom onredelijk van hem vind is dat hij maar zo weinig geduld kan opbrengen als ik eens een keer verbaasd ben over iets vanzelfsprekends. 'Goh, kookt het water nu al...?' zeg ik verrast. Hij bekijkt me met een koele blik: 'Heb je de ketel dan niet zelf op het gas gezet?' informeert hij. 'Heb je er dan zélf de fluit niet opgezet?' Op zo'n moment heeft hij iets van een moeder die haar baby bekijkt en denkt: hij éét wel, maar hij groeit niet! Nee, met de domme fratsen van grote mensen heeft hij maar bitter weinig geduld. Wij zijn een volkje, vindt hij, dat ervoor is om alles te kunnen en om alles te weten. En verder geen gezeur. Ach, een beetje doordenkend kan ik wel begrijpen waarom hij dat zo aanvoelt. Want wie heeft tenslotte de zaterdag na de vrijdag, sinterklaas op vijf december en de trein naar Amsterdam om negen uur vijf vastgesteld? Grote mensen toch zeker! Dat maakt ons in zijn ogen almachtig. Weet hij veel van alle onzekerheden en twijfels waaraan wij 'groten' ten prooi vallen. Hoe kan hij vermoeden dat wij ook vaak de weg niet weten? Of niet begrijpen hoe sommige dingen precies in elkaar zitten? Ik vertel hem regelmatig dat ik iets niet kan, of iets niet weet. Maar het maakt hem alleen maar ongeduldig. Want natuurlijk kan ik die doormidden gebroken auto weer net zo prachtig nieuw maken alsof hij zó uit de winkel komt. En natuurlijk kan ik ervoor zorgen dat het niet regent op zijn partijtje. En eigenlijk vindt hij ook dat ik schuldig ben aan zijn kapotgevallen knie. Ook al was ik niet eens in de buurt toen het gebeurde. In die wonderlijke grotemensenwereld ben ik in zijn ogen een soort tovenaar. En het is maar heel geleidelijk dat daar een beetje de glans vanaf gaat...!

'Gaan jullie nou ook uit elkaar mam?'

Els kwam het zelf zeggen. 'We gaan uit elkaar,' zei ze. En in plaats van de klassieke huilbui begon ze zenuwachtig te giechelen, terwijl de shag uit het pakje op haar schoot schoof en in honderden kleine kruimeltjes over haar witte rok rolde. Echt verbaasd was ik eigenlijk niet. Zo'n bui zie je hangen als je regelmatig bij elkaar over de vloer komt. Henks opmerkingen tijdens de borrel waren te bijtend, ook al verpakte hij ze als grap. Haar reacties erop te bitter en rancuneus.

Bij ze op bezoek gaan kreeg iets van door een mijnenveld lopen: pas op je woorden, op je gezichtsuitdrukking, op je reactie. De kinderen konden er niet tegen. 'Ik wil niet meer mee, mam,' zei Peter op een keer, 'ik vind het er helemaal niet meer leuk.' 'Nee, ik ook niet,' zei Robbert. En voortaan bleven ze thuis als wij naar tante Els en oom Henk gingen. Trouwens, dat werd ook steeds minder, want wat moet je? Het was duidelijk dat ze allebei geen behoefte hadden om over de situatie te praten. Maar alle onderwerpen waar we het vroeger zo enthousiast over hadden, gingen óók niet meer. En nu zat ze dus bij me op de bank. Giechelend en shag morsend, met trillende handen en mondhoeken die naar beneden trokken. Het huis zou verkocht worden, dat hadden ze samen besloten. Zij ging met de kinderen op een flat wonen, waar hij ging wonen wist hij nog niet. Aan tafel, 's avonds, vertelde ik het aan Willem en aan de kinderen. Voor Willem was het geen verrassing, maar Peter trok wit weg. 'Zien Jan-Jaap en Francien hun vader dan nooit meer?' wilde Robbert weten. 'Jawel,' zei ik, 'in het weekend en zo.' Peter zei niks. Hij zat maar zo'n beetje met z'n vork in z'n eten te roeren. Opvallend zwijgzaam. 'Wat vind jij ervan Peter?' Maar hij haalde z'n schouders op. 'Mag ik opstaan?' en weg was hij. 'Het is televisieavond,' zei Robbert verbaasd, 'en nou loopt hij weg.' 'Laat maar,' zei ik. Het liefste was ik achter hem aan gegaan, maar ik kon me nog zo goed herinneren van vroeger hoe vreselijk ik het vond als ik alleen wilde zijn, om dan toch m'n moeder bij me in m'n kamer te krijgen.

Toen was het tijd voor Robbert om naar bed te gaan. Bij de deur van Peters kamer aarzelde ik. Het was doodstil, geen licht kwam onder de kier van de deur door. 'Ben je bij hem geweest?' vroeg Willem. Ik schudde van nee. 'Straks ga ik wel even.' Om een uur of tien liep ik zachtjes z'n kamer binnen. Struikelend over autootjes en schoenen kwam ik bij z'n bed. Hij lag op z'n rug, armen onder z'n hoofd. 'Kan je niet slapen?' Hij schudde van nee. 'Wil je praten of zal ik maar weggaan.' 'Blijf maar even,' zei hij, en schoof een stukje op zodat ik op de rand van z'n bed kon zitten. 'Vind je het zo rot?' Hij gaf geen antwoord. Toen: 'Ik moet er steeds aan denken als jullie gaan scheiden, met wie ik dan moet meegaan. En ik kan alsmaar niet kiezen...?' Hij draaide zich om en begon te huilen. Niet meer zoals hij dat vroeger deed, maar een beetje moeilijk, zoals volwassenen soms kunnen huilen. Ik aaide z'n dampige haren. 'Maar we gáán toch helemaal niet scheiden, joh,' zei ik. 'En toch moet ik er steeds aan denken,' zei hij. Na een halfuurtje werd hij slaperig, en nog een kwartiertje later sliep hij, z'n wang op z'n handen, als een heel klein kind. Maar ik wist dat er net weer een klein stukje van dat kinderlijke in hem was afgeknabbeld.

Wie houdt er ooit rekening met mij?

En ineens wordt het me te veel. Ik sta er helemaal achter dat kinderen aandacht moeten hebben, en toewijding. Dat je tijd aan ze moet besteden. Dat je ze niet met hun problemen in de kou mag laten staan. Dat je ze hartelijk moet ontvangen na een schooldag, thee op het lichtje, en belangstelling gereedliggend naast de trommel met speculaas. Maar soms zou ik willen dat er iemand komt die, omhangen met Gezag, meedeelt dat ik óók rechten heb. Het recht bijvoorbeeld om de regel uit te tikken waarmee ik bezig ben. Of het recht om ongestoord te telefoneren zonder dat de tent wordt afgebroken, terwijl ik in machteloze woede niet anders kan doen dan gemene blikken naar m'n kinderen werpen. Diep in m'n hoofd geprent zit de Gouden Regel dat ik m'n kinderen niet mag storen in Hun Spel. Vele maaltijden werden genuttigd op de punt van de tafel, omdat het legohuis zou instorten als het werd verplaatst. Balancerend met schalen dampend eten ben ik over treinen en spoorbomen gestapt die zo nodig om de eettafel gelegd moesten worden. We hebben soep gegeten uit theekopjes, omdat de soepborden Vijvers waren in een pas aangelegd Park. En die belangrijke brief dan, die ik drie dagen lang niet weg kon sturen, omdat de knop van het kastje met de postzegels als schoorsteen op een stoomboot geplakt was! Met houtlijm. Ik heb de tere kinderzielen gekoesterd en gehoed. Ik heb hun creativiteit niet in de kiem willen smoren. Maar nu moet er hoognodig iets gedaan worden aan mijn tere moederziel. Want ik begin me te voelen als iemand die tussen twee langzaam sluitende liftdeuren zit. Daarom besluit ik om een Gesprek met m'n kinderen te hebben. Ze vinden dat interessant en zeer belangwekkend. Ik leg ze de situatie uit. Aan de ene kant twee kinderen, twee, die op alle mogelijke en onmogelijke momenten volledige aandacht eisen voor alle mogelijke en onmogelijke dingen. Aan de andere kant één moeder, één die aan al die verlangens, eisen en wensen moet voldoen en dan nog wel ONMIDDELLIJK. Dat is niet eerlijk en dat is niet redelijk, zeg ik.

We leven met z'n vieren in één huis, en het is de bedoeling dat we alle vier prettig leven, en alle vier eens wat voor onszelf kunnen doen, en niet alleen zij! Nou, dat kunnen ze zich heel goed voorstellen. Het is maar goed dat ik dat eens zeg, tjonge tjonge, dat was toch eigenlijk foute boel. Almaar die moeder storen, dát zou toch nodig eens veranderd moeten worden. 'Mogen we nóóit meer iets vragen?' zegt m'n jongste. Ik leg uit dat ze me altijd álles kunnen vragen, dat ze me altijd mogen storen voor belangrijke zaken, maar dat ze met minder belangrijke zaken best vijf minuten kunnen wachten als ze zien dat ik ergens druk mee bezig ben. 'Wat is belangrijk?' zegt de jongste. Z'n broer weet het antwoord: 'Nou, als je wilt weten waar kinderen vandaan komen of zo iets, hè mam?' zegt hij. 'Wéét ik toch al!' zegt de jongste verontwaardigd. 'Nou ja, als je het nóg eens wilt horen, hè mam?' 'Wat is dan níét belangrijk?' zegt de jongste, die een exacte geest heeft en liever niets aan het toeval wil overlaten. 'Als je band lek is, en je fiets naar de fietsenmaker moet, kan je best een uurtje wachten als ik aan het schrijven ben,' zeg ik. Ze begrijpen het volkomen. Opgewekt en vol goede moed gaan we uit elkaar. Ik ga lekker achter m'n schrijfmachine zitten. Heerlijk, hoor, kinderen die zoveel begrip voor je hebben...! Drie minuten later staat m'n jongste aan m'n mouw te trekken. 'Wat is er, schat?' zeg ik welwillend. 'Ach mam,' zegt hij met grote, eerlijke ogen, 'Ik zou zó graag nog eens horen waar de kinderen vandaan komen. En mam, kan je dat dan vertellen terwijl we naar de fietsenman lopen? Want m'n band is lek!'

Z'n vader is alles en ik ben 'maar' een moeder

Tot nu toe was ik een moeder van kleine kinderen. Een moeder met een jarenlange ervaring in het verwisselen van luiers, het verbinden van kapotte knieën en het repareren van niet al te ingewikkeld speelgoed. Een moeder die er haar hand niet voor omdraaide om problemen op te lossen die lagen in de orde van: 'Ik had die auto het éérst!' 'Hij heeft m'n bal afgepakt!' 'Hij schopt me onder de tafel!' of 'Hij gaf me stiekem een duw!'

Maar voor m'n zoon van negen jaar gaat het ineens allemaal niet meer op. Een kapotte knie laat hij niet meer aan me zien... hij hinkt naar het medicijnkastje en verbindt het zelf. Als iemand hem schopt of duwt, mept hij terug met een felheid die me bang maakt. Veel harder dan de aanleiding verdiende. Z'n elektrische racebaan zou ik niet eens kunnen repareren als die kapotging, omdat ik een oen ben op het gebied van techniek. Alle dingen waarvoor hij me eerst dagelijks nodig had, hoeven nu plotseling niet meer. Hij heeft z'n kamer veranderd en daarbij niets laten staan op de oorspronkelijke plaats. Over boeken waarop hij een maand geleden nog dol was, praat hij nu met een diepe minachting als 'kinderboeken'. Trouwens, het woord 'kind' ligt hem in de mond bestorven: 'kinderwerk...!', 'kinderpraat!', 'kinderspeelgoed!', 'zoiets doen alleen kleine kinderen'. Hij is bezig om op een harde en vrij ruwe wijze met z'n kind-zijn af te rekenen. Het overvalt me eigenlijk een beetje. Het maakt me verward en onzeker. Met m'n gevoelsleven moet ik in het reine zien te brengen dat één van m'n twee zonen ineens een grote stap vooruit heeft gezet op de weg naar onafhankelijkheid. Maar wat veel belangrijker is: ik moet hem dáár ook bij helpen. Want hoe stoer en ruw en nonchalant hij zich ook gedraagt, het is duidelijk dat hij zich niet gelukkig voelt. Als z'n jongere broertje bij me op schoot kruipt voor een lekkere knuffel, trekt z'n gezicht scheef van jaloezie.

En binnen vijf minuten slaagt hij erin om zo'n rel te ontketenen dat er van de gezelligheid niets meer overblijft. Hij huilt veel, meestal stiekem. Een hartverscheurend geluid, omdat de snikken met zoveel moeite uit z'n keel geperst worden. 's Avonds op de rand van z'n bed zitten helpt ook niet meer. Hoe kortgeleden is het niet dat hij me dan álles vertelde van wat hij dacht en deed en van plan was. Nu draait hij zich zwijgend om, gezicht naar de muur, een forse berg ontoegankelijkheid onder een donzen dekbed, waarvan hij ook al heeft aangekondigd dat het 'kinderachtig' is. De enige met wie hij nog contact wil hebben is z'n vader. En die bewondert hij dan ook met een gevoel dat op verafgoding lijkt. Mij vindt hij duidelijk niks... gewoon een 'moeder', zo'n stom mens dat alleen maar goed is voor kleine kinderen. En met wie een man van zijn leeftijd zich dus niet bemoeit. Hij bezorgt me het gevoel dat ik verschrikkelijk tekortschiet, en daar moet ik ontzettend snel vanaf. Want niets verpest de verhouding van mensen meer dan een schuldgevoel! Ik wéét dat hij het ontzettend moeilijk heeft op het ogenblik. Moeilijker dan ik. En het erge is dat ik hem niet kan helpen. Het enige wat ik kan doen is in de buurt zijn, zonder me aan hem op te dringen. En hopen dat het niet te lang duurt voordat hij merkt dat je aan een moeder best wat kan hebben. Oók als je geen klein kind meer bent!

En toen zei Peter: 'Mam, ik ga naar de kermis'

'Mam... ik ga morgen met een paar jongens naar de kermis,' zegt Peter. Het klinkt erg beslist en definitief. Maar z'n ogen staan er wat hulpeloos bij, want hij is pas sinds kort bezig het vragen te vervangen door mededelingen. 'O,' zeg ik, want ik ben er zelf ook nog niet aan gewend. 'Dus eh... dat is afgesproken?' zegt hij wat onzeker. 'Nou nee,' zeg ik, 'ik wil er eerst met pappa over praten.' Hij verdwijnt teleurgesteld, maar niet zonder hoop.

Papa is de rotste niet, dus grote kans dat het goed komt.

Intussen begin ik een beetje te tobben. Kermis... dat betekent door het drukste verkeer heen fietsen. En zonder dat wij erbij zijn in allerlei griezelige dingen klimmen. En misschien wel heibel krijgen met een stel opgeschoten rotjongens. O báh... eigenlijk voel ik er niks voor! 's Avonds praten Willem en ik erover. We zijn allebei niet verrukt van het idee, maar aan de andere kant: hij is nu bijna tien jaar, en je kan hem toch niet áltijd maar in je buurt houden! Zuchtend besluiten we om het goed te vinden. Peter is er duidelijk blij om. Als hij op het punt staat om weg te gaan zegt hij onverschillig: 'Zeg eh... als jullie zin hebben mag je me wel wegbrengen, hoor! En weer komen halen!' 'Da's goed,' zeggen wij even onverschillig terug. Hij stapt in de auto, en zit een beetje stilletjes voor zich uit te kijken. In z'n handen heeft hij een plastic draagtasje. 'Waar is dát nou voor?' vraag ik. 'O... voor als ik een boel win,' zegt hij. Er hangt een verbijsterd zwijgen in de auto. Zo'n grenzeloos optimisme zul je maar zelden tegenkomen. 'Waar hebben jullie afgesproken?' vraag ik. 'Bij de schiettent.' 'Ga je dan schieten?' 'Ik weet nog niet. Hangt van de prijs af.' En hij klopt op z'n jaszak waar acht gulden, vier gekregen en vier zakgeld, zitten te wachten om uitgegeven te worden aan botsautootjes en zweefmolens. 'Nou ja, je ziet maar,' zeg ik. We zijn er nou bijna. Het is nog stil in de buurt van de kermis. Geen wonder. Om twaalf uur staat alles pas te draaien, en het is nu tien vóór. 'Wanneer moeten we je komen halen?' zegt Willem. 'O... vanavond,' zegt Peter.

'Vanávond...? Doe niet zo idioot!' 'Nou ja, over twee uur dan,' zegt hij. Nou staan we vlak voor de kermis. 'Ik zie niemand,' zegt hij, zich uitrekkend. 'Dat kan toch ook niet. Dit is de schiettent toch niet.' 'O nee,' zegt hij. Het is duidelijk dat hij weinig zin heeft om de auto uit te gaan. 'Moet je nou niet weg?' vraagt Willem. 'Jawel... zó...' Er komen langzamerhand meer mensen aanlopen. Ouders met kleine kinderen tussen zich in. Groepjes jongens en meisjes. Door de luidsprekers begint de eerste muziek te blèren, en de eerste opgewonden stem buldert ertussendoor. 'Nou...' zegt hij, 'dan ga ik maar...' 'Ja joh, veel plezier.' Hij doet langzaam het portier open. Stapt op z'n elfendertigst uit. 'Dus eh... over twee uur, hé pap?' 'Ja hoor, ik ben er.' Dan loopt hij langzaam het kermisterrein op. Hij draait zich niet één keer om. En algauw is hij tussen de mensen verdwenen. Een klein jongetje met een leeg plastic tasje aan z'n hand.

Dat frummeltje mens van toen

Morgen is hij jarig. En terwijl een deel van me druk bezig is met piekeren over de onwaarschijnlijke plek waar ik de slingers dit jaar weer terug zal vinden, is een ander deel van me vertederd bezig herinneringen op te halen. Tien jaar geleden dus.

Ik had een buikje dik en rond en stond te wiebelen op de grond, zoals het liedje van De Duikelaar zo beeldend vermeldt. Veertien dagen over tijd was ik ook al. En m'n grote angst was dat de vliezen zouden breken op het moment dat ik als nummer tien in de rij voor de kassa van een supermarkt zou staan. Want ook al verliet ik elke keer opnieuw met lood in de schoenen het huis, toch was ik niet te houden. Een onbedwingbare nesteldrang had bezit van me genomen, en steeds meer overviel me het panische gevoel dat het onmogelijk voor me was om een kind te baren als ik niet eerst...! En dat 'eerst' varieerde dan van het in voorraad hebben van tien bussen schuurmiddel tot het aanvullen van m'n luiervoorraad, die nu al tot het plafond reikte. En toen kwam de laatste dag, ook al wist ik dat niet. 's Ochtends toch nog snel even twee grote pakken waspoeder gehaald, waarmee de voorraad op zeven stuks kwam. Maar toen moest zelfs ik toegeven dat ik álles in huis had wat ik de eerstkomende acht maanden nodig zou kunnen hebben, terwijl er bovendien geen centimeter ruimte over was voor nog meer artikelen. Doelloos waggelde ik een beetje rond. Ging de babykamer voor de derde keer die dag schoonmaken. En natuurlijk even de hoes van het wiegje afhalen om te kijken hoe schattig het eruitzag, dat geborduurde lakentje met het lege kussensloopje.

Die kruiken in hun jolige kruikenzak. De rammelaars. Het dekbedje in dezelfde boerenbonte ruit als de wiegbekleding. Een dag later zou er een baby in liggen, maar zó ver ging m'n voorstellingsvermogen niet. Want ook al had ik stapels boeken gelezen over Het Ongeboren Kind, toch had ik nog steeds niet het gevoel dat er zo'n Ongeboren Kind in mijn eigen buik verbleef. Toen in de nacht van die laatste dag Peter na veel gepers, gesteun en gehijg van mijn kant ter wereld kwam, riep ik dan ook in opperste verbazing uit: 'Moet je nóú eens kijken, Willem, EEN KIND...!' Later, toen alle mensen verdwenen waren die dringend nodig zijn bij een bevalling, maar onmiddellijk te veel zijn erna, vroeg Willem me vol belangstelling wat ik dán gedacht had dat uit m'n buik zou komen. Maar daar kon ik geen antwoord op geven. Misschien een pratend olifantje, of een konijn met roze oren, of andere dingen die je zo kunstig uit de hoed van een goochelaar ziet komen. Maar in elk geval niet een kind. Dat was een té groot wonder voor me om te kunnen bevatten. En nou is dat ineens alweer tien jaar geleden. En Peter, dat frummeltje mens van toen, loopt rond in maat 38 cowboylaarzen, zet een basstem op en roept gebiedend dat hij nou weleens een James Bondfilm wil zien. Maar hoe hij geboren werd wil hij wel weer eens horen. Want dat is al jarenlang een van z'n lievelingsverhalen. Hoe blij we met hem waren, en dat er zoveel mensen kwamen die bloemen en cadeautjes brachten. En dat hij in z'n wiegje lag te slapen, met twee garnalenvingertjes in z'n mond. Helemaal verrukt is hij ervan. 'Hoe klein was ik dan?' 'Zóóó klein...!' wijs ik. En hij lacht vertederd, alsof het over z'n eigen kind gaat. En ach, gezien de snelheid waarin de jaren voorbijgaan zal ook dat zo lang niet meer duren.

Onze kamer: één groot slagveld

'Majesteit, de Vijand nadert!' 'Beste man, dat heb ik zéllef ook allang gezien. Zorg dat de Vijand onmiddellijk verdwijnt!' 'Ja, Majesteit.' 'Mannen, de Majesteit wil dat de Vijand onmiddellijk verdwijnt. Te Wapen. TE WAPEN!' Robbert ligt op z'n buik te spelen met z'n kasteel.

Om hem heen is het een gekrioel van ridders en paarden en handbogen. Er zitten ook een paar stratenmakers tussen met blauwe werkmanspetjes op en een schop in hun handen, en één indiaan met hoofdtooi. Dat zijn reserveridders, speciaal aangesteld om straks te sneuvelen op het veld van eer. Tenslotte zal je wel helemaal op je achterhoofd gevallen zijn om een échte ridder buitenspel te zetten zodat je er niet meer mee kan spelen. Te Wapen dus. En daar gaan ze. Kedóém, kedóém, dat zijn de paardenhoeven. Pjffff... pjfff, dat zijn de pijlen uit de handbogen van de Vijand. 'Aoahhh,' steunt een zwaar getroffen ridder, en langzaam valt hij met paard en al om. 'Dood,' mompelt Robbert, en verwisselt razendsnel de op z'n rug liggende ridder voor een indiaan. De ridder wordt weer tot leven gewekt en mag in de frontlinie te voet verder meedoen. De strijd duurt eindeloos, want ook de Vijand beschikt over moedige en kundige mannen. Ondertussen staat de Majesteit tegen een kanteel geleund te kijken. 'Die moest maar eens een treffer in z'n kont hebben,' zegt Robbert zacht. Hij stelt de Majesteit behendig zó op dat het achterste van z'n broek tussen twee kantelen door uitdagend naar het strijdgewoel is gericht.

En pjffff, daar komt al een pijl aan vliegen. 'Oeaohww,' schreeuwt de Majesteit. 'Mannen, onze Majesteit is getroffen!' 'Dódelijk getroffen?' 'Nee mannen, hij kan alleen voorlopig niet zitten.' 'Dán vechten we moedig door!' Zonder dat hij het merkt zit ik naar Robbert te kijken. Hij ligt languit op de grond, z'n wang tegen het kleed gedrukt. Als hij zó ligt lijkt alles waar hij mee speelt veel groter dan het is. Misschien zijn de ridders en de paarden nu wel helemaal echt voor hem. Het moet bijna wel, want hij gaat in z'n spel op alsof er op de hele wereld niets anders meer bestaat dan het kasteel, en dat enorme gevecht waaraan geen einde lijkt te komen. Z'n stem is hees geworden, geen wonder als je urenlang aan het praten en roepen bent, met steeds andere stemmen, en er dan ook nog het geluid van pijlen en paarden tussendoor gooit. Wat zou ik graag met hem meespelen. De ridders en de paarden werden verdeeld, en ik mocht het kasteel verdedigen. Ik deed eerlijk m'n best maar het lukte niet. Hij merkte aan me dat het voor mij spelen was, en dat hinderde hem, want voor hem was het helemaal echt. 'Zullen we maar, ophouden mam,' zei hij. En daarmee was ik voor m'n examen gezakt. Sindsdien regelt hij de gevechten in z'n eentje. Een eenzame veldheer met rooie wangetjes. Die onmiddellijk het vuren staakt als hij merkt dat er op hem gelet wordt. Want ook al is er niemand die hem ooit plaagt met z'n spel, toch begint hij een beetje verlegen te worden als iemand hem ermee bezig ziet. Alsof hij het zelf kinderachtig vindt, dat gespeel met poppetjes en een namaakkasteel. Maar lang duurt dat gelukkig niet. Zodra hij zich weer onbespied voelt, gaat het verder. De stemmetjes, de geluiden, het vlugge bewegen van de poppetjes met z'n handen. Hele middagen brengt hij op die manier door, zonder er ooit genoeg van te krijgen. En wanneer hij dan eindelijk naar bed moet, zegt hij verongelijkt: ‘Nou al mam... ik spéél net zo leuk!’

'Eerst Asterix, mam, en dan maar die eierstokken'

Robbert vindt het maar een eng idee dat er zoveel dingen gebeuren in z'n lichaam. Hij kijkt naar z'n gladde velletje en zegt: 'Maar wat zit er dan onder...?' 'Nou,' zeg ik, 'spieren en zenuwen en aderen en...' 'Bloed!' zegt hij, en rilt. Want bloed is iets waar direct een pleister op moet.

Iets dat je niet moet zien, omdat er dan iets mis is. En de gedachte dat er bloed binnenin hem zit, bevalt hem helemaal niet. 'Bloed zit in je aderen,' zeg ik, 'dat klotst niet zomaar een beetje rond!' Dan wil hij natuurlijk weten wat een ader is. De uitleg dat het een soort buisje is, bevalt hem wel. Dat heeft iets netjes, iets georganiseerds. Maar toch kan hij het zich allemaal niet goed voorstellen. 'Waarom heb ik bloed,' zegt hij, 'het is toch veel makkelijker als je géén bloed hebt? Dan kan je je lekker stoten want dan gebeurt er toch niks.' Het is een nieuw gezichtspunt voor me. Nou moet ik dus gaan uitleggen wat bloed allemaal doet. En zó goed ben ik zelf ook niet in die dingen. Ik haal een boek waar plaatjes in staan van het menselijk lichaam vanbinnen. 'Wat staan die mensen d'r raar bij,' vindt hij. Maar dan is hij helemaal verdiept in al die frunnikjes die hij op de tekening ziet. En ik moet aanwijzen: maag... nieren... lever... hart... 'Is dat allemaal nodig?' vraagt hij wat argwanend. 'Nou eh... já,' zeg ik, 'het zit er echt niet voor niks.' Hij denkt een tijdje na. 'Maar ik kan nooit zoveel hebben als jij, want ik ben kleiner als jij,' zegt hij dan met een gezicht alsof hij zichzelf verschrikkelijk slim vindt. 'Jij bent kleiner dan ik, dus alles is bij jou kleiner dan bij mij,' zeg ik. 'Heb ik dan álles hetzelfde als jij?' 'Nee,' zeg ik. 'Je hebt niet alles hetzelfde als ik, want jij bent een jongen en ik ben een meisje.' Ik begin een beetje moe te worden. En het einde is duidelijk nog niet in zicht, want nou begint hij pas goed geïnteresseerd te raken.

Hij leunt met z'n hoofd op z'n handen over het boek met de gekleurde plaatjes. 'Wijs nou eens álles aan, mam, wat we hetzelfde hebben. En wijs dan eens aan wat we anders hebben,' zegt hij, en gaat er eens lekker voor zitten. Ik zucht en zoek De Vrouw op. Als ik moeizaam de goede bladzij heb gevonden, komt Peter binnen. Hij kijkt over m'n schouder, werpt één blik op het boek en zegt dan: 'Eierstokken... mam, mag ik een appel.' Robbert is verbijsterd. 'Ei-der-stokken?' zegt hij, 'zijn dat stokken met eideren?' 'Nee, rund, met eieren, hè mam, en mag ik nou een appel of niet.' 'Ja, je mag een appel,' zeg ik.

'Ik wil ook een appel,' zegt Robbert, 'en waarom zitten daar stokken met eieren, mam?' Daar heb ik een prima boekje voor, bijna stukgelezen door Peter, met leuke tekeningen en een verhaal dat duidelijk en zakelijk is. Precies wat we nodig hebben. Samen lopen Robbert en ik naar Peters kamer om het boek uit de kast te halen. 'O,' roept Robbert verrukt, 'een nieuwe *Asterix*!' 'Luister eens,' zeg ik, 'je wou toch weten van die eierstokken?' 'Jawel mam, maar als ik nou éérst even die Asterix... en dán die eierstokken.' Ik zucht en stap met het boek onder m'n arm naar beneden. Peter zit op de bank luidruchtig z'n appel te eten. 'En... snapt hij het?' informeert hij. 'Hij zit *Asterix* te lezen,' zeg ik. 'O,' zegt hij begrijpend. En dan met iets van toffe jongens onder elkaar: 'Nou ja mam, dat is toch ook veel leuker!'

'Als je naar de film gaat, word je dan vader...?'

'Mam...!' zegt Robbert. 'Mam... hoe gaat het nou eigenlijk als je wilt trouwen? Komen er dan allemaal meisjes bij elkaar en moet je dan kiezen?' Hij kijkt me oprecht bezorgd aan. Het is duidelijk dat het idee hem totaal niet trekt.

Zo'n kamer vol met van die enge meiden, met wie hij toch altijd al ruzie heeft, en dan nog moeten kiezen ook!

'Nee hoor,' zeg ik naar waarheid, 'zo gaat dat helemaal niet.' Natuurlijk wil hij onmiddellijk weten hoe het dan wél gaat. Ik vertel hem dat je ergens, op een dag, iemand ontmoet die je wel aardig vindt. En die jóú ook aardig vindt. 'Hoe wéét je dat dan?' vraagt hij slim. 'Zeg je dan: "Ik vind jóú wel aardig?"' 'Nou nee, zo gaat dat niet. Maar je merkt het gewoon, hè.' Hij kijkt me strak aan en laat dan langzaam één ooglid zakken. Het wordt een komische, maar door de ernst van z'n gezicht ook wat dramatische knipoog. Hij spert vlug allebei z'n ogen weer wijd open. 'Zó gaat dat natuurlijk!' zegt hij tevreden. 'Ja, zo ongeveer,' zeg ik. Bedenkend dat ik in een wijde boog om Willem heen zou zijn gelopen als hij ooit zo'n gezicht had getrokken naar me. 'En dán?' wil hij weten. 'Nou eh, je gaat eens uit samen. Naar de film of zo.' 'Mág dat dan van je vader en moeder? Mág ik dat dan wel van jullie? 'Met een meisje naar de film?' 'Natuurlijk mag je dat,' zeg ik. Hij schiet overeind. 'Maar dan mag ik dus ook wel alléén, als ik dat wil. Ik hóéf toch niet met een meisje?' Ik vertel hem dat het allemaal geen probleem zal zijn. Nou moet hij een tijdje nadenken. Maar niet lang. 'Dus dan ben je naar de film geweest. En dan word ik vader, hè mam?' Het is duidelijk dat hier een Voorlichtende Taak op me wacht.

Het hoe en wat van kindertjes krijgen is hem al tijden geleden verteld. Dat is het ook duidelijk niet waar hij mee worstelt. Maar het hele sociale gebeuren eromheen is hem volstrekt onduidelijk. Ik probeer hem uit te leggen dat naar de film gaan en vader worden twee totaal verschillende zaken zijn. Het lucht hem duidelijk op. Hij begint tenminste neuriënd in een *Donald Duck* te bladeren. Ondertussen bedenk ik me wat kinderen een merkwaardige kijk op de grotemensenwereld hebben. 'En als je getrouwd bent, mam,' zegt hij zonder van z'n stripverhaal op te kijken, 'dan moet ze voor je koken hè?' Dát is nog eens een prima gelegenheid om een klein emancipatieplantje te zaaien. 'Nou, ik vind het helemaal niet nodig dat vrouwen altijd maar koken,' zeg ik. En probeer hem dan uit te leggen dat je in een huwelijk en een huishouden best een boel dingen samen kan doen, of om de beurt of hoe dan ook. En dat het niet nodig is en ook niet leuk om alles zo precies te verdelen van: jij doet dit en ik doe dat! Hij werpt verontwaardigd het tijdschrift van zich af als ik klaar ben met m'n verhaal. 'Ja ámme...!' roept hij. 'Ik kijk wel uit. Dan kan ik net zo goed niet trouwen...!'

Nu is het mijn beurt om even stil te zijn. Dit is nog eens onverbloemd egoïsme van de eerste orde. Hij heeft ineens genoeg van het gesprek. Huppelend verdwijnt hij naar buiten, waar ik hem even later met geheven vuist achter een vriendinnetje aan zie rennen. Als ik hem 's avonds instop, begin hij er weer over. Handen onder z'n hoofd en met ernstige ogen zegt hij: 'Zeg mam... dat trouwen hè...?' 'Ja?' zeg ik. Hij ligt even nadenkend naar de zoldering te kijken. Dan zegt hij: ‘Ze moet goed kunnen koken, mam. Maar het moet ook wel een knap wijffie zijn!’ En tevreden trekt hij de dekens over zich heen.

Natuurlijk moet alles mee naar school

Ach ja, die brugpiepers. Nog steeds zie je aan het begin van het schooljaar die tengere lijfjes gebukt gaan onder een met boeken volgeladen rugzak. Kleine breekbare meisjes, het haar in een paardenstaart of los op de schouders, gewicht misschien niet meer dan dertig kilo, dragen bijna zesenhalve kilo aan schoolmateriaal met zich mee. Niets is veranderd in de twintig jaar sinds die eerste middelbare schooldag van mijn zonen. 'Neem je echt álles mee...?' Dat ben ik, de moeder, haar stem een mengeling van ontroering (want dit is weer zo'n historische dag in een kinderleven) en bezorgdheid. 'Natuurlijk moet alles mee!' zegt de zoon, die zich flinker voordoet dan hij is. Dat zie je aan zijn ogen die niet alleen onschuld maar ook onzekerheid uitstralen. 'Maar je hebt toch niet alle vakken op één dag?' probeer ik. 'Je hebt toch een lesrooster? Laat me je lesrooster eens zien.' 'Mam, ik kom te laat!' zegt hij en draait zich om. Het is niet de eerste keer dat ik het afleg tegen de buitenwereld. Op de peuterschool was Juffie favoriet. 'Juffie vindt ook...' 'Juffie zegt dat...' Nu is het een vaag collectief waartegen ik niet opgewassen ben. Ik doe er het zwijgen toe, loop mee naar de schuur en kijk hoe hij op zijn fiets stapt, wankelend onder die zak met boeken op zijn rug. Zelfs de wereldatlas moest mee. 'Heb je dan aardrijkskunde vandaag?' 'Je weet maar nooit,' zegt hij, alsof zijn lesrooster het spoorboekje is, dat op een bepaald moment een bepaalde trein belooft, tenzij... Nee, je weet maar nooit. Dit kind van mij heeft zich inmiddels in het verkeer begeven, heel wat minder mobiel dan anders door zijn zware last. Twee drukke kruispunten over, weet ik, en terwijl ik de ontbijttafel afruim is een deel van mijn moederwezen gespitst op het geluid van een ambulancesirene, de telefoon.

Ze komen uitgeteld weer thuis van school, die brugpiepers. Terwijl ze het afgelopen jaar de helden, de Grote Kinderen van de basisschool waren, zijn ze nu gereduceerd tot niets en niemand. Verloren in een wereld die vol oudere kinderen is, in een gebouw waar ze de weg niet kunnen vinden, in een klas waar ze elkaar en de leraar niet kennen. Er is maar één zekerheid in hun leven: ze hebben tenminste al hun boeken bij zich!

Hij wil stoer zijn én op schoot

En ineens is Peter hulpvaardig geworden. 'Laat maar, mam!' en hup, daar gaan de flessen sinaasappelsap de kelder in, waar ze horen. 'Ik zal wel even...!' en daar komt hij al aansjouwen met de kattenbakken. Spul d'r uit, schoonboenen, nieuw spul d'r in. 'Zó...!' zegt hij tevreden, en kijkt zowaar rond of er soms nog wat te doen is. Met grote boodschappentassen vertrekt hij naar het dorp. En komt zwaarbeladen terug, met wisselgeld dat tot op de cent klopt.

Ik weet niet wat me overkomt. Jarenlang heb ik rond lopen razen en tieren van: 'Jullie doen ook nóóit eens iets uit jezelf.' 'Alles laten jullie slingeren.' 'Vooruit, doe eens wat!' En net nu ik de strijd heb opgegeven en denk: ik kan beter alles zelf doen dan dat de stemming nog langer zo verknoeid wordt, nu begint hij van alles uit zichzélf te doen.

Robbert vindt dat duidelijk prima. 'Goed zo, Peter,' zegt hij tevreden, 'wil je soms ook m'n fiets schoonmaken?' Maar Peter is niet gek. 'Bekijk ut maar!' zegt hij vriendelijk, en verdwijnt fluitend, handen in z'n zakken, tegen steentjes schoppend. Echt een knul. En zo gaan we dan ook met hem om, Willem en ik. Hij hoort nu bij de groten. We bespreken dingen met hem waar Robbert nog te klein voor is. Hij mag langer opblijven. Hij leest de krant van voor tot achter en begint serieuze gesprekken over waarmee het land nou het beste gediend zou zijn, de PvdA of de VVD.

Soms gedraagt hij zich uitgesproken vaderlijk: 'Mam,

moet je nou niet weer eens naar *Libelle*? Ik pas wel op Robbert.' En aan tafel zegt hij goeiig tegen Robbert: 'Neem jij de rest van de pudding maar, jij moet er nog van groeien.'

Ik bekijk het allemaal met stijgende verbazing. Dit is een volkomen nieuw verschijnsel, en ik heb geen idee hoe het ontstaan is, en nog minder of het blijvend is of tijdelijk. En dan, op een zondagochtend, als ik gezellig met Robbert aan het knuffelen ben, barst hij in luid geween uit. Dat is me een toestand. Terwijl ik net zo leuk heks aan het spelen ben: 'Ik ga je OPETEN... eerst HAP HAP je neusje en dan HAP HAP HAP je oortjes,' en Robbert maar schateren, zit daar ineens een grote huilende jongen op de bank. 'Dat doe je nou nooit met mij!' roept de grote huilende jongen klaaglijk. 'Niks van die heks en die neus en die oortjes. En 's ochtends zeggen jullie altijd 'ha, Peter' tegen mij en tegen Robbert zeggen jullie 'dag jochie,' of 'dag lieverdje.' Nou, als jullie dan meer van hém houden dan van mij, dan hoeft het helemaal niet meer. Dan ga ik wel weg!'

Robbert zit op m'n schoot en bekijkt het tafereel met tevreden voldoening. Hij is de kleinste, lekker puh, en als het hem zo uitkomt, gedraagt hij zich ongegeneerd als een baby. En hij heeft donders goed in de gaten dat dat best een leuke positie is binnen een gezin. Maar die arme Peter heeft het heel wat moeilijker. Aan de ene kant wil hij die stoere bink zijn, aan wie je zoveel kan overlaten. Want hij is toch zeker de oudste! Maar op dit moment blijkt dat hij er óók naar hunkert om af en toe nog even 'klein' te zijn en geen verantwoordelijkheden te hebben.

'Ach jéétje,' zeg ik, 'kom dan gezellig even op schoot...!' En daar is ie al. Een verpletterend brok jongen-van-tien. Met veel te lange armen en benen voor het subtiele knuffelwerk. Maar evenzogoed vindt hij het reuzeleuk. Hij knort en lacht door z'n tranen heen. Twee minuten lang.

Dan gaat het hem duidelijk vervelen. 'Zó, mam,' zegt hij dan resoluut, 'en nou ga ik de kattenbakken maar eens even schoonmaken.'

Tegen zulke ruzies kan ik niet op!

Ergens las ik, een hele tijd geleden alweer, dat kinderen uit één gezin het nodig hebben om ruzie met elkaar te maken. Het zou een soort training zijn voor 'later'. Zodat ze zich, als ze volwassen zijn, beter kunnen handhaven in de maatschappij. Het was een goed artikel. Zo goed zelfs dat ik, toen ik het uit had, dacht: wat heerlijk dat m'n kinderen zo vaak ruzie maken, nu zullen ze zich vast erg goed kunnen handhaven in de maatschappij! Erg veel gelegenheid om blij te zijn had ik jammer genoeg niet. Want net op het moment dat ik het tijdschrift dichtsloeg, barstte er zo'n ruzie los tussen Peter en Robbert dat ik maar net op tijd was om te verhinderen dat ze elkaar, om een knikker of een bal of een dropje of niks, de hersens insloegen. Dat was de achtste keer die dag dat ik mezelf als scheidsrechter tussen de vechtende lijfjes moest werpen. Alle andere dertig keer hoefde dat gelukkig niet.

Dat waren meer ruzies waarbij ontzettend veel lawaai gemaakt werd, dreigende en brute taal gesproken werd, maar waarbij de handen thuis werden gehouden. Ach, elk gezinsleven kent zo z'n inzinkingen, alleen duurt die bij mij thuis wel wat erg lang, vind ik. Als ze 's avonds eindelijk in bed liggen en opgehouden zijn met het elkaar door de muren heen bedreigen, kan ik proberen erover na te denken waarom er de laatste tijd zoveel ruzie is. En de enige reden die ik kan bedenken is het feit dat Robbert ineens zo is komen 'opzetten'. Een ander woord kan ik er niet voor vinden. Zoals een geletruidrager in de Tour de France het op z'n zenuwen krijgt als die fietsende schlemiel waar niemand ooit op lette en die altijd drie bergtoppen achterlag op de rest, ineens aanstalten maakt om hem voorbij te fietsen, zo is Peter zich wezenloos geschrokken toen hij merkte dat Robbert ineens mee begon te tellen. Tot voor kort was hij 'dat kleine broertje'. Een beetje in zichzelf gekeerd. Maar nu begint hij ineens een bonk van een jongen te worden. Hij groeit als kool. Hij weet precies wat hij wil, en erger nog, hij zorgt ervoor dat hij het meestal krijgt ook. En wat voor Peter het meest onverteerbaar is: Robbert is dapperder dan hij! Met ware doodsverachting stort hij zich op jongens die twee keer zo oud en twee keer zo groot zijn als hijzelf. In het begin waren die jongens zo verrast dat ze de strijd verloren omdat ze zo moesten lachen. Maar nu ze weten dat hij keihard mept, worden ze wel gedwongen om terug te vechten. Een beetje gegeneerd, dat wel, maar evengoed komt Robbert regelmatig met een blauwe plek thuis. Wat niet verhindert dat hij meestal erg goed met ze op kan schieten, want ze mogen dat felle en opvliegende wel.

En Peter, die nu eenmaal veel zachter van aard is, ziet dat allemaal aan met de wanhoop in z'n ogen. De rolverdeling waaraan hij zo gewend was, en die hem zo goed beviel, geldt ineens niet meer. En in z'n onzekerheid maakt hij van álles een punt en probeert hij Robbert overal mee te pakken. O ja, ik begrijp het eigenlijk best allemaal. Als het eenmaal avond is tenminste, en m'n hoofdpijn wat gezakt. En elke avond opnieuw neem ik me voor om de volgende dag méér geduld en méér begrip op te brengen dan ik deze dag gedaan heb. Alleen... het lukt niet zo erg. Ik heb jammer genoeg niet het soort zenuwen dat ertegen kan om nog vóór het ontbijt kijvende en vechtende kinderen om zich heen te hebben. Het put me volkomen uit als ik strijd moet leveren om elk onbenullig gebeuren. Om het handen wassen, het aan tafel komen, het in bad en naar bed gaan. Ik probeer het ze uit te leggen: 'Jongens, dit is niet leuk meer, zoals het de laatste tijd toegaat hier in huis. Dit kán toch gewoon niet langer zo!' Nou, daar zijn ze het dan mee eens. Maar ze zijn het zélf niet die al die ruzies veroorzaken, maar hij, mama, hij begint altijd! A-l-t-ij-d! En hup, daar gaan de beschuldigende vingers weer en nog geen minuut later rollen ze vechtend over m'n voeten. Het tijdschrift met dat artikel erin ben ik kwijt. Ik heb er nog heel lang naar gezocht, maar het is echt nergens meer te vinden. Jammer, ik was zo graag weer eens blij geweest...!

‘Dag mam, ik ga ergens anders wonen’

Die ene ruzie met z’n broertje is Peter net te veel. Hij rent de trap op en komt een kwartier later naar beneden stommelen. Een koffer bonkend achter zich aan. ‘Ik verdwijn!’ zegt hij stoer, ‘ik ga ergens anders wonen.’ Terwijl hij nog even wat gaat halen boven, kijk ik in de koffer. Een stapeltje ondergoed, drie pyjama’s en een laken dat hij van z’n bed heeft gehaald.

Hij is alweer halverwege de trap. ‘Het beste, mam,’ zegt hij, en hij zeult de koffer de deur uit. Verbijsterd kijk ik hem na. Fiets uit de schuur, met moeite het hek openwurmen en nou staat ie op de stoep. Probeert de koffer aan z’n stuur te hangen, maar dat lukt niet. Hij klimt onhandig op z’n fiets, scheef overhellend van het gewicht van de koffer. Zo rijdt hij weg. Een jongen van tien die de wereld intrekt. Hij is nauwelijks de straat uit of de ongerustheid slaat toe. Tot nu toe had het iets van een vertederende grap – zo’n kleine kwaaie jongen die een koffer pakt en wegloopt. Maar nu ik hem niet meer kan zien, is het leuke er ineens af. Wat gaat hij nou doen met dat boze hoofd van ’m? En heeft hij eigenlijk z’n zakgeld bij zich of niet? Als hij het wél heeft, betekent het dat hij naar het station kan gaan en een kaartje naar weet ik veel kan nemen? Of de bus? Of dat hij in elk geval ergens wat eten kan kopen, zodat hij niet onmiddellijk door de honger naar huis gedreven wordt? ‘Wat doen we nou?’ vraag ik hulpeloos aan z’n broertje. ‘De politie bellen,’ zegt die met glinsterende ogen. Daar schiet ik ook niet veel mee op. Ooit, toen ze vier jaar was, is Willems zusje met een speelgoedkoffertje aan de hand het hek uitgelopen. 'Ik kom nooit meer terug,' zei ze tegen haar moeder. 'Goed, schat,' zei die, 'neem een appeltje mee voor onderweg.' Maar tussen vier en tien jaar ligt een wereld van verschil. Plannen en ideeën waar een vierjarige van droomt zijn voor een tienjarige zeer uitvoerbaar. Ik haal zuchtend de fiets uit de schuur, zet Robbert achterop en rij de buurt door.

Overal jongens die voetballen of op een hek met elkaar zitten te praten. Maar nergens die éne, die met de koffer! Naar het station dan maar. De trein naar Amsterdam rijdt net weg als ik eraan kom. 'Ik zag hem achter een raampje!' roept Robbert. Echt iemand die je bij je moet hebben als je tóch al ongerust bent. 'Zag je hem écht?' vraag ik tegen beter weten in. Op zo'n moment wil hij dan toch wel eerlijk zijn. 'Nee, hoor,' zegt hij opgewekt, 'maar het zou best kunnen!' De perrons zijn leeg en bij de loketten is het ook al stil.

Ik fiets weer naar huis. Niks te zien. Doelloos sjouw ik wat van de ene kamer naar de andere. En telkens kom ik weer bij een raam terecht. Tien minuten later hoor ik de bonk van een fietswiel tegen het tuinhek. Niet te geloven, daar is hij. Met een gezicht alsof er niks aan de hand is. De koffer laat hij bij het hek staan. Door de achterdeur komt hij binnen en roept: 'Robbert...! Ga je mee weglopen...?' 'Néé hoor!' roept Robbert verschrikt, en hij schudt nog eens extra van 'nee!' tegen mij. 'Nou, dan hou ik er ook maar mee op,' mompelt Peter, en hij sjouwt met veel gepuf de koffer weer naar binnen.

's Avonds, als ik hem toedek, vraag ik: 'Peter, nou moet je me toch eens vertellen waarom je Robbert meevroeg... je liep toch juist weg omdat je ruzie met hem had?' 'Jawel,' zegt hij met een grijns, 'maar die koffer was zo zwaar. Ik dacht: als hij meegaat, dan kan hij 'm mooi voor me dragen!' Hoofdschuddend kom ik weer beneden. Kinderen... ik mag hángen als ik er wat van begrijp!

'Ik moet altijd gezond doen maar jij rookt!'

Hij kan het niet begrijpen. 'Maar je zegt toch zélf dat het verschrikkelijk ongezond is? En tóch doe je het...!' 'Grote mensen doen vaak dingen die slecht voor ze zijn,' zeg ik. Maar ik voel best dat het een zwak argument is. Hij wordt er dan ook onmiddellijk erg kwaad om.

'Tegen mij zeg je dat ik niet aan roken moet beginnen, en zelf rook je de hele dag!' 'Ik rook niet de hele dag!' roep ik terug. 'O, néé... je bent verslaafd... kijk die asbak eens... één, twéé, drie, vier, vijf, zés peukjes...!' Hij houdt het ding beschuldigend omhoog. 'Zes is helemaal niet veel,' zeg ik. 'Krijg je daar dan geen kanker van?' zegt hij. 'Ik weet het niet. Ik hoop van niet,' zeg ik. 'Dus je weet het niet zeker?' 'Natuurlijk weet ik het niet zeker. Maar ik dénk van niet. Ik hóóp van niet!' Hij zet de asbak neer en begint te huilen. Ik ga verbijsterd naast hem zitten. 'Waarom huil je nou, joh?' 'Ik wil niet dat je doodgaat,' snikt hij. 'Ik word zo verschrikkelijk ongerust als je rookt. En ik vind het niet leuk dat je me dingen verbiedt en dan doe je het zelf tóch...! En wij moeten altijd dingen doen omdat het goed voor ons is.' We zitten zwijgend naast elkaar. Natuurlijk heeft hij gelijk. Het is ook te gek om tegen je kinderen te zeggen: 'Je moet niet roken, want dat is zo slecht,' terwijl je tegelijk een sigaret aansteekt. Of zeggen dat alcohol in het verkeer zo gevaarlijk is, terwijl ze met hun eigen ogen zien dat je gasten drie glazen sherry drinken en dan opgewekt in de auto stappen. Er klopt ook helemaal niks van. Maar ook al vind ik dat hij verschrikkelijk gelijk heeft, toch ben ik ook een beetje geïrriteerd. Verdorie... als je jong bent, word je op je kop gezeten door je ouders. En als je dan eindelijk zelfstandig bent en zelf kan uitmaken wat je wel en niet wilt doen, heb je ineens een zoon die je de les komt lezen.

Met een mengeling van schaamte, schuldgevoel en een beetje ergernis klop ik hem op z'n schouder: 'Kom, joh, ik zal je naar bed brengen. Het is al laat.' 'Ja hè,' zegt hij, nog nasnikkend, 'dat is zo goed voor me, om op tijd naar bed te gaan. Maar voor jullie is het niet nodig.' Ik zeg niks. En zie tot m'n stomme verbazing dat hij m'n pakje sigaretten pakt. 'Wat krijgen we nu?' zeg ik. 'Ik ga je sigaretten verstoppen,' zegt hij uitdagend, boos en ook een beetje bang. 'Ben je nou helemaal...!' Maar hij is de deur al uit. Als ik achter hem aan bovenkom, zit hij buiten adem maar triomfantelijk op z'n bed. 'Die vind je nooit meer terug,' zegt hij. 'Morgen koop ik nieuwe,' antwoord ik.

'Die verstop ik weer!' Ik dek hem toe en geef hem een zoen. Ineens slaat hij z'n armen om me heen: 'Mamma, ik wou dat je niet zo stom deed,' zegt hij. 'Ik zou...' begin ik. Bijna had ik gezegd: 'Ik zou willen dat je je met je eigen zaken bemoeide,' maar dat is het nou juist... het zijn z'n zaken. Want z'n grotejongenshersens hebben allang bekeken dat een huis zonder moeder niet zo'n lolletje is. Vandaar dat hij op zijn manier probeert de boel bij elkaar te houden. Het ontroert me, en ik wou dat ik zeggen kon: 'Goed, dan rook ik nooit meer.' Maar ik ken mezelf. Zuchtend ga ik naar beneden. Twee dagen hou ik het vol om niet te gaan zoeken naar dat pakje. Maar de derde dag stap ik kordaat z'n kamer in om tussen z'n lego, spoortrein en soldaatjes te rommelen. Ik weet niet wat me méér ergert: dat ik nou toch aan het zoeken ben, of dat ik het niet kan vinden. Nieuwe sigaretten heb ik nog steeds niet gekocht, en daar ben ik niet weinig trots op. Maar dan merk ik tot m'n ontzetting dat ik nagelbijt. Zo van kr... krn... krnnn. Ik moest nodig tegen hem roepen dat ik niet verslaafd ben...! Nagelbijtend bedenk ik dat m'n zoon me dan toch beter doorheeft dan ikzelf!

Wij zijn op safari geweest

Op een mooie dag rijden we het safaripark binnen. Peter, Robbert en ik. We mogen niet uitstappen, staat er op grote strenge borden, en we mogen ook niet de raampjes naar beneden doen. Het geeft onmiddellijk een gevoel van spanning en avontuur. 'Als er nou eens een olifant komt, mam, en die gaat boven op de auto staan...?'

'Er zijn geen olifanten in dit park,' zeg ik. 'En een leeuw dan... hè... als er nou eens een leeuw op de auto springt...?' zegt Robbert angstig. 'Dan kijkt hij naar BINNEN,' zegt Peter, '...dan ziet hij JOU, en dan denkt hij WAT EEN LEKKER HAPJE... en dan... EN DAN!' 'Nietes hè mam, hè mam... nietes hè?' Vechtend rollen ze over de achterbank. Ik stop de auto. 'Jongens, ophouden of ik ga terug.' En daar zitten ze alweer keurig naast elkaar, alsof ze nog nooit in hun leven zelfs maar een verschil van mening hebben gehad. Ondertussen ben ik zélf verschrikkelijk zenuwachtig. Dat van die leeuw op de auto had ik ook al bedacht. Zitten de portieren echt helemaal dicht? En zijn de raampjes echt helemaal omhoog? Ze zien me kijken. 'Griezelig, hè mam...!' 'Nou!' Langzaam rijden we door het bos. Het ziet er best gezellig uit, met bomen die frisse jonge blaadjes hebben. Een beetje heuvelachtig is het ook. Je rijdt er voor je plezier, maar waar zijn al die béésten nou? En dan ineens zie ik ze. Een groepje panters. Op een onnavolgbaar sierlijke manier liggen ze lui in de zon. Een beetje zoals onze poezen dat doen op een zonnige dag, als het tijd is voor hun middagdutje. We zitten ademloos te kijken. Dan staan er ineens twee op, en met een snelheid die je niet voor mogelijk houdt zijn ze voor de auto langs en aan de andere kant weer het bos in verdwenen.

We zijn sprakeloos. Zoiets moet je gezien hebben om het te geloven. Langzaam rijden we door. De raampjes beginnen te beslaan, en de warmte in de auto wordt bijna ondraaglijk. Wat vreselijk dat er niks open mag. De auto voor ons heeft wél een raampje halfopen. Een vrouw steekt haar fototoestel naar buiten. Waarschijnlijk denkt ze dat er nog tijd genoeg is om het raampje dicht te doen als er een dier op haar af komt. Maar nu ik heb gezien hoe verschrikkelijk snel ze zijn, stel ik me daar niets van voor. In de bocht van de weg moet ik ineens op de rem gaan staan. Een grote leeuw, met manen zoals je die altijd op tekeningen ziet, stapt bedaard de weg op. Z'n bek in de hoeken omhoog gekruld tot een mysterieuze glimlach. Geen wonder dat hij in zoveel verhalen voorkomt. Een fascinerend dier is het, koninklijk, ongeïnteresseerd in al die blikken dingen om hem heen en al die bewegende witte plekken achter de raampjes. Ik zou uren naar hem willen kijken, maar hij schudt traag z'n enorme kop en loopt dan door, met een bonkig wiegen van z'n heupen. 'Mám...!' zucht Robbert. En verder zijn ze opvallend stil, opvallend onder de indruk. O, we zien nog veel meer in dat safaripark. Nog meer leeuwen en, in een ander gedeelte van het park, kolossale struisvogels, die brutaal komen bedelen en grote stukken brood opslokken, die we voorzichtig door een kiertje van het raam in hun snavels stoppen.

Het wordt een féést van een dag. Zo'n dag waarna kinderen intens tevreden hun bed in rollen. 'Gaan we gauw wéér?' mompelt Peter als ik hem toedek. En nog voor ik z'n kamer uit ben slaapt hij al.

Wat zijn die eersteklassertjes klein, mam!

'Mam, d'r zijn toch een úkken op school gekomen. Een UKKEN! Mam, hartstikke kleine kinderen. En d'r is een meisje dat elke dag een pop meeneemt. Op de Grote School!' Hij schudt z'n hoofd in meewarige verbijstering.

Nog maar twee jaar geleden is het dat ik hém afleverde bij het grote ijzeren hek. Een jongetje, zó van de kleuterschool, dat 's nachts omringd door pluchen beren als een baby, met z'n handen gebald naast z'n hoofd, lag te slapen. Ik vond hem zo ontroerend klein, toen ik hem wat verlegen zag schuifelen tussen al die wilde en veel grotere kinderen uit de hogere klassen. Dat groepje eersteklassers pikte je er zo uit. Kinderlijke smoeltjes, vaak nog met van die bolle wangetjes zoals baby's die ook hebben. En met mollige knietjes met kuiltjes erin, die pas een paar jaar later zouden veranderen in gespierde sterke grote-kinderen-benen.

Op die school van Robbert werden de kleintjes ontzettend goed opgevangen. In een hoekje van de eerste klas stond een blokkendoos. En wie wilde mocht er met poppen en ledikantjes spelen. Zoveel verschil met die veilige vertrouwde kleuterschool waar ze vandaan kwamen was er niet, die eerste maanden.

De kinderen die aan lezen en schrijven toe waren, gingen ijverig aan de slag met papier en potlood. Maar de anderen mochten aan hun totaal nieuwe omgeving wennen. In hun eigen tempo en op hun eigen manier. Zo gleden ze heel geleidelijk het leven in van een groteschoolkind. Ik was daar verschrikkelijk dankbaar voor. Van vriendinnen had ik verhalen gehoord over hoe hun kinderen uitgeput en zenuwachtig hun eerste schooljaar ondergingen. Niet eens omdat het ákelige scholen waren, maar gewoon omdat de overgang van poppenhoek naar keurig in de bank te groot was. Het duurde trouwens verschrikkelijk lang voordat Robbert belangstelling begon te krijgen voor lezen en schrijven. Het leek hem leuk om het te kunnen, maar het léren trok hem totaal niet aan. Soms had hij me ontzettend beet. Dan zei hij: 'Zeg mam, ik kan nou écht lezen hoor!' Waarna hij een boek pakte dat ik hem vaak voorlas. Zonder een spier te vertrekken begon hij dan te lezen. Hardop, z'n vinger ijverig bij de woorden houdend. En elk woord opgediept uit z'n herinnering. Na elke zin zat hij dan onderuit naar me te kijken: zou ze het merken..? Meestal hielden we die komedie een minuut of vijf vol. Maar dan schoot ik in de lach of hij raakte de draad kwijt, zodat hij ineens van Sneeuwwitje overschakelde op Hans en Grietje, en het verhaal steeds verwarder werd.

En toch, aan het einde van dat eerste schooljaar, kreeg hij aardigheid in al die letters en woordjes. En toen ging het snel. Z'n hele wereld bestond ineens uit woordjes die hij wel en woordjes die hij niet kon lezen. Op elk stuk papier met woorden dat hij te pakken kon krijgen, zocht hij de woordjes met drie letters. 'Vu i sss vis... tu a ku tak...' En toen kwam de dag dat hij, heel moeizaam en met hier en daar een forse vergissing, hardop een krantenkop las. Een groot moment, beloond met uitbundige toejuichingen van Peter, Willem en mijzelf. En nu zit hij dan in de derde, en kijkt met grenzeloze minachting neer op de eersteklassertjes. Die ukken die nog niks kunnen. En ik kan aan hem zien dat hij zichzelf een man van de wereld vindt. Iemand die alles nou wel zo'n beetje weet. Best een lekker gevoel, vooral als je bedenkt dat het maar zo kort zal duren.

‘Dan lachte de tortel haar na, ha ha ha’

‘Vroeger,’ zeg ik tegen de kinderen, ‘vroeger werd er bij ons thuis gezongen. En mijn moeder speelde daarbij. Op de piano.’

Ze kijken me verbijsterd aan. ‘Wát zongen jullie dan?’ vraagt Peter. ‘Nou, liederen. We hadden een liederenboek: *Kun je nog zingen, zing dan mee.*’ Ze kijken elkaar aan, maar blijven beleefd. ‘Wat voor soort liedjes?’ wil Robbert weten. ‘O,’ zeg ik, ‘van alles. Kerstliedjes. Sinterklaasliedjes. Eh... van “Baanveger, baanveger, kom met je bezem” en “Op de grote stille heide”.’ ‘Ja, daar is inderdaad heel wat te doen met een bezem,’ zegt Peter. ‘Leuk hoor,’ zeg ik, ‘láát maar verder.’

Maar nu zijn ze net nieuwsgierig geworden. ‘Záten jullie te zingen, of stónden jullie te zingen,’ wil Robbert weten. ‘We stonden. Om de piano heen,’ zeg ik. En ik krijg een vluchtig visioen van de bovenkant van het opgestoken haar van mijn moeder. De bril die alleen voor lezen en pianospelen werd opgezet. En wij, twee zussen en een broer, een beetje over haar heen hangend om de kleine lettertjes in het boek te lezen.

Robbert en Peter denken na. Ze lachen nét niet. ‘Waarom zetten jullie niet gewoon een plaat op?’ zegt Peter. ‘We hadden geen grammofoon.’ ‘En waarom deed je dan de televisie niet aan?’ vraagt Robbert. ‘We hadden geen televisie,’ zeg ik. ‘En ook geen telefoon. Geen vaatwasmachine, geen ijskast, geen wasmachine, geen droger en geen vrieskist. Maar wel een kolenhaard. Een voor het hele huis, die stond de hele winter door te loeien. Met zo'n bolle rooie buik. Je kon door de micaruitjes naar de vlammen kijken, en als je alle lichten uitdeed, was de kamer roze, en dan waren er allemaal bewegende schaduwen. Het was dan net een toverlantaarn.'

'Een toverlantaarn?' zegt Robbert. 'Een soort televisie,' zegt Peter. 'Nee, een soort diaprojector,' zeg ik vinnig. En ik besluit om nooit, nooit meer mijn vroeger te grabbel te gooien voor deze twee kleine welvaartsstaatmonsters. Maar Robbert zegt peinzend: 'Ik zou best dat boek eens willen zien. Dat zingboek.'

Twee maanden later, bij het opruimen van een kast, vind ik het. De band ontelbare malen keurig geplakt met bruin papieren plakband. Staand begin ik te bladeren. Mijn hemel, zongen we dát? 'Dan lachte de tortel haar na, ha ha ha ha ha ha', 'Ik ben een ferme sterke jongen, en ken gelukkig geen verdriet, ik heb goddank twee goeie longen, en zing daarmee een vroolijk lied', 'Hè, lekker in de buitenlucht, wat heeft het flink gevroren. De wangen pimplen mij van kou. En tintlen doen mij d'ooren.' 'Op de grote stille heide' kan nog best, en voor het karretje op de zandweg heb ik altijd een zwak gehad. Waarom stop ik het boek dan weg, achter een rij andere boeken? Ik probeer me voor te stellen wat er gebeurt als Peter en Robbert erin gaan bladeren. Lachen, gieren, brullen! 'Peter, heb je dát gelezen?' 'Moet je horen wat gék!' En daar gáát het zingen met z'n allen, met daarna anijsmelk. Kan ik het helpen dat het zo tuttig en knussig klinkt? Een fiets, denk ik, die had ik ook niet. Maar knap als iemand die informatie nog uit me los wurmt.

Een dochter? Opeens was ik jaloers

'Jongens vind ik énig!' roep ik nu al jaren. 'Twee zonen, dat is nou precies wat ik erg leuk vind!' En ik meen het ook. Vriendinnen tobben met Lastige Meiden van dochters. Die gauw op hun teentjes zijn getrapt, onmiddellijk beledigd naar hun kamer verdwijnen of in tranen uitbarsten. En een vriendin die 'gemengde' kinderen heeft, vertelde me met d'r hand op haar hart dat ze echt meer moeite met haar twee dochters heeft dan met haar twee zonen. Kan allemaal best toeval zijn, maar in elk geval dacht ik bij het horen van die verhalen altijd wat opgelucht: dát heb ik tenminste niet.

Maar van de week ontdekte ik ineens dat ik iets anders ook niet heb. Het gebeurde op een middag, in een winkel waar allerlei gezellige winterkleren hingen. Terwijl ik zo'n beetje rondsnuffelde zag ik ineens een vrouw uit een pashokje komen. Ze had een rok aan waar een prijskaartje aan bungelde en ze keek wat onzeker naar een meisje van een jaar of zestien dat op een stoel zat te wachten.

'Kán dat nou wel...,' zei de vrouw aarzelend, 'vind je die rok nou niet te láng..? Ik vind 'm zo modérn... en de kleur vind ik ook een beetje griezelig. Ik heb meestal bruin.'

'Nee mam, die rok is juist fantastisch! Dat is helemaal de lengte voor van de winter. En die kleur vind ik prachtig. Ik zal er een trui bij zoeken, wacht even.' En het meisje rommelde wat tussen een stapel pullovers en trok triomfantelijk een trui tevoorschijn die net een tint lichter was, en prachtig kleurde bij het diepe groen van de rok.

‘Trek ’s aan mam...’ en mam verdween tegenstribbelend de paskamer in. De trui stond haar geweldig. Heel wat beter dan het keurige vestje dat ze zo-even aanhad.

‘Nou nog laarzen eronder,’ zei de dochter. ‘Láárzen... ben je mal kind!’ zei de vrouw, ‘ik dénk er niet aan. Wat zal pappa wel zeggen als ik met laarzen thuiskom.’

‘Maar er hóren laarzen bij zo’n rok,’ zei de dochter, ‘en je bent zo lekker slank mam, je kunt die kleren hartstikke goed dragen, toe nou mam!’ De moeder had nu kleine blosjes op haar wangen, en je zag aan haar ogen dat ze het eigenlijk allemaal énig vond, die kleren waarvan ze best zag dat ze haar goed stonden, maar die ze zelf nooit had durven uitzoeken. En dan nu de gedachte aan zoiets gedurfds als láárzen. De moeder betaalde de rok en de trui en ik zag haar met haar dochter gearmd de deur uit lopen, hun hoofden dicht naar elkaar toe, pratend en lachend. En ineens voelde ik dat steekje in m’n maag dat me altijd feilloos weet te vertellen wanneer ik jaloers ben.

Een dóchter... dacht ik ineens. Wat ontzettend gezellig om samen met je dochter te winkelen. Samen kleren uitzoeken voor elkaar. Samen praten over allerlei dingen waar je toch niet echt op dezelfde manier met een zoon over kan praten. En later, als je dochter kinderen krijgt, wat zal het dan een vreemde gewaarwording zijn om haar te zien met zo’n buikje. Als je goed met elkaar kan opschieten, is een dochter toch wel iets heel speciaals.

En ik fietste dromerig naar huis. ‘Wat bedoel je met een dochter?’ vroeg Willem die avond, ‘bedoel je in plááts van Robbert of Peter?’

‘Nee, natuurlijk niet,’ riep ik verontwaardigd, ‘ik bedoel erbij, ik bedoel óók een dochter.’ We keken elkaar aan en schoten in de lach.

En tegelijk zeiden we: ‘Te láát!’

Want er zijn dingen waar je beter maar niet meer aan kan beginnen als je bijna veertig bent. En dat is eigenlijk best een geruststellend idee.

'Nou hoef ik niet te trouwen, mam!'

Peter is er trots op dat hij handig is. Wacht maar even, hij zal het wel in orde maken. Nee, ik moet me vooral niet ongerust maken, het komt dik voor mekaar. Alleen moet hij toevallig nog even... maar stráks... rustig wachten, want heus...! En dan verdwijnt hij vrolijk fluitend op z'n fiets, en tegen de tijd dat hij terugkomt is het donker, te laat of heb ik hoe dan ook het klusje zelf al gedaan. En tóch is hij handig. Op momenten dat hij niet toevallig even snel ergens naartoe moet, staat hij met roerende toewijding overhemden van Willem te strijken of de peukjes uit een omgevallen asbak op te zuigen. Hij doorziet snel hoe apparaten werken, en als het gebruik ervan hem niet al te zeer tegenstaat, wil hij er best wat mee doen ook. Zo is bijvoorbeeld de mixer een van zijn lievelingsinstrumenten, en het allerliefste mixt hij dingen waar duchtig van gesnoept kan worden, zoals milkshakes, pannenkoekenbeslag of cakedeeg.

Het is vanwege die voorliefde voor het keukengebeuren dat ik hem laat inschrijven voor de kookcursus voor kinderen, die bij ons in het dorp gegeven wordt.

'Hij is niet de enige jongen,' zegt de juffrouw bij wie ik hem opgeef.

'Je bent niet de enige jongen,' zeg ik als ik thuiskom.

'Jammer,' zegt hij, want hij begint steeds meer aandacht voor meisjes te krijgen, en de gedachte aan zo'n lokaal vol vrouwen achter het fornuis, met hemzelf als enige man, bevalt hem prima.

Opgewekt stapt hij het gebouw binnen waar de lessen gegeven worden; een paar plastic dozen met deksel in een draagtasje aan de ene hand, en nonchalant zwaaiend naar mij met de andere. Op straat was hij net een partijtje aan het voetballen toen hij weg moest.

'Jongens, ik stop ermee, ik moet naar koken,' had hij terloops gezegd. En omdat het als de gewoonste zaak van de wereld klonk, bleef het gekat dat ik verwachtte achterwege.

Als ik hem twee uur later weer op kom halen, is hij in geen velden of wegen te zien. Ik loop het gebouw binnen, dat veel ouderwetse gangen met granieten vloeren heeft, en ontelbare deuren. Het moet wel achter die deur zijn waar dat gerammel van vaatwerk klinkt. Aarzelend ga ik naar binnen. Met een grijns van oor tot oor staat Peter aan één van de vele aanrechtjes af te wassen. Druk pratend, waarbij hij zwierige bewegingen met de afwasborstel maakt en stralend water om zich heen verspreidt. Aan alle andere aanrechten wordt ook al druk afgewassen en -gedroogd. Het ruikt naar iets met tomaten. Best lekker, en aan de braadpannen te zien is er ook vlees gebakken. Wat later loopt Peter opgewonden van trots mee naar buiten. Ze hebben macaroni gekookt, en tomatensaus gemaakt, met kaas, en gebraden gehakt. Hij blijft staan en doet de dekseltjes open.

'Wil je proeven?' vraagt hij, en maakt al aanstalten om wat voor me te pakken. Met moeite overtuig ik hem ervan dat het leuker is om thuis te proeven. We staan allemaal om hem heen als hij het eten in hele kleine porties op schoteltjes verdeelt.

'We koken éénpersoons,' legt hij uit, 'en ik heb er al ontzettend veel van gegeten!'

Het smaakt verbazend lekker. Met verse kruiden er

doorheen. Het recept dat hij heeft meegekregen is overzichtelijk. Kan hij zó weer maken.

'Fijn hè mam, dat ik nou voortaan voor mezelf kan zorgen,' zegt hij tevreden. En dan, heel ernstig: 'Nou hoef ik dus niet te trouwen, mam. Want ik kan nou toch koken...!'

Ik ben geen verjaardagsmoeder!

Op wie ik écht jaloers op ben, is op moeders die verjaardagspartijtjes kunnen organiseren. Ik heb dat weleens van dichtbij meegemaakt. Zo'n versierde kamer stampvol opgewonden kinderen. En dan die moeder die er opgewekt en zonder moeite in slaagt om die hele meute op bepaalde tijden in beweging, maar ook weer rustig te krijgen. 'Nou gaan we gezellig taart eten,' zegt ze. En moet je dan eens zien: geen kind dat knoeit, kliedert, morst of gooit met de taart. Geen kind dat z'n rietje vol limonade zuigt om het vervolgens in de hals van z'n buurjongetje leeg te blazen. Geen grapjas die tegen z'n buurmeisje zegt: 'Moet je eens aan die taart ruiken,' om daarna door middel van een krachtige duw haar gezicht te veranderen in een slagroompunt. Bij andere moeders schijnen zulke dingen niet te gebeuren, maar bij mij thuis helaas wel.

En ik sta er machteloos tegenover. Ik weet gewoon niet hoe ik op zoiets moet reageren. Aan de ene kant maakt het me oprecht nijdig, maar aan de andere kant vind ik het ook wel gék! En terwijl ik aarzelend m'n reacties sta te overwegen, is er alweer iets anders verschrikkelijk aan het misgaan. Ooit heb ik eens geprobeerd een spelletjesmiddag te organiseren. Ik had alles uitgetikt op grote vellen papier. De volgorde van de spelletjes, de spelregels, de puntentelling. Maar toen het eenmaal zover was, liep alles toch weer in het honderd. Een kind dat drie keer achter elkaar verloor begon te huilen. En toen ik in m'n wanhoop voorstelde dat het dan maar een extra beurt moest krijgen, riepen de andere kinderen: 'Geméén...! Geméén...! Dan mogen wij ook een extra beurt!' Ik kon daar de redelijkheid van inzien, en dus kreeg iedereen een extra beurt. Maar dat ene kind slaagde erin om wéér te verliezen, waarna ze opnieuw begon te huilen. En dát is dan een situatie waar ik niet meer uitkom. 'Ja, het gaat toch om het spél, en niet om het winnen...!' probeerde ik nog zwakjes. Maar als zo'n kind dan betraand roept dat het haar wel degelijk om het winnen gaat, ben ik verder uitgesproken. Voor mezelf ben ik er al jaren achter dat het handiger is om alleen maar die spelletjes te willen winnen waarin je erg goed bent, maar die waarheid is ook pas tot me gekomen na onnoemelijk vaak m'n kop te stoten. En een kinderpartijtje is niet bepaald de plaats om iemand zo'n levensles bij te brengen. Zo hompelde ik die noodlottige middag voort van het ene mislukte spelletje naar het andere. Als alles helemaal de mist inging en er méér dan drie kinderen huilden, blies ik op een fluitje, waarna ik met valse opgewektheid riep: 'En nóú gaan we maar weer eens snoepen...!'

Want gelukkig, dáár had ik genoeg van in huis gehaald. Zakken vol. En ook al vind ik Snoep Slecht Enzovoort, toch was het het enige dat die middag nog een beetje redde. Nooit ben ik zo blij geweest dat een feestje voorbij was als toen. De eerste moeder die haar kind kwam halen kon ik wel omhelzen! Terwijl ik jongetjes en meisjes in hun jasje wurmde, dacht ik: dát doe ik nooit meer op deze manier. Voor zoiets ben ik niet in de wieg gelegd! Dat ik dat goed aanvoelde merkte ik toen één van de moeders aan haar zoontje vroeg: 'En... was het leuk?' Het jongetje dacht even na en zei toen peinzend: 'Ik weet het niet... het was raar...! Maar er was wel genoeg snoep!'

Was ik niet de moeder van die hond en die beer?

Eindelijk is de hond aangekomen. Na een halfjaar. Je mag dus wel zeggen dat het tijd werd. Maar de beer is er niet bij, en dat doet pijn. De geboortebeer. Het allereerste speelgoedknuffeldiertje dat Peter kreeg. Door hem halfkaal geknuffeld in wieg en box. Waarna de andere helft kaal werd geknuffeld door Robbert in zijn wieg en box. Ons aller lievelingsdier, met twee snorharen links en vijf rechts. Met één kralen oog, en een oor met een scheur erin. De reis maakte hij mee op Robberts schoot. Hij was erbij toen we in de autotrein sliepen, toen we in Spanje op het strand zaten, en toen we in de eindeloze vakantiefile weer richting Frankrijk, richting trein reden. Maar op die allerlaatste ochtend, in dat allerlaatste hotel is het gebeurd. Daar is Robbert z'n hond én het beertje vergeten.

Niets hebben we ervan gemerkt, totdat we hem voor het eerst weer in z'n eigen bed stopten. 'Me hond...,' zei hij. Ik keek rond. 'Me béértje...,' en het begon me te dagen. Ik hoopte dat hij het zelf niet meteen door zou krijgen dat z'n hond en z'n beer nog in een Frans hotel lagen. Maar binnen een minuut was hij erachter. Z'n verdriet was uitzinnig. Alle vakantievermoeidheid en zenuwen gooide hij in een eindeloze huilbui, onderbroken door lange zinnen waarvan alleen maar duidelijk was dat het over 'me hond' en 'me beer' ging. 'Mórgen bel ik het hotel,' zei ik lichtzinnig. 'Dan zal jij eens zien hoe gauw jij je hond en je beer weer terug hebt!' En toen Peter ook nog trouwhartig met zijn hond aan kwam sjouwen, die zolang bij Robbert mocht slapen tot z'n eigen beesten terug zouden zijn, kalmeerde hij eindelijk. De volgende ochtend belde ik het hotel. Nou is 'un café au lait' nog te overzien. Maar om in begrijpelijk Frans aan iemand te vertellen dat een klein jongetje een hond en een beer heeft achtergelaten en die zo spoedig mogelijk weer in z'n bezit wil hebben, is een heel andere zaak. Het duurde ook tamelijk lang voordat de juffrouw van de receptie, vele honderden kilometers zuidelijker, begreep waar het over ging. Maar toen was ze dan ook een en al sympathie. '*Mais oui...*' Ze zou wel eens even gauw die *chien* en die beer naar die *pauvre garçon* sturen. Dát zat wel goed. Daar kon ik van op aan. Ik legde neer en hoorde vervolgens nooit meer iets van het hotel. Na anderhalve maand pakte ik de telefoon maar weer eens.

Oui... oui... natuurlijk... ik was toch de moeder van die hond en die beer? Maar dat kwam allemaal dik voor mekaar. En hoe was het met de pauvre garçon? Die huilt nog steeds, zei ik somber. Nou, dat hoefde hij dan niet lang meer te doen. Want moest ik eens opletten wat er aankwam! Ik legde neer en hoorde opnieuw niets meer van het hotel. Na twee maanden zocht ik uit waar het hoofdkantoor was van die hotelketen. En dat zat wonder boven wonder in Amsterdam. Ook Amsterdam liep over van begrip voor de hond en de beer van Robbert. Ze zouden daar wel eens snel werk van maken. Toen kwam er een brief dat er een pak uit Frankrijk in Roosendaal lag. Of ik dit formulier wilde invullen, dan kwam het allemaal best in orde. Een week later arriveerde een groot pak. Uit Frankrijk. Vol met stempels en strookjes en zegels. Robbert scheurde het opgewonden open. 'Oh... me hond!' riep hij blij. En grabbelde verder in de verpakking. Dat z'n beer er niet et tafeltje. 'Heeft u al beslist?' zegt hij opgewekt. 'Ja,' Villem met een zucht. 'Geeft u maar vier vegetari-schotels.'

bij was, vervulde hem met diepe droefheid. Maar zelfs hij begreep dat beer voorgoed in Frankrijk was blijven wonen.

Gezellig! met de kinderen uit eten

Er is iets te vieren, en dus zitten we met z'n allen om een tafeltje in dat gezellige restaurant waar ik wel elke dag zou willen eten. De kinderen zien er schoongepoetst, glimmend en blij uit. Dat poetsen doen ze sinds kort zelf en uit eigen beweging. Uren voordat we weg zullen gaan, staan ze al onder de douche, met schuimende shampoohoofden. Ze gebruiken mijn kostelijke na-het-bad-oliën, mijn geurende na-het-haar-wassen-crèmespoeling. Mijn talkpoeder, mijn haarborstel en mijn nagelschaartje. Ze strijken zelf het schone overhemd en zoeken met zorg de broek met de minste niet meer weg te wassen vlekken uit. Als ze eindelijk klaar zijn en beneden op de bank naast elkaar zitten te wachten op het sein van vertrek, herken ik ze bijna niet meer.

Zijn deze twee keurige, aandoenlijk schone jongetjes die bengels van mij? Niet te geloven. Een heerlijke verrassing, vooral omdat het me niet één spetter energie heeft gekost om ze zover te krijgen.

Nu, in het restaurant, kijken ze met een frons naar het menu. Het is met de hand geschreven en in het Frans. Maar eronder staat wat het betekent, en terwijl ze mompelend het hele rijtje lezen, proberen ze zich kennelijk voor te stellen hoe het er uiteindelijk op hun bord uit zal zien.

Ze komen er niet uit. 'Mam, wat zal ik nou nemen?' zegt Robbert. Samen met hem lees ik nog een keer het menu door. Het voorgerecht levert geen problemen op. Peter wil

wel soep, en Robbert is al jarenlang
loen, dus dat is in een oogwenk gereg

Maar dan moet het hoofdgerecht
dat is iets waar ik zelf ook niet zo st
zou ik drie voorgerechten en twee nag
niets ertussen, maar dat zijn kinder
kordaat onderdrukt moeten worden
jongens niet op dat onzalige idee bren

'Reebiefstukjes,' zeg ik, 'in een wil
me met afgrijzen aan. 'Réébiefstuk?' z
zijn ogen een hoofd onder de guillotin
hèrtje, bedoel je? Ik ga geen hèrtjes ete

Nu hij het zo stelt, begrijp ik ook d
gelijkheden behoort. 'Eend, in een sa
sen,' opper ik. 'Eendjes,' zegt hij verted
den zouden het zijn, mam, met van d
ren, of zo'n witte met een gele snavel
zeg ik mat. Het is niet de manier waa
menu bekijk en het bevalt me steeds
val eet ik geen ééndjes,' zegt Robbert. '
die lieve eendjes, die eet ik niet. Jij toc
'Ach,' zegt Peter, en in zijn binnenste sp
af tussen dierenliefde en van lekker ete
héél lekker is...' weifelt hij. 'Nou, ik niet
slist. 'Wild zwijn is er ook,' wijs ik aan.
den nog steeds een keer naar de Hoge V
Robbert enthousiast, 'daar kan je ze z
ven.' 'Tournedos,' zeg ik, 'dat is rundvle
zegt Robbert. 'Ach, dat vind ik eigenl
zucht. 'Thuis eet je altijd álles, Robbert
het ook nooit voor,' zegt hij slim. Pete
ben inmiddels het menu dichtgevouwe
bert nu wat droevig te bekijken. En da

aan
zegt
sche

Onze Robbert, dat is pas een echte pechvogel

Hij valt van een muurtje af. Tand door z'n lip en scheur in z'n tong. Hij trapt in een grote roestige spijker die dwars door z'n schoenzool en een eind z'n voet in gaat. Hij komt verkeerd van de glijbaan en valt een gat in z'n hoofd. Hij roert met een stok in een wespennest en komt bedekt met wespen krijsend thuis. (Ik trek m'n rubberhandschoenen aan en pluk gruwend van ellende de beesten uit z'n haren en kleren.) En nou komt hij deze vroege zaterdagochtend gillend de zoldertrap af terwijl hij roept: 'Ik bloed dóód. Ik heb in een scherf getrapt en nou bloed ik dood!' Ondanks het feit dat hij dat al roept als er nauwelijks een schrammetje te zien is, ga ik toch maar eens kijken. Voor de slaapkamerdeur staat hij met een voet waaruit inderdaad een niet te verwaarlozen hoeveelheid bloed druppelt. Ik til hem op en zet hem zolang met z'n bloedende voet in het bad.

Dat had ik beter niet kunnen doen, want het bloed vermengt zich met het bodempje water en lijkt ineens ontzettend veel. Hij werpt er dan ook één blik van afgrijzen op en krijst: 'Dat is allemaal van mij... ik bloed dóóód!' 'Doe niet zo idioot!' roep ik terug, 'dat is helemaal niet allemaal van jou!' 'O néé... O néé...? Van wie is het dán...?' 'Ja mam, hij heeft gelijk,' zegt z'n broer die er geïnteresseerd bij staat, 'het is echt van hem!' 'Het is bloed met water erbij,' zeg ik wanhopig. Ik gooi een paar handdoeken op de grond en leg Robbert er met z'n buik op. Nou kan ik tenminste de onderkant van z'n voet eens bekijken, waar iets behoorlijk mis lijkt te zijn. Jèssus, ik kan me wel wat leukers voorstellen! Voorzichtig pak ik z'n kleine teen beet. Robbert gilt als een speenvarken. De teen zit half los. Goedendag! Ik laat de teen los en haal maar eens diep adem. Nou de teen ernaast. Die zit ook half los, maar de rest is zonder schade. Dit is iets om even goed over na te denken. Intussen krijst Robbert met volle kracht door. 'Ophouden!' schreeuw ik in z'n oor. Geschrokken is hij onmiddellijk stil. 'Is het erg?' vraagt hij met een klein stemmetje. 'Nou... er moet toch even naar gekeken worden,' zeg ik. Hij haalt diep adem om zich in een nieuwe gilbui te storten. 'Stel je niet aan,' zeg ik, 'tenen doen geen pijn, dat weet iedereen. Alleen als iemand er op gaat staan, maar niet als er met glas in is gesneden. En dit is met glas gesneden!' Nu is het zijn beurt om na te denken. 'Gelukkig maar,' zegt hij dan opgelucht. Peter haalt intussen de verbandtrommel, en terwijl ik de voet verbind (ooit heb ik eens een EHBO-diploma gehaald en er zijn weinig cursussen waarvan ik in de loop der jaren zo'n plezier heb gehad) kleedt Willem zich aan.

Ik wurm Robbert in z'n kleren. 'Robbert... ga nou niet gillen als je bij de dokter bent. Dat is echt verschrikkelijk vervelend voor zo'n man,' zeg ik. Hij knikt bleekjes. En dan verdwijnen ze met z'n drieën naar de EHBO-afdeling van het ziekenhuis. Drie kwartier later zijn ze terug. Het is gekramd en ontzettend mooi verbonden. Hij laat het vol trots zien. 'Ik mag er niet op lopen,' zegt hij. En met een slim gezicht. 'Wat zal ik me nou vervelen, hè mam...?' 'Je krijgt van mij een boek,' zegt z'n vader. 'En van mij een knutseldoos,' zeg ik. 'En je mag ál m'n strips bekijken,' zegt Peter. Robbert glimlacht. En het hele weekend ligt hij als een filmster op de bank en laat zich door iedereen verwennen. Wanneer iemand niet hard genoeg voor hem loopt, fronst hij z'n wenkbrauwen en zegt knorrig: 'Zég... ik ben anders wél gekramd, hoor...!' Pas na drie dagen gaat het hem allemaal een beetje vervelen. Maar dan is het ook weer bijna over.

Zo'n schone zolder wil ik ook. Maar ja...

Ik heb een vriendin met vier kinderen. En geen rommel. Geen rommel op de zolder, geen rommel in de kelder en geen rommel in de schuur. Af en toe, als ik bij haar ben, dan zeg ik: 'Ans, laat me éven je zolder zien!' Dan sta ik boven aan de trap en kijk om me heen. Ja hoor, een fris geschilderde zolder. Met een schommel aan de ene kant en een uitgelegde spoorbaan aan de andere kant. Geen koffers, kisten, kratten, tuinstoelen, oude parasols, nieuwe parasols, hoedendozen, oude tijdschriften, een geel, een paars en een oranje stofmandje en drie Singer-naaimachines van respectievelijk overoma, oma en moeder.

Ik sta daar en kijk om me heen. En ik denk: o, wat móói is dit... wat práchtig is dit... o, wat is géén rommel toch wonderschoon! En bijna dromerig stap ik op de fiets om, weer thuisgekomen, ogenblikkelijk met een rol vuilniszakken de zoldertrap te beklimmen.

Zo, denk ik, nu gaat het gebeuren...! Ik pak de drie stofmandjes en hou ze resoluut boven de vuilniszak, maar bedenk dan ineens dat er best nog wat in opgeborgen zou kunnen worden. Legoblokjes, kralen, kleine poppetjes, weet ik veel. Die moeten dus bewaard! En ik zet ze terug. Nu in elkaar, dus dat scheelt twee stofmandjes aan ruimte, en dat maakt een aardig lege plek in dat hoekje. De naaimachines zijn een duidelijke zaak. Die zijn fraai beschilderd en veel te mooi om weggedaan te worden. De kisten, kratten en koffers zitten helaas allemaal vol rommel. Die zou ik eigenlijk eerst uit moeten zoeken, maar daar ben ik minstens een week mee bezig.

Misschien dat ik ze netjes op kan stapelen. Ik duw er eens tegen, maar er is geen beweging in te krijgen. Dat moet dan maar een andere keer. Wat nu? De tuinstoelen. Die ouwe kunnen best weg. Alhoewel... ik zou ze ook opnieuw kunnen overtrekken. Bewaren dus maar. Parasols... die kan je natuurlijk niet overtrekken, da's een duidelijke zaak. Maar als er nou eens een toneelvoorstelling is op school, of een verkleedpartij of zoiets. Dan zal je zien dat de kinderen stad en land aflopen om een ouwe parasol te vinden. En waar eindigt het mee? Dat ze de nieuwe gebruiken en díé zie ik dan nooit meer terug. Ach, en zoveel ruimte neemt een ouwe parasol tenslotte niet in beslag. Hoedendozen, zoiets kan je alleen maar aan een vrouw uitleggen. Dat je een hoedendoos natuurlijk nooit weggooit. Zo'n ouderwetse ronde. Zo'n hoedendoos die herinneringen opwekt aan lang vervlogen en zeer romantische tijden...

Maar tijdschriften, die kan je weggooien. Ik pak een grote stapel beet, terwijl ik met de andere hand een vuilniszak openmaak. Het gaat niet zo eenvoudig als ik had gedacht – het ding kleeft aan elkaar en de tijdschriften glijden uit m'n hand en vallen op de grond. Eén blijft er uitdagend openliggen. Hé, denk ik, dat artikel heb ik nog nooit gelezen. Ik ga op m'n hurken zitten en pak het tijdschrift op. Maar hurkend lezen is ook niet alles, dus even later zit ik op een ouwe tuinstoel. Aardig idee, denk ik, leuk onderwerp en grappig met die foto's zo... Als ik het blad uit heb, pak ik zonder nadenken het volgende. Wat heerlijk, denk ik, dat er tijdschriften bestaan! Ik ga d'r nou echt lekker voor zitten. Eigenlijk is er te weinig licht, zou die ouwe schemerlamp... tjee, dat is een bof, hij doet het nog. Er komt een bijna feestelijk gevoel over me. Wat gezellig eigenlijk, een zolder opruimen!

Alles om me heen vergetend blijf ik zitten lezen, tot ik beneden de kinderen hoor roepen. De rest van de middag vliegt voorbij met theedrinken, naar de schoolverhalen luisteren en eten klaarmaken. 's Avonds zegt Willem: 'Wat heb je gedaan vandaag?' 'O,' zeg ik vaag, 'niks bijzonders. De zolder opgeruimd!'

Ze zijn gewoon niet gelijk

'Mam, mag ik een appel?'

'Er zijn geen appels meer, joh.'

'En ik zag Robbert net nog met een appel.'

'Dat was de laatste appel die er was.'

'De láátste appel? Heb je de láátste appel aan Robbert gegeven? WAAROM GEEF JIJ DE LAATSTE APPEL AAN ROBBERT?'

'Omdat Robbert zo graag een appel wou.'

'Ik wil ook graag een appel.'

'Maar de appels zijn op.'

'Altijd krijgt Robbert de laatste. Waarom krijgt Robbert altijd het laatste dat er is...? Hè? WAAROM?'

'Dat doe ik expres. Ik geef Robbert van alles het meeste en het lekkerste en het laatste, omdat ik veel meer van hem houd dan van jou.'

Stilte.

'Een zuinig lachje. Ik vind het flauw hoor,' mompelt hij. En gaat verder met z'n bezigheden.

Wéér gelukt, denk ik. Het is alsof je een speld in een ballon prikt. Pffft... wég heilige verontwaardiging, want ik heb precies gezegd waar hij me nou lekker mee op stang wilde jagen. 'Je houdt meer van hem dan van mij.' Veel te lang heb ik mij laten dirigeren door de angst één van de twee voor te trekken. Alles moest zo eerlijk mogelijk, vond ik. Robbert een kwartiertje op schoot? Dan Peter ook een kwartiertje op schoot. Met Robbert een boodschap doen en ergens een ijsje eten? Dan dezelfde week nog boodschappen doen met Peter en een ijsje eten. Maar hoe ik ook m'n best deed, de gelijkheid en de broederschap bleven uit. Want er waren nou eenmaal dingen die niet gelijkgeschakeld konden worden. En dat is nog steeds zo. Peter mag op de fiets naar school en Robbert moet lopen omdat hij twee jaar jonger is en nog lang niet toe is aan het verkeer. Peter mag later naar bed, want ouder is ouder en daar is niets tegenin te brengen. Maar Robbert heeft nog het kindersmoeltje dat plakjes worst van de slager en een snoepje van de drogist oplevert. En Robbert past nog op schoot, terwijl Peter te zwaar is, en te lange armen en benen heeft om er nog goed op te passen.

Hoe meer ik probeerde om hun leven zoveel mogelijk gelijk te schakelen, des te jaloerser ze werden. We hadden er lange gesprekken over, Willem en ik. Totdat Willem zei: 'Hoor eens, ze zijn niet gelijk. Ze verschillen in leeftijd, in uiterlijk, in karakter, in wat ze leuk vinden en niet leuk. Waarom in hemelsnaam moeten we dan doen alsof het een eeneiige tweeling is?' En vanaf dat moment hielden we op met alles wat we deden, zeiden of gaven op een goudschaaltje te wegen. Hielden we ook op met zeggen dat ze in alles even goed waren. Robbert maakt duidelijk de mooiste tekeningen. Maar Peter kan weer goed opstellen schrijven. En zo zijn er tientallen dingen die de een beter kan dan de ander. Soms krijgt Robbert iets leuks, en een andere keer komt het toevallig zo uit dat Peter extra verwend wordt. Dat vinden ze prima, als ze zélf degene zijn die het voordeeltje overkomt. Op het moment dat ze buiten de prijzen vallen, is het nog steeds een beetje moeilijk. En als het eventjes wil, voeren ze dan het klassieke, hartbrekende toneelstukje op van: 'Je houdt zeker meer van hém dan van mij. Oh, wat ben ik eigenlijk zielig, want niemand houdt van me.'

'Wat jammer toch voor jou,' zeggen Willem en ik dan hardvochtig. En dan mompelen en pruttelen ze nog wat na, maar het ware vuur ontbreekt. En aan het lachje dat ze proberen te verbergen zie ik dat ze zélf ook heel goed weten hoe mal ze eigenlijk doen.

Ik... ga... jou... pakken!

Als Willem ze naar bed brengt, is het feest. Ik doe het heel anders dan hij: 'Zoentje op je waaang, zoentje op je neuuus, zoentje op je ándere waaaaang.' Kriebel, kriebel, kriebel in hun hals. Mijn wang tegen hun wang en dan snel en onverwacht in het oor blazen.

Heel gezellig, maar niet dat lekkere enge wilde dat Willem ervan maakt. Het begint er al mee dat hij onder aan de zoldertrap het licht uitdraait. Onmiddellijk komt er uit hun kamers een benauwd gegiechel. Met slepende zware stappen komt Willem dan de trap op, terwijl hij op vreselijke wijze rochelt en steunt. 'Eèèh... ik heb HONGER... èèh... ik heb zin om een KINDJE te EEETEN'. Het is te kinderachtig voor woorden, maar je kan bijna hóren hoe ze boven op hun nagels zitten te bijten van zenuwachtige spanning. En dan, boven aan de trap, staat Willem stil. Een doodse donkere stilte op een oude krakende zolder. De kinderen houden zich ook stil. Tenminste, zo lang mogelijk. Maar dan begint Peter opnieuw te giechelen en Robbert roept angstig: 'Pappa... jij bent het toch?' Vanaf dat moment lopen de meningen uiteen. Ik vind dat Willem dan moet zeggen: 'Ja hoor, ik ben het.' Maar Willem begint weer te rochelen en stoot er een moeizaam 'nééé' uit. 'Hè nee, pap, ik wéét dat jij het bent!' roept Robbert benauwd, maar toch ook met pret in z'n stem. Bonkend stapt Willem z'n kamer binnen.

'IK... GA... JOU... PAKKEN.' Robbert gilt, Willem brult en Peter roept: 'Nou ik, pap, nou ik.' En Robbert, tussen het gillen door: 'Nee, het is nog steeds mijn beurt.' Het is me een raadsel hoe ze na zo'n evenement nog een oog dichtdoen. Ooit zelfs nog de zolder op durven. Maar voor hen schijnt het geen probleem te zijn. Als ik allang beneden achter de krant zit, hoor ik boven nog het gebonk en gelach en gestoei. En dan komt Willem lichtelijk uitgeteld beneden. 'Zo,' zegt hij tevreden, en ik weet precies hoe hij zich voelt.

Zo'n avond weegt op tegen al die andere avonden dat hij er net nog niet, of net niet meer is als de kinderen naar bed gaan. Avonden waarop ik ze naar bed breng en het licht op de zolder dus geen seconde uitgaat. Niet omdat ik ze niet bang wil maken, maar omdat ik zelf onherroepelijk, niet te genezen bang ben in het donker. Toen, lang voordat de kinderen geboren werden, door een storing alle lichten in huis en op straat uitgingen, heb ik in panische angst naast de voordeur gestaan, turend in de donkere nacht en hopend dat Willem nu toch echt heel gauw thuis zou komen. Lucifers pakken en een kaars aansteken kwam niet in me op. Voor mij geen 'donker' voor de grap. Altijd een paar lichtjes aan in huis, ook als het nacht is. Dus is het naar bed brengen van de kinderen voor mij iets met schemerlampjes aan en gezellige lichtcirkels tegen de muur. Vergeleken bij Willems spokenshow van een onbeschrijflijke saaiheid. Maar voor mij precies goed.

Zo'n storm is een rámp

Midden in de nacht word ik wakker met het gevoel dat ik met huis en al de lucht in ga. Alles klappert en rammelt en schudt om me heen. En daardoorheen het gieren van de wind zoals je dat alleen maar in films en hoorspelen hoort. En dan alleen nog maar wanneer er erge dingen te gebeuren staan.

In m'n verwarring vergeet ik dat ik nu alweer een tijdje in een ander huis woon. M'n verkeerde arm schiet uit om de lamp naast m'n bed aan te doen, maar wat ik raak is een glas water dat, voor het breekt, nog snel even leegloopt over m'n arm. Ik zwaai m'n benen uit bed, stap op het randje van m'n houten sandaal die kantelt, waardoor ik zwik en nu met m'n voet in het water terechtkom. 'Wat doe je allemaal?' mompelt Willem. 'Het stormt!' zeg ik. 'En ik hoor van die enge dingen en ik vind het allemaal zo griezelig en m'n arm is nat en m'n voet ook en ik kan het licht niet vinden.' Knip doet Willem en kijk, daar is ineens die vriendelijke kamer weer om me heen. Met narcissen en klimop in een grote witte vaas, cretonnen gordijnen met zo'n Engelse bloem erop (hingen er al) en roze vloerbedekking (lag er al) en dingetjes waar ik van hou aan de muur. Maar wat er óók nog steeds is, is die afgrijselijke storm. 'Willem luister nou toch, ik hoor van die enge dingen,' jammer ik opnieuw. Maar Willem heeft zich nu op een elleboog opgericht. 'Ik ook,' zegt hij. Samen proberen we door het gebulder van de storm te ontdekken wat er nog meer aan geluid in huis is. 'De béésten,' zeg ik. En jawel, hoog en hysterisch krijsen van twee katten, vermengd met het janken van de hond. Ach jee, die zijn óók al bang! Als ik de trap afkom staat Brett me springend en kwispelend van vreugde en opluchting op te wachten.

En de katten vállen naar buiten als ik de deur van de kelder opendoe. Geen chique plek voor twee beeldschone nuffen. Maar zolang ze denken dat ze 's nachts alles wel naast de kattenbak kunnen doen vind ik het toch de beste oplossing. Ondertussen is Willem begonnen aan een inspectie van deuren en ramen. 'Alles dicht en heel,' meldt hij, alweer slaperig nu er geen heldendaden van hem verwacht worden. En dan kruipt hij gewoon onder het donzen dekbed.

Alsof het zomaar een gewone nacht is en er geen oerkrachten bezig zijn het huis af te breken. Weifelend zit ik op de rand van het bed. Met zo'n storm moet je waakzaam zijn, vind ik, ook al weet ik eigenlijk niet waarom. Dus kruip ik naast Willem, die altijd zo'n gezellige straalkacheltjeswarmte verspreidt, en voor ik het weet lig ik te doezelen. Want het heeft ook iets gezelligs, dat noodweer buiten en dat warme bed binnen. En ineens vliegt de slaapkamerdeur open en in één ren komen kleine voetstappen dwars door de kamer op het bed af, waarna een klein lijfje over onze hoofden en armen en buiken heen wriemelt tot het tussen ons in een behaaglijk plekje vindt. En hoog en een beetje zenuwachtig vertelt het stemmetje van Robbert hoe ver-schrik-ke-lijk bang hij was op zolder, waar alles rammelt en kraakt en steunt. Nu is Robbert-in-bed gezellig maar dodelijk vermoeiend. Want hij ligt geen seconde stil. Hij beweegt en woelt en deelt met z'n kleine voeten formidabele trappen uit, en slapen met hem is een ramp. 'Zal ik een lekker bedje voor je maken op de grond?' bied ik hem uit eigenbelang aan. Nou, dat wil hij wel.

En vijf minuten later ligt hij op een paar dubbelgevouwen dekens in z'n slaapzak met stralende ogen om zich heen te kijken. Zo, en nu kan er dan eindelijk weer geslapen worden. Lekker dicht tegen Willem aan, mijn koude voeten tussen zijn warme gefrummeld, voel ik me wegzakken in een diepe slaap. Misschien dat ik daarom zo ontzettend schrik als er ineens aan me geschud wordt. Keihard heen en weer, zodat m'n tanden rammelen. 'Mam...!' roept Peter, 'het dak is ingestort. Ik hoorde zo'n lawaai. Ik ben hartstikke bang. Ik ga niet meer terug naar boven!' En dan ligt er aan elke kant van het tweepersoonsbed een slaapzakkenkind op de grond. Natuurlijk doet er verder niemand meer een oog dicht. Daarvoor wordt er te veel gegiecheld en gefluisterd en gevraagd of er al iemand slaapt. Als het licht is sjouwt Willem naar buiten om naar het dak te kijken. 'De antenne,' meldt hij somber, 'Duitsland is geknakt, Nederland staat nog overeind.' En wat wrang bedenk ik me dat dát weleens anders is geweest.

Verstoppertje wint het nog steeds van plakdansen

Peter gaat weer een feestje geven. Dat betekent dat de zolder opgeruimd moet worden. Dat Willem halsbrekende toeren moet verrichten, boven op een wiebelende ladder, om de kerstboomlichtjes op te hangen. En dat Peters popplaten op een bandje gezet moeten worden, omdat er verleden jaar drie gebroken zijn en de rest zó beschadigd was dat hij ze weg kon gooien.

Inmiddels krijg ik instructies die elke dag weer veranderd worden.

'We willen kip met patat, mam.'

'Nee,' zeg ik, 'want dat wordt gooien met de botjes.'

'Dan willen we nasi,' zegt hij de volgende dag; 'kroketten...' een dag later; 'boerenkool met worst...' een week later.

Ze schijnen op school over niets anders meer te praten. En dan begint het gesjoemel met de tijden.

'Mag het tussen de middag al beginnen? En dan tot 's avonds heel laat?'

Met moeite kan ik hem ervan overtuigen dat élk feest mislukt als het te lang duurt. 'Joh,' zeg ik, 'verleden jaar kwam je halverwege je feestje huilend naar beneden, omdat jullie niet meer wisten wat je moest doen. Weet je nog?'

'Nu zijn we veel ouder,' zegt hij, 'en er zijn heel leuke meisjes, mam...' En hij knipoogt slim.

Net zoals de vorige keer vraagt hij met nadruk om muziek waarop geplakdanst kan worden. Dat is ongeveer het aandoenlijkste dat je kan bedenken. Wang aan wang, de armen stijf om elkaar heen, maar verder zo'n eind uit elkaar dat je er met gemak een stoel tussen kan schuiven. Reuze-interessant vonden ze dat plakdansen. Maar het hoogtepunt van het feest was toch een groot verstoppertjesspel waarbij het halve huis in gebruik was. Het klonk alsof de boel op instorten stond, maar een lól dat ze hadden. Ook nu begint hij weer te glimmen als hij het woord 'verstoppertje' hoort.

'Zijn jullie daar niet veel te oud voor?' plaag ik hem.

'Verstoppertje is toch altijd leuk,' zegt hij verontwaardigd, 'en krijgertje ook.'

Hij zit zo duidelijk op de grens tussen 'grote jongen' en 'kind'. Z'n laatste jaar op de basisschool is het. Over vriendjes die een jaar eerder van school gingen, praat hij met jaloerse bewondering. In zijn ogen zijn die al bijna volwassen. En reikhalzend kijkt hij uit naar het moment dat hij zelf óók zo 'groot' is. Hij heeft zichzelf ook een nieuwe manier van praten aangemeten. Wat dieper en langzamer. Maar vaak vergeet hij het en dan praat hij weer als het kind dat hij eigenlijk nog steeds is.

'Ik wil geen limonade,' zegt hij, 'dat vind ik kinderachtig.'

'Wat dan wél?' vraag ik, en ik verwacht dat hij 'bier' zal zeggen. Maar hij mompelt vaag iets over 'cola en zo'.

Ik ben benieuwd of er, net zoals verleden jaar, weer een bezorgde vader op zal bellen om te vragen of Willem en ik wel thuis zullen zijn tijdens het feest. Want z'n dochter van elf stuurde hij niet zó maar overal naartoe, zei hij. Vroeger, toen mijn ouders ook altijd opbelden, werd ik er rázend om. Nu ik zelf kinderen heb, vind ik het leuk dat iemand dat doet. Maar als ik naar Peter z'n trouwe blauwe ogen kijk, en ik hoor hem z'n Belgenmoppen repeteren om z'n gasten bezig te kunnen houden, geloof ik niet dat vaders ongerust hoeven te zijn over hun dochters.

‘Mam... is het gauw ochtend?’

Robbert heeft een griezelige droom. Ik word wakker van z’n ijle bange stemmetje. ‘Mámma... mám...!’ Ik kom hem halverwege de zoldertrap tegen. Een klein bibberend jongetje met een wit smoeltje en grote verschrikte ogen. ‘Mám... ik had zo’n akelige droom!’ ‘Ach jee,’ zeg ik, ‘kom maar mee, even wat drinken.’ Ik sla m’n arm om hem heen, en tegen me aangeleund strompelt hij nog wat slaapdronken de badkamer in. Het glas klappert tegen z’n tanden. ‘Waar ging die droom over?’ vraag ik. Maar ik zie aan z’n gezicht dat hij er niet over wil praten. Over een paar dagen misschien, als alles licht is en zoals het zijn moet. Misschien is hij wel bang dat de figuren uit z’n droom écht worden als hij over ze praat. Dat ze ineens naast hem staan met lange spookachtige armen en grijpvingers. Samen lopen we naar z’n kamer. ‘Ga nou lekker in bed liggen,’ zeg ik. De kou kruipt langzaam op, van m’n blote voeten naar m’n knieën.

Ik sta nou ook al een beetje te klappertanden. Maar hij maakt geen aanstalten om in bed te kruipen. Wantrouwend bekijkt hij z’n hoofdkussen. Z’n veilige warme bed en z’n gezellige kamertje hebben hem zojuist verraden, en hij is niet van plan om daar nóg eens in te trappen. ‘Toe nou, joh!’ dring ik aan. Aarzelend schuift hij onder het dekbed. Z’n lijfje gespannen als een veer, z’n hoofd alsof hij elk moment weer rechtop kan gaan zitten. Ik aai hem over z’n bolletje, en hij pakt meteen m’n hand, alsof het een reddingboei is. ‘Mám... duurt het nog lang voordat het ochtend is?' 'Een paar uurtjes,' zeg ik luchtig. 'Uurtjes...?' zegt hij met ontzetting in z'n stem. 'Dat is zó om als je slaapt,' zeg ik. 'Ik wil niet slapen...!' Z'n stem trilt een beetje. 'Ik blijf heel even bij je zitten,' zeg ik, 'en we zullen een lichtje aan laten. Dan kun je alles zien om je heen. Dan kun je zélf zien dat er niets is om bang voor te zijn!' Hij knikt. Maar ik wacht tevergeefs op het slaperig knipperen van z'n ogen, het traag worden van z'n stem. Zo zitten we een tijdje. Hij klaarwakker en op z'n hoede onder het vrolijk gekleurde dekbed, en ik er bibberend van de kou naast. 'Ik ga nou echt naar beneden,' zeg ik. Maar als ik bij de deur ben zegt hij: 'Mam... komen dromen weleens terug?' 'Meestal niet,' zeg ik voorzichtig. 'Weet je nog wel, laatst, dat je zo leuk had gedroomd? Toen wou je dolgraag nóg eens dezelfde droom. Maar dat is nooit gelukt. Ook niet als je er 's avonds echt aan ging liggen denken.'

'Dat is zo,' zegt hij. 'Dat was een leuke droom, hè mam... dat we met z'n allen op die grote fiets zaten, allemaal achter elkaar op één grote fiets, met allemaal sturen en trappers en eh... béllen. En ik was voorop, en jullie reden allemaal waar ik naartoe stuurde. Dat was leuk, hè mam? Vond jij dat óók leuk?' 'Ja, ik vond het ook leuk.' 'Toen je op die fiets zat? Vond je dát leuk?' 'Nee,' zeg ik, 'want dat wist ik niet, dat jij dat droomde. Maar toen jij het later vertelde vond ik het erg leuk.' Hij komt half overeind. 'Mam... als ik van jou droom, droom jij dan niet hetzelfde... van mij?' 'Nee, daar weet ik dan niets van. Iedereen heeft z'n eigen dromen, en daar weten andere mensen niks van. Maar Robbert... zullen we daar morgen verder over praten? Ik heb het zo verschrikkelijk koud. En Robbert, ga maar lekker aan die grote fiets liggen denken, dan slaap je zó!' 'Ja, dát doe ik,' zegt hij tevreden, en kruipt behaaglijk zó ver z'n bed in dat ik alleen nog maar een pluk haar zie. Ik loop naar de keuken en zet water voor een kruik op. Mal kind, denk ik, terwijl ik met de kruik tegen me aan gedrukt in bed stap. Lekker kind!

Gewoon meiden pakken

Robbert gaat braaf naar school met een knikkerzak aan de hand. Maar voor Peter is dat te kinderachtig. Knikkeren wil hij wel, maar dan thuis, even gauw Robbert een paar mootjesbommen afhandig maken in de achtertuin. Op school heeft hij andere dingen te doen. 'Meiden pakken' noemt hij het, en hij zet er een interessante volwassen basstem bij op. 'Meiden pakken' blijkt precies te zijn wat het zegt: gewoon meiden pakken. De jongens rennen achter de meisjes aan en proberen ze te pakken. Wat makkelijker klinkt dan het is, want de meisjes zijn sneller en slaan harder. Regelmatig komt hij dan ook gehavend thuis. Met blauwe plekken, schrammen, krabbels en kapotte broeken. 'Liepen ze weer zo hard?' vraag ik. En hij knikt stralend. 'Die lópen, mam... die lópen...!' zegt hij vol bewondering. En als je ze nou gepakt hebt, wat dán?' informeer ik belangstellend. Hij kijkt verbaasd. 'Wat dan? Dan heb je ze. En dan begin je overnieuw.' 'Een soort krijgertje dus,' begrijp ik. 'Néé,' zegt hij lichtelijk wanhopig, 'krijgertje dan is één 'm, en die probeert dan iemand te pakken. Maar bij meidenpakkertje dan is élke jongen 'm. En dan probeer je dus allemaal om een meisje te pakken. Maar soms hebben ze geen zin. Dan doen ze zo stom. Staan ze te giechelen. Echt stomme meiden, mam. Ik vind meiden eigenlijk héél stom!' Maar evengoed staat hij 's ochtends precies om zeven uur op, eet een eenzaam ontbijt voordat de anderen beneden zijn en heeft z'n fiets al gepakt als wij aan de eerste kop thee toe zijn. 'Waarom ga je ineens zo vroeg naar school? Er is nog niemand!' 'Jawel hoor, mam. Alle jongens van de klas zijn er. En de meiden komen ook vroeg. Dan kunnen we ze voor school nog pakken.' En weg is hij. Vrolijk zwaaiend. Als ik een keer in de pauze op school moet zijn, zie ik eindelijk het meiden pakken met eigen ogen. De meisjes staan met elkaar te praten en ze doen net alsof ze niet merken dat de jongens steeds dichterbij sluipen. En dan ineens beginnen ze te gillen. Die hoge aanstellerige gilletjes die nog precies zo klinken als bij ons vroeger op het schoolplein. 'Daar komen de Jóngens!' Alsof ze voor het eerst in hun leven Jongens zien. En wég zijn ze, als bevallige hinden, in nauwe spijkerbroeken en met wapperende glanzende haren. Eigenlijk best een fraai gezicht, en dat vinden de jongens ook. Onbevallig stampend gaan ze er achteraan. Maar dat valt niet mee, want de meisjes zijn veel soepeler in het bochtenwerk en het maken van schijnbewegingen. Ze zouden het makkelijk kunnen winnen, maar dat is de bedoeling niet. Dus gaan ze als bij afspraak allemaal tegelijk tegen een boom leunen. Uitbundig hijgend. En daar komen de jongens, met opengesperde neusgaten, als paarden in een voorjaarswei.

'Gepakt! Gepakt!' Ze trekken eens aan een pluk haar. De meisjes geven een stomp. De jongens duwen. En dan staan ze wat schaapachtig bij elkaar, want meiden pakken is wel leuk werk, maar als je ze hébt is er eigenlijk niks meer aan. Ondertussen spelen de kleinere kinderen hun eigen spelletjes. Hinkelen en ballen en knikkeren, en een paar graven zelfs in de zandbak. Af en toe kijken ze eens naar die lawaaiige hoogsteklassers. En je kan duidelijk zien dat ze niet begrijpen wat dáár nou aan is.

Elke morgen hetzelfde liedje met Robbert...

Ze vinden het fijn als ik hun kleren voor ze klaarleg, Robbert en Peter. Met slaperige koppies, waaraan koud water uit de kraan nauwelijks iets heeft veranderd, staan ze zich aan te kleden. Peter aan mijn kant van het grote bed, en Robbert aan Willems kant. Het begin is vredig genoeg. Peter staat een beetje te neuriën, en Robbert schuift, terwijl hij z'n hemd aantrekt, met z'n voeten een paar smurfen op een rij. Maar dan begint het. Robbert houdt een paar kniekousen omhoog alsof ze zó uit de vuilnisbak komen. 'Moet ik dát aan...?' vraagt hij met afschuw in z'n stem. Ik zucht, want ik weet precies wat er gaat komen. 'Zeg maar meteen wat je bedoelt, Robbert.' 'Ze zakken áf!' zegt Robbert. 'Ze zakken níét af,' zeg ik. 'Ze zijn pas nieuw, het zijn goeie kousen en ik kan gewoon zien dat ze niet afzakken.' 'Ze zakken af,' herhaalt Robbert somber.

'Weet je wat, zoek dan een paar kousen die níét afzakken,' stel ik voor. 'Ze zakken allemaal af,' zegt Robbert. 'Prima,' zeg ik opgewekt, 'als ze allemaal afzakken, maakt het ook niet uit welke kousen je aantrekt. Dus dan kan je net zo goed meteen déze aantrekken.' Hij werpt me een woedende blik toe en begint de kousen aan te trekken. 'Ze zijn te groot,' zegt hij. 'Als je de hiel van je kous op de goeie plaats doet, passen ze goed.' 'Wat is dan de goeie plaats?' 'Je hiel,' zeg ik. Hij trekt de kous zo ver door dat de hiel nu halverwege z'n been zit. 'Ze zijn te klein,' zegt hij.

Ik geef geen antwoord. 'ZE ZIJN TE KLEIN,' zegt hij

nog eens, en zwaait uitdagend met z'n voet naar me. Ik zeg weer niets, en mokkend trekt hij ook z'n tweede kous aan. 'Oóóóóh...!' hoor ik hem dan met woedende wanhoop roepen, 'nou dat rótbloesje weer. Met die rótknoopjes. Waarom moet ik elke dag dat rótbloesje met die rótknoopjes aan? Waaróm eigenlijk...?' 'Je hebt elke dag een ánder bloesje aan,' zeg ik. 'O ja...?' 'Ja.' 'Maar ze hebben állemaal rótknoopjes. Het zijn állemaal rótbloesjes.' Hij wurmt zich in het bloesje, en begint op de grond te stampen. 'Die spijkerbroek trek ik niet aan. Die zit te strak. Ik kan m'n knieën er niet in buigen.' 'Dat is na vijf minuten over. Als je een paar keer op je hurken gaat zitten, is dat strakke over.' 'Nietes.'

'Nou, je trekt 'm toch maar aan.' 'IK TREK DIE ROTBROEK NIET AAN!' 'Dan ga je maar in je pyjama naar school, want je andere broeken zitten in de was.' 'Jij ook altijd met dat stomme wassen. Waarom was je altijd m'n fijne broeken, hè, dat ik dan die rótbroek aan moet?' Terwijl dat allemaal aan de gang is, heeft Peter zich aangekleed. Die staat nu z'n haar te kammen, hoofd een beetje opzij om maar goed alle kanten van z'n haar te kunnen zien. Want de laatste tijd is hij ineens een beetje ijdel geworden. 'Zie je wel, Péter is alweer klaar,' roept Robbert, 'die krijgt altijd fijne kleren. Die kan zich zó aankleden elke dag. Maar ik nooit.' Hij begint nu bitter te huilen, en ik voel iets wat je het beste kan omschrijven als: jeuk in m'n handen. Oh, om nou éven een flinke mep uit te delen, wat zou het me opluchten. Maar ik weet dat het vreselijke ochtendhumeur van Robbert na de eerste slok sinaasappelsap en de eerste hap brood over is. Eindelijk is hij beneden. Aan de ontbijttafel zit hij nog wat na te mopperen. Maar al etend verandert hij in het liefste jongetje van de wereld, en als hij naar school gaat komt hij me speciaal nog even knuffelen. 'Dag mam... dag mamma... tot straks!' En hij zwaait tot hij het hek uit is gehuppeld.

‘Mam, zeg’s eerlijk, bestáát ie nou?’

Eigenlijk vind ik het sinterklaasfeest veel gezelliger nu de kinderen niet meer ‘geloven’. Ik had altijd een beetje met ze te doen als ze, met rode wangetjes en bibberende stemmetjes, een liedje moesten zingen voor die niet eens zo érg goed verklede man, van wie je de broek van het daagse pak soms nog onder de tabberd uit zag komen.

Vooral Peter geloofde lang en heel oprecht. Geen: ‘Sinterklaas en Zwarte Piet, allebei bestaan ze niet’ dat door de kinderen op straat werd gezongen, kon zijn goed heiligmanvertrouwen aan het wankelen brengen. Hij vulde ’s avonds zijn schoen met zorg en toewijding, want dat paard moest toch heel wat aflopen ’s nachts, en dan wil een goeie hap er best in! Hij zong z’n liedje bij de schoorsteen met ontroerende overtuiging. Z’n verlanglijstje in de schoen was kort en bescheiden, want hij had sterk het gevoel dat de sint niet van hebberige kinderen hield. Hij ging zo schattig op in dat hele decembergebeuren, dat ik het eigenlijk niet kon uitstaan dat hij zo bespeeld werd door nep en commercie. Al die etalages, al veel te vroeg vol met alles wat kinderen maar kunnen verlangen. De sinterklaasliedjes die in elke zaak uit de luidsprekers galmen. Die hele opgefokte sfeer, waardoor kinderen zó zenuwachtig en over hun toeren gemaakt worden, dat het echte feest eigenlijk alleen nog maar kon tegenvallen.

Ik had er af en toe toch grote moeite mee om Peter, en later ook Robbert, een beetje te kalmeren. Ze ervan te overtuigen dat élke avond een schoen zetten overdreven is. Ze aan het idee laten wennen dat Sinterklaas niet zo maar dure treinen en racebanen en rolschaatsen en modelauto's rondstrooit.

'Maar het staat allemaal in de winkel, mam.'

'Ja, schat, maar dat betekent toch niet dat je het allemaal krijgt!'

'Maar jij hoeft het toch niet te betalen? Sinterkláás betaalt het...! En waarom staat het er anders?'

Ik had er echt moeite mee om alles mooi te houden, al die jaren dat ze nog in wonderen geloofden. Nee, sterker nog: Sinterklaas niet eens een wónder vonden, maar het als doodnormaal beschouwden dat een wat onhandig geklede man te paard het gehele land in één nacht van suikergoed en marsepein voorzag.

En dan komt toch onvermijdelijk het moment dat hun vertrouwen gaat wankelen.

'Zeg mam, hoe komt hij nou door de schoorsteen heen? Zwarte Piet bedoel ik, hoe kán dat nou?'

'Zeg mam, waarom is pappa nooit in de kamer als Sinterklaas aanbelt?'

'Zeg mam, die sint van school had zo'n rare baard...!'

'Zeg mam, de sint van het winkelcentrum ziet er heel anders uit dan de sint van de televisie.'

Peter kwam regelmatig met builen thuis en eenmaal zelfs met een bloedneus. 'Ze zeggen dat Sinterklaas niet bestaat, en toen ben ik gaan vechten...!'

En dan de grote x-vraag: 'Mám... zeg nou eens eerlijk, bestáát Sinterklaas...?'

En als ik heel voorzichtig de waarheid aan Peter vertel, zegt hij met diepe teleurstelling: 'O... dan komen de kinderen zeker ook niet uit de buik van hun moeder!'

Gelukkig kan ik hem wat dat betreft geruststellen. Maar hij blijft toch wat argwanend. Want ik heb tenslotte net toegegeven dat ik hem jarenlang heb voorgelogen over Sinterklaas.

Al die moeilijke situaties zijn nu gelukkig voorbij. Sinterklaas bestaat niet. Maar het feest bestaat wel. Een gezellige, leuke avond, met grapjes en plezier. En zonder spanningen. Véél beter zo!

'Als de Vijand wint, is het toch de Vijand niet?'

'Op mij leggen alle vogels een ei,' komt Robbert trots thuis. En kijkt zoals alleen hij maar kijken kan: grote ogen, vol verwachting, beetje trots op zichzelf, maar ook wat verlegen. En ik rol om van het lachen. Waarna ik nog net op tijd ben om hem uit te leggen wát er zo grappig aan is, voordat hij kwaad wordt. Dan vindt hij het ook wel leuk. Van alle vogels die een ei op hem leggen. Maar dat van die korte en die lange ei vindt hij maar ingewikkeld. En natuurlijk wil hij onmiddellijk weten wat ij met een lange ij dan wel is. 'Dat is een water, bij Amsterdam,' zeg ik. 'Daar ben je weleens geweest, met een rondvaartboot.' 'Als dingen anders zijn, waarom héten ze dan niet anders?' zegt hij slim. 'Je schríjft ze toch anders,' zeg ik. 'Maar dát kan je niet horen, hè mam, daar hoor je niks van!' 'Nee,' zeg ik, 'daar hoor je niks van.'

Hij is echt met taal bezig op het ogenblik. Maar op een heel andere manier dan Peter vroeger. Die wilde altijd maar alles opschrijven. Stapels briefjes heb ik van hem bewaard. Toen hij zeven jaar was, schreef hij: 'Mama is een liefen mijt. Ze zorgt erg goet foor ons. Ze moet soms hart lagen. Ze kookt leker en ze fietst langsaam.' Maar op een avond dat we ruzie hadden gehad, vond ik dit briefje op m'n hoofdkussen: 'Ik hoef niet door een zure pruim gedag gezegt te worden hoor. Ik ben heel verdrietig hoor.' Als ik even niet oplette zat hij achter m'n schrijfmachine, waar na een paar minuten het lint als een kronkelende zwarte slang over de toetsen hing, en de letters in één kluit op elkaar stonden. Later was er een oude machine over. En als ik moest schrijven, zat hij aan de andere kant van de tafel ook een artikel te schrijven. 'Over belangrijke dingen,' zei hij dan met een frons. En tikte met één vinger letter na letter tot een onbegrijpelijk geheel.

Robbert is veel meer van tekenen. Schepen met veel masten en zeilen en touwladders en zeerovers met grote messen tussen hun tanden. Ontelbare rondjes geven de plaats van de kanonnen aan, en grote bolle kogels vliegen over een zee van woest gekraste blauwe golven. De Vijand is altijd het schip dat verliest. Al half gezonken, met een boel zwemmende figuurtjes ernaast.

'Waarom wínt de Vijand nooit?' heb ik een keer gevraagd. En hij keek me onderzoekend aan, of ik écht geen grapje maakte, voordat hij antwoord gaf. 'Als de Vijand wint, is het toch de Vijand niet!' zei hij simpel. Ik vond dat een moeilijk antwoord. Iets om lang over na te denken en er dan nóg niet uit te komen. Maar voor hem was het nooit een probleem. 'Kun je niet eens iets zonder oorlog tekenen, Robbert?' En Robbert, puntje van z'n tong uit een mondhoek, ingespannen bezig een regen van kogels aan te stippen: 'Jawel... ik kán het wel, maar ik heb er geen zin in.' 'Waarom niet?' 'Omdat er dan niet gevochten wordt. En vechten...' en hij tekent er nog snel een paar kogels bij ...dat vind ik leuk!'

En jammer genoeg is dat nog waar ook. Op school zit hij in een Leger. Hij is daar iets hoogs in. Kolonel of generaal. Dat zijn de andere jongens trouwens ook. Ze willen geen van allen gewoon soldaat zijn. En als ze even kunnen, vechten ze tegen het leger van de Vijand, dat ook al uit louter generaals bestaat. Jammer genoeg weet de Vijand niet dat hij hoort te verliezen. Zodat Robbert vaak ontzettend uit z'n humeur thuiskomt als de Vijand weer eens won. Het enige voordeel is dat oorlogje spelen op die manier ineens veel minder aantrekkelijk is.

Van die zeldzame avonden

Als ze na de eerste keer roepen al binnenkomen om te eten, als ze uit zichzelf hun handen gaan wassen, als ze keurig rechtop aan tafel zitten voordat de eerste schaal erop staat, als ze 'ha lekker' zeggen tegen de groente die ze verafschuwen, als ze eten met mes en vork, én hun bord leeg, én voor de tweede keer wéér die gehate groente opscheppen, als ze ten overvloede nog eens 'mmm, wat heb je lekker gekookt' zeggen, als ze beleefd vragen of ze van tafel op mogen staan, dan weet ik wat er komen gaat. En dat kómt dan ook: 'MAM, MOGEN WE NOG EVEN BUITEN SPELEN?'

O ja, ik ken de tekst uit m'n hoofd. Ik zeg dan aarzelend: 'Nou... het is eigenlijk al een beetje laat.'

Zij zeggen dan in bijna nooit voorkomende eensgezindheid: 'Hè toe, mamma.'

Ik zeg: 'Gisteren gingen jullie ook al zo laat naar bed.'

Zij zeggen: 'Maar IEDEREEN mag het, mam. Echt IEDEREEN.'

Ik zeg: 'Wat IEDEREEN mag kan me niks schelen.'

Zij zeggen: 'É-ven-tjes maar!'

En ik zeg: 'Nou, é-ven-tjes dan.'

Zij roepen 'hoi, hoi, hoi' en verdwijnen.

'In de buurt blijven, hoor!' roep ik ze nog achterna. 'Ik heb geen zin om jullie te zoeken!'

Maar ze zijn het hek al uit.

Ik ruim de keuken op en glimlach om hun blije stemmen die ik boven alles uit kan horen. Als ik bof, krijgen ze geen ruzie. Als ik bof, zijn ze straks waar ik verwacht dat ze zullen zijn. Als ik bof, gaan ze lief en snel in bad en naar bed, straks.

Als ik bijna klaar ben in de keuken, komt Willem met handenvol vuile theekopjes aanzetten. Ik trek een gezicht, en Willem zegt verontschuldigend dat hij ze toevallig zag staan.

Hij leunt tegen het aanrecht en zegt: 'Hoe laat moeten ze eigenlijk naar bed?'

'O straks,' zeg ik, 'het is zulk mooi weer.'

'Ik wou nog even een eindje om,' zegt hij.

'Ja, da's leuk, het blijft nog wel een uur licht, als alles meezit halen we het nog net.'

Een kwartier later roep ik de kinderen. Onvoorstelbaar braaf komen ze gelijk naar binnen.

De reden daarvan is me onmiddellijk duidelijk als Peter terloops zegt: 'We hebben al voor morgenavond afgesproken.'

'Nou, dat zien we nog wel,' zeg ik.

En Robbert, handig als altijd, snelt de trap op terwijl hij roept: 'Als we héél vlug naar bed gaan, mag het morgen misschien wel. Hè mam?'

En dan lopen Willem en ik buiten. Een lenteavond met bloemengeuren en vogels die onvermoeibaar fluiten, alsof ze niet een lange drukke dag achter de rug hebben. Ik kan niet genoeg kijken naar de bloeiende bomen, omdat het zo uitbundig is en overdadig, dat één keer per jaar bloesemen van zo iets serieus als een boom. We moeten een laantje uit, een weg over en dan zijn we 'buiten'. Weilanden en velden, waar wat nevel boven hangt, boerderijtjes in de verte, een donker water met eenden erin en dan het bos. Het wordt ineens snel donker, en achter de ramen van de boerderijtjes gaan lichten aan. We lopen zwijgend door de avond. Af en toe schiet er een konijn voor onze voeten weg. Het huis is donker als we terugkomen. Willem doet de lichten aan, en ik zet water op voor thee. Al zoveel gedaan, vanavond, en nog steeds is het vroeg. En dat is prima. Want er zijn van die avonden waaraan geen einde zou moeten komen.

‘En niet eens blote billen?’

Ik was zeven jaar toen oma mij m’n eerste échte leesboek gaf. Niet zo’n kinderachtig boek met grote tekeningen en heel weinig woorden, maar een boek met veel woorden en kleine tekeningen.

‘Je kunt toch zo goed lezen?’ zei ze. Ik knikte trots. Ik kón goed lezen. Dat zeiden m’n vader en moeder, en juf op school had het ook al gezegd. ‘Lees jij me dan maar eens voor,’ zei oma.

Ik sloeg het boek open en bladerde naar de eerste bladzij. Achter de stijve omslag kwamen altijd een paar bladzijden met woorden waar je niks aan had. Bladzijde één was ook nooit echt bladzij één, dat vond ik altijd erg gek. Ik begon te lezen. Het verhaal ging over een jongetje dat Daantje heette. Hij werd wakker, en de zon scheen door de gordijnen. Ha, het is mooi weer, dacht Daantje. Hij sprong uit z’n bed en liep naar het raam. Trok de gordijnen open en keek naar buiten. De wereld buiten het raam glansde in het zonlicht. En Daantje dacht: ik trek gauw m’n pyjamaatje uit, dan kleed ik me aan en ga ik naar buiten...

Trots op mezelf las ik het verhaal, m’n vinger bij de woorden en schuivend over de bladzijde van zin tot zin. Tot ik bij de zin kwam waarin Daantje bedenkt dat hij z’n pyjamaatje uit wil trekken. Het woord ‘pyjama’ stokte in m’n keel. Ik voelde m’n wangen vuurrood worden. ‘Lees eens verder,’ zei oma, ‘het gaat net zo goed.’

Ik bleef zwijgen. Diep over het boek heen gebogen.

Tranen brandden achter m'n ogen. 'Wat is er nou? Weet je een woord niet?' zei oma. Ze strekte een bevende hand uit, met gezwollen aderen erop en bruine vlekken. En heel mooie, witte nagels. Ze pakte het boek. 'Waar was je... O ja, wat een mooi weer is het, dacht Daantje. Weet je wat...? Ik trek gauw m'n pyjama... Ó, je weet natuurlijk niet hoe je dat woord moet uitspreken: py-ja-ma. PY-JA-MA. Kijk maar... lees het nou zelf ook eens?' Ze legde het boek terug op m'n schoot. Ik schudde heftig van nee. Nog nooit had ik zoiets vreselijks meegemaakt. Stortte het huis maar boven op me. Ging oma maar ineens dood. Nee, zoiets vreselijks mocht ik niet denken. De tranen rolden over m'n wangen en drupten op het boek.

'Kindje, wat is er toch ineens?' zei oma verbaasd.

Ik gooide het boek op de grond en rende huilend de kamer uit. Natuurlijk wilde iedereen weten wat er aan de hand was, maar ik kón het niet vertellen. Het boek heb ik niet meer aangeraakt, en als iemand het wilde voorlezen begon ik wanhopig 'nee' te roepen.

Ik moet eraan denken als ik Robbert en Peter met een boek op de bank zie zitten. Knieën opgetrokken, mond een klein beetje open. Alles lezen ze wat ze maar in handen kunnen krijgen, boeken, kranten, tijdschriften. En zo krijgen ze langzamerhand een aardig beeld van wat er zoal mis kan gaan in de wereld. En dat is heel wat. Ze gaan er ogenschijnlijk niet onder gebukt. Opgewekt bespreken ze de meest afgrijselijke zaken aan tafel. En tot nu toe heb ik nog geen onderwerp kunnen ontdekken waar ze niet over durven praten. Het verhaal over Daantjes pyjama vinden ze dan ook om niet meer van bij te komen. Ze rollen over de grond van het lachen: 'Pyjama, mam, PYJAMA! En niet eens blote billen?'

'Nee,' zeg ik, 'er stond echt alleen pyjama.'

Ze gaan weer zitten en kijken elkaar aan.

'Die mamma,' zegt Peter vertederd. Legt z'n hand op m'n arm en zegt dan troostend: 'Geeft niet hoor, mam!'

Een hersenschudding voor één dag

Dat is nou toch werkelijk om ongerust over te worden. Erg ongerust zelfs. Peter is thuisgekomen en in een hoekje van de bank gekropen. Daar zit hij nou al een uur lang, erg stil.

'Is er iets, Peet?'

'Ik heb zo'n hoofdpijn.'

'Ach jee,' zeg ik vol medeleven, 'wil je thee? Een nat washandje op je hoofd? Even liggen? Zal ik de gordijnen een beetje dichtdoen?'

'Nee, lááát maar,' zegt hij traag.

Ik ga verder met m'n werk. Af en toe kijk ik even naar hem. Hij zit in z'n tijdschriften te bladeren. Hij is wel wit, vind ik. Opeens schalt z'n lach door de kamer. Gelukkig, denk ik. 't Was toch niks. Maar een halfuur later zit hij weer lusteloos voor zich uit te kijken.

'Hoe is het er nou mee?' vraag ik.

'Hoofdpijn,' zegt hij ongeduldig, 'dat zei ik toch?' 'Maar je zat anders wel hard te lachen, daarnet,' zeg ik.

'Kan ik er wat aan doen,' zegt hij verontwaardigd. 'Er stond wat leuks.'

Willem komt thuis. We gaan eten. Aan tafel begint Peter enthousiast te eten. Dan schuift hij ineens z'n bord weg.

'Ik ben misselijk,' klaagt hij.

'Sinds wanneer?' zegt Willem.

'O...,' hij denkt even na. 'O ja... sinds ik gevallen ben. Vanmiddag. Van het schuurtje. Op m'n hoofd. Sinds toen ben ik misselijk. En ik heb ook hoofdpijn.' Hij zet z'n ellebogen op tafel en steunt z'n hoofd in z'n handen. Een verboden houding aan tafel, maar feilloos zeker weet hij dat we er op dit moment niks van zullen zeggen. We houden dan ook onze mond. Over de dampende schalen heen kijken Willem en ik elkaar ongerust aan. Hoofd gevallen. Misselijk. Hoofdpijn... Je hoeft geen dokter te zijn om dan aan een hersenschudding te denken. En natuurlijk is het vrijdagavond. Bijna nooit hebben onze kinderen wat. Maar áls ze iets hebben, dan is het ook altijd op vrijdagavond of in het weekend, daar kun je donder op zeggen. We beraadslagen fluisterend in de keuken. Dokter waarschuwen of niet?

Peter komt binnen en vangt het woord 'dokter' op. 'Ja, laat de dokter maar komen, het is niet goed met me!' zegt hij. Ergens in mij, ergens in Willem, is er een vonkje van wantrouwen. Aan de andere kant... Even later ligt Peter weer languit op de bank. 'Laten we nu maar bellen,' zegt Willem. 'Hoe later, des te vervelender het is voor die man!'

De dokter komt een halfuur later. Peter heeft zich voor de gelegenheid op z'n ziekst op de bank gedrapeerd. Het is bijna om te lachen. De dokter is een aardige man en hij kan goed met kinderen overweg. Hij onderzoekt hem grondig en trekt, over Peter heen, z'n wenkbrauwen naar ons op. We halen hulpeloos de schouders op. Dan gaat hij naast Peter zitten, en voordat die er zelf erg in heeft ligt hij te schudden van het lachen om de grapjes van de dokter. En dan, zo maar ineens ertussendoor, vraagt hij: 'Zeg Peter, sinds wanneer was jij ook al weer misselijk?'

Peter kijkt hem met grote trouwe ogen aan. 'Ik wás niet misselijk,' legt hij geduldig uit, 'maar als je valt, als je op je hoofd valt, dan kan je reuzehoofdpijn krijgen en dan word je ook misselijk en dan moet je heel lang in een donkere kamer. Moet ik in een donkere kamer?'

'Ben je dan op je hoofd gevallen?' vraagt de dokter.

'Néé,' zegt Peter, 'maar ik ben wel gevallen. Op m'n knie. Kijk maar,' en ijverig trekt hij z'n broek omhoog. 'En ik had ook echt hoofdpijn vanmiddag. Maar dat is allang over hoor.' 'Tjonge,' zegt de dokter bij de deur. 'Ik wou dat al m'n patiënten zo gauw beter waren!'

Weg met die enge schaduwen...

Half wakker zie je in de hoek van je slaapkamertje een donkere schaduw die langzaam heen en weer beweegt. Je hart slaat over van schrik en begint dan woest in je keel te bonken. Wat moet je doen? Heel hard roepen, zo hard als je kan? Dan komt je vader of je moeder. Maar stel dat ze je niet horen. Dan hangt de echo van je stem zo griezelig in die donkere kamer. En de schaduw daar in de hoek zal nóg meer gaan bewegen. Zal dichterbij komen misschien. Je kan ook zelf het licht aandoen, maar dan moet je uit je bed. Eenmaal licht zal je kamer weer veilig zijn, dat weet je, maar toch durf je niet je bed uit. En daarom blijf je liggen. Verstijfd van angst. Starend naar dat enge, totdat je eindelijk in slaap valt. Als je dan weer wakker wordt, is het licht en buiten hoor je vogels fluiten. De opluchting is zo groot dat je er helemaal blij van wordt. Zachtjes stap je uit bed, zodat je niemand in huis wakker maakt. Je kamerdeur piept en op de gang loopt de poes je tegemoet, haar staart omhoog. Spinnend van plezier wrijft ze haar kopje tegen je pyjamabroek. Samen zitten jullie op de bovenste traptree, de kat warm in je armen en de slaapkamer van je ouders heerlijk dichtbij. En zo vinden ze je een uur later. Knikkebollend en rillend, maar diep tevreden.

Dat van die schaduw was je vergeten. Nee, dat is niet zo. Je dacht dat je het vergeten was, maar je hebt het gewoon weggeduwd uit je herinnering. Je wilt er niet aan denken, niet over praten. Dat komt vanavond pas weer, als je in bed ligt. Na lang gezeur om nog even, even maar, op te mogen blijven. Na huilen als dat niet lukt, en nadat je vader en moeder boos worden omdat je elke avond zo vervelend doet als het bedtijd is. Pas later, als je zelf volwassen bent, denk je: waarom heb ik dat nooit verteld van die schaduw, en dat je niet vervelend was als je naar bed moest, maar zo vreselijk bang? Er had vast wel een lichtje aan gemogen. Waarom zwijgen kinderen over dingen die zo belangrijk zijn in hun leven? Ik ben ze nooit vergeten, die angsten van toen. En als Robbert weleens huilerig is als hij naar bed moet, weet ik dat er iets aan de hand is. Want meestal kruipt hij geeuwend en lodderig en opgewekt z'n bed in. Alleen als er iets opwindends is gebeurd, als iemand een griezelig verhaal heeft verteld of na iets spannends op de televisie, is hij gespannen als hij naar bed gaat.

Als Willem thuis is, gaat die vaak een halfuurtje naast hem liggen. Dan praten ze samen in het schemerdonker van de kamer, totdat Robbert, midden in een woord, in slaap valt. Of ik kom nog even op de rand van z'n bed zitten. 'Is het erg koud als je dood bent, mam?' vraagt hij dan. Of: 'Als jullie allebei doodgaan, wie moet er dan voor ons zorgen?' Of: 'Een jongen in de klas is gevallen, en er kwam allemaal bloed uit z'n hoofd. Als je een gaatje in je hoofd hebt, bloed je dan helemaal leeg?'

En ik antwoord zo goed als ik kan. 'Nee, het is niet koud. Dat voel je niet meer.' En: 'Dan ga je naar tante Ankie, dat weet je toch?' en: 'Nee, je bloedt niet leeg van een gaatje in je hoofd, maar er moet wel een verband op.'

Dat zijn de antwoorden die hij verwacht en die hij horen wil. Met: 'Denk nou maar niet aan zulke akelige dingen, en ga maar lekker slapen' is hij niet geholpen, als hij in zo'n stemming is. Als ik overal antwoord op heb gegeven, zie ik aan de manier waarop hij gaat liggen dat z'n angst over is. Hij valt in slaap, en ik laat de deur op een kier, en het licht in de gang aan. Voor Robbert geen enge schaduwen vannacht.

Mild glimlachend is moeder hoofdpersoon

Om de zoveel tijd is het weer zover. Dan is er weer een televisieserie voor kinderen die over een Gezin gaat. Hoofdpersoon is de Moeder, die met een milde glimlach reddderend door het leven gaat. Ze is meestal blond. Haren zedig naar achteren maar door wat losspringende krulletjes toch weer erg lief en vrouwelijk. Kalme, grijsblauwe ogen. Een mond die geschapen is voor het spreken van verstandige woorden. Je ziet haar zelden iets voor zichzelf doen. Zelfs wanneer ze even aan tafel zit om met haar kin gesteund in haar hand te luisteren naar de ontboezemingen van een kind, heeft ze haar schort nog voor. Er gebeurt veel in haar gezin. In bijna elke aflevering gaat er wel iets bijna heel erg verkeerd. Op de achtergrond volgt de Moeder de gebeurtenissen waarin haar kinderen verwikkeld zijn. Ingrijpen doet ze niet. Door schade en schande word je wijs, is haar devies, en in haar gezin valt het uiteindelijk met de schade en schande toch weer heel erg mee. Want vlak voordat de oudste zoon zich door dat losgeslagen vriendje laat overhalen om drugs te gebruiken, wint al het Goede van Thuis. Zodat hij het net niet doet.

Hij komt die avond laat thuis, waar z'n moeder al uren bezig is geweest met het doen van overbodige dingen, ondertussen wachtend op een telefoontje, de deurbel, iets... Ze ziet hem binnenkomen, en zwijgend omarmen ze elkaar. Ze strijkt z'n vochtige haren weg van z'n voorhoofd en kijkt hem aan met haar Glimlach die zeggen wil: ik wist dat ik op je kon vertrouwen, jongen. Einde.

Op dezelfde manier ontsnapt het dochtertje nog net aan het wegnemen van droptoffees uit een winkel.

Ook de man en vader wordt niet gespaard voor verleidingen en zorgen. Zo wordt hij een keer slecht behandeld door een collega. Wat hij wil is erop los rammen, maar de begrijpende glimlach van zijn vrouw weerhoudt hem. Knarsetandend en somber loopt hij door het huis, waar de kinderen niet meer durven te lachen en zijn vrouw soms aarzelend haar hand boven zijn gebogen hoofd houdt, maar hem op het laatste moment toch niet streelt. Want hij is gewikkeld in een Gevecht met Zichzelf, en dan mag je niet ingrijpen.

Maar aan het eind van de aflevering kijkt hij haar aan. Zijn ogen zijn veranderd, milder geworden. En zij ziet en begrijpt. Nog net zien we hoe ze elkaar in een zwijgende omarming houden, en dan is ook deze aflevering weer voorbij.

Ademloos volg ik zo'n serie. Hoe krijgt die vrouw het voor elkaar. Wat heerlijk om je te kunnen veroorloven alleen maar Zacht en Goed en Rustig te zijn. Nooit zal er een serie gemaakt worden van mijn gezinsleven, en dat is maar goed ook. Vader die de eitjes al heeft gekookt en theegezet als moeder, ik dus, nog ochtendgymnastiekend over de slaapkamervloer rolt. Moeder die de kamer binnenrent, waar de kinderen braaf met hun huiswerk bezig zijn, en op weg naar de voordeur over haar schouder roept dat ze vooral niet moeten vergeten op tijd de macaronischotel in de oven te zetten. Eén keer heb ik het geprobeerd. Zwijgend, glimlachend en zorgend ging ik door het huis. Vooral Robbert werd er duidelijk zenuwachtig van: 'Wat hééft mamma?' hoorde ik hem tegen Peter fluisteren. En Peter, op z'n onhandige jongensmanier, fluisterde veel te luid terug: 'Ssst, ze moet ongesteld worden, en dan doen vrouwen wel meer een beetje vreemd.'

Liever één meisje minder dan drie...

Toen ze nog klein waren, kon ik het zelf horen. Die laatste week voor hun verjaardag, wel twintig keer op een dag: 'Jij mag lekker niet op m'n verjaardag komen.' Of: 'Als ik op jouw autoped mag, dan mag jij op m'n partijtje komen...!' Meestal zei ik daar later wat van als ze weer binnen waren. 'Joh, doe dat nou niet... je hébt die kinderen al uitgenodigd, zeg nou niet steeds dat ze niet mogen komen!' Maar er was niet tegen te praten. Kinderen zijn bikkelhard tegen elkaar en als de andere kinderen een partijtje in het verschiet hadden, deden ze precies zo tegen Robbert en Peter. Die daar wel even van onder de indruk waren, maar die er toch niet echt onder schenen te lijden. Uiteindelijk brak dan toch de Grote Dag aan, met slingers en ballonnen en limonade en lekkers, en alle kinderen uit de buurt kwamen gewoon met pakjes, alsof er niks aan de hand was, en het werd een daverend feest.

Toen kwamen er jaren dat ik eigenlijk niet veel merkte van dat gezeur over uitnodigen. Als ze jarig waren maakten ze mooie uitnodigingen en die deelden ze dan zelf rond. Buiten spelen was niet meer in de tuin, of vlak voor de deur, dus of ze evengoed nog aan dat 'jij mag lekker niet komen!' deden, wist ik niet. Totdat Peter een echte fuif ging geven. Al wéken tevoren stelde hij een uitgebreide lijst op van vriendjes en vriendinnetjes die zouden komen. Hij vroeg bijtijds of iedereen kon, en alles leek prima geregeld. Totdat ik een week voor het feest vroeg of ik inderdaad op al die kinderen kon rekenen bij het inkopen doen.

'Ja, hoor,' zei hij nonchalant, 'alleen Inge komt niet.' 'Ach, wat jammer,' zei ik, 'is ze ziek?' 'Nee...' zei hij, 'ik heb gezegd dat ze niet mag komen.'

'Maar je hebt haar uitgenodigd!' zei ik verbaasd.

'Jawel...' Hij werd nu een beetje verlegen, schuifelde met z'n voet over de grond en kreeg zelfs een blosje op z'n wangen. 'Eh... de andere meisjes willen niet dat ze komt.' Daar moest ik even voor gaan zitten. 'Dus jij laat je door meisjes in de klas vertellen wie je wel en wie je niet mag uitnodigen?' vroeg ik ongelovig.

'Nou eh... ze zeiden dat ze anders zelf niet zouden komen. En Inge is maar één meisje, en die andere zijn er drie,' zei hij ongelukkig.

Ik moest deze afschuwelijke logica even verwerken. 'Maar luister nou eens, Peter. Twee weken geleden zijn jullie met de hele klas naar een feest van Inge geweest. Ook die drie meisjes.'

'Ja...' zei hij onwillig, 'dat is wel zo... maar ze vonden het toch leuker als ze niet komt.'

Er was niet tegen te praten. Wat ik ook probeerde, hij bleef koppig vasthouden aan het keiharde feit dat één meisje minder niet zo erg is als drie meisjes minder. Het maakte me erg treurig. Waar was de Peter gebleven die met een mal klein paardenstaartje met een rood lintje eromheen naar de kleuterschool ging? En die zich niets aantrok van het gelach van alle kinderen. Want hij vond het leuk. Zo was dat. Nu liet hij zich opstoken door een paar meiden, die waarschijnlijk over een week weer dik gearmd met Inge zouden lopen. Nee, ik was niet trots op hem. 'Wen er maar aan,' zei Willem. 'Of dacht je dat je je hele leven alleen maar reden zult hebben om trots op je kinderen te zijn?' Dat was een nieuw gezichtspunt. Nee, eigenlijk dacht ik dat niet. Maar ik wist op hetzelfde moment dat ik het wél gehoopt had.

Ik had het er een paar dagen toch wel moeilijk mee. En toen het feestje eindelijk in al z'n Travoltalawaai losbarstte, was ik waarschijnlijk de enige die moest denken aan dat ene meisje dat er niet bij was.

Het is weer zover

Lang, heel lang, geleden, ging ik met vakantie alsof ik even boodschappen ging doen. 's Ochtends zocht ik een paar dingen bij elkaar die ik mee wilde nemen en 's middags stapte ik in de trein. Zo ging dat, en ik mag daar graag aan terugdenken als ik nu warm en verfomfaaid door het huis ren om álles bij elkaar te zoeken. 'Mamma is helemaal opgewonden dat we met vakantie gaan,' zegt Peter vertederd, terwijl hij keurige stapeltjes klaar-voor-de-koffer door elkaar gooit om te kijken of z'n snorkel erbij ligt. Maar mamma krijgt op datzelfde moment zo'n gierende driftbui dat hij ijlings en héél zacht mompelend verdwijnt. Buiten schijnt de zon uitbundig. Het is weer voor een zwembad, voor buiten zitten, voor in de tuin rommelen, voor op een terras iets koels drinken. Kortom, het is weer voor van alles en nog wat, maar zeker niet voor het inpakken van bagage voor vier mensen voor vier weken.

'Mam... breng ons even naar het zwembad,' zegt Robbert, handen in z'n zakken en de ontspannen glimlach van iemand die niks te doen heeft. Ik kijk hem aan en dat is kennelijk voldoende, want ook hij verdwijnt weer. Ik ga mompelend m'n lijstje na... handdoeken, washandjes, tandpasta, hemdjes... moeten er eigenlijk wel hemden mee? Als alles goed gaat, is het verschrikkelijk warm op de plek waar we vakantie gaan houden. Ik besluit twee hemdjes per kind mee te nemen voor als het toch koeler uitvalt dan ik nu hoop. De lijst van wat we mee moeten nemen beslaat vele bladzijden. Vooral de afdeling amusement is een hoofdstuk apart. Schaakspel, damspel, kaarten, mens-erger-je-niet, boeken, stripverhalen, puzzels; de stapel groeit en groeit en nog is het einde niet in zicht. En dan komt Willem thuis. Hij kijkt naar de stapels die klaarliggen om ingepakt te worden. 'Moet dat...' zegt hij vertwijfeld. Ik knik vermoeid. 'Hebben we dat...' zegt hij. 'Ja,' zeg ik. 'De helft gebruiken we niet,' zegt hij somber, 'dat slepen we mee, dat gaat dáár een kast in en dat slepen we zo weer mee terug ook.' Hij heeft gelijk, en dat weten we allebei. We zouden makkelijk de helft van alles thuis kunnen laten. Er is alleen één klein probleem: wélke helft kunnen we thuislaten? 'Kunnen we niet proberen om wat minder mee te nemen,' zegt hij voorzichtig en begint aan de stapeltjes te rommelen. 'Moeten er écht zoveel T-shirtjes mee?' 'Nee hoor,' zeg ik opgewekt, 'niet als jij me nu, op dit moment, belooft dat je om de dag T-shirtjes gaat staan wassen in de gootsteen.' Hij legt voorzichtig het stapeltje weer neer. 'Ach zoveel zijn het er nou ook weer niet,' zegt hij schijnheilig.

We kijken elkaar aan. 'Ik haal even de tassen van zolder,' zegt hij. En dan begint het echte pakken, of eigenlijk: duwen en proppen tot zo'n enorme tas op springen staat en de ritssluiting nog maar net dicht kan. 'Kan nooit in de auto,' zegt Willem bemoedigend. Maar de volgende ochtend lukt het natuurlijk wel, zoals het elk jaar lukt. Deur op slot en niet meer omkijken, want wegrijden vind ik toch altijd moeilijk. De straat uit, de hoek om en bij het bordje 'einde bebouwde kom' daalt er een grote rust op me neer: ik hoef niks meer, voorlopig, wát ik ook vergeten ben, er is niks meer aan te doen. Nu heb ik vakantie!

Toen dreef Robbert steeds verder...

Mmm, wat is het water lekker vandaag! Zoiets als een bad waar de ergste warmte vanaf is. Robbert kruipt in z'n bootje. Een klein bruin jongetje op een grote blauwe zee. Ik zwem maar zo'n beetje en geef af en toe het rubberbootje een duw. Ik zwem niet graag over donkergroenen waterplanten. Altijd bang voor een eng beest. Een octopus met wurgende armen. Of die witte haai uit de film. Aan de rimpels op het water zie ik dat het ineens is gaan waaien. Dat gebeurt vaak hier. Van het ene moment op het andere steekt de wind op. Het is niet te volgen hoe het weer hier in elkaar zit.

We zijn de enigen die nu in het water zijn. Dat gebeurt ook niet vaak. Typisch siësta. Siësta in Spanje. Tevreden neurie ik een zelfgemaakt siësta-in-Spanje-lied. 'Mam... wat ben ik ver, hè?' Ik kijk. Tjonge, is die Robbert een eind weggedreven in die korte tijd. 'Ik zal jou eens gauw inhalen,' roep ik.

Bijna heb ik 'm. Maar op het laatste moment krijgt het bootje een zetje van de wind en is ineens weer meters verder. Kom nou, zeg, dit is te gek! Ik zet wat kracht. Heb 'm wéér bijna. En wéér dat speelse duwtje dat hem volkomen buiten m'n bereik brengt. Het is ineens niet leuk meer. Ik zwem zo hard ik kan. Toe nou, rotboot! Toe nou, rotwind! Dit keer blijft de wind een tijdje duwen en het bootje drijft nu ineens wel tien meter van me vandaan. Ik zwem. Harder kan ik niet. Het zeegat uit... het zeegat uit...! Wat een belachelijke zin om ineens in je hoofd te krijgen.

En moe dat ik ben! Ik draai me op m'n rug. Het strand is ineens erg ver. En vooral stil. Niemand die staat of kijkt. Hoe diep is het hier eigenlijk? Ik doe m'n ogen dicht en laat me zakken. Nergens bodem. M'n hart begint te bonken. En Robbert zo ver. Zo ver. Die drijft steeds maar sneller de zee op. Sneller dan ik kan zwemmen. En ik kan nu al bijna niet meer. Wat doet die idioot nou? 'Ik kom naar je toe, mam...!' 'Nee, idioot! Nee, gék! Je lááát het! Je kan niet zwemmen!' Kleine bruine beentjes over de rand van het bootje, half in het water. 'Robbert... je verdrinkt! Robbert, tóé, terug...! Hóór je me!' Goddank, hij kruipt weer terug. Het bootje schommelt griezelig, maar nou zit ie ineens doodstil. Voelt dat er wat engs aan de hand is. God, wat ben ik moe. Brommen in m'n oor. Zo'n elektrisch geluid. M'n adem gaat hortend en stotend. Steken in m'n zij. Even uitrusten. Even laten drijven. Maar niet te lang, want het bootje glijdt over het water. Glijdt en glijdt als iets uit een droom waar je nooit bij kan komen. Stommeling die ik ben. Stom rund!

Wie zwemt er nou achter een bootje aan. Ik had direct terug moeten gaan naar het strand. Een pedalo halen of een van die motorbootjes die hier liggen. Zo'n kind heb je zó. Daar gebeurt niks mee in zo'n bootje. En nou is het te laat. Terug is te ver en het bootje is te ver. Ik haal het allebei niet meer. Ik ben het die verdrinkt. En niemand van die stommelingen op het strand die het ziet. Wat zal Robbert doen als hij me ziet verdwijnen? Als hij er dan maar niet wéér uitklimt. Ik móét... ik moet...! Het zijn alleen nog maar vreemde vage vlekken die ik zie. Blauw van de zee. En een ánder blauw, met rood van het bootje. Vergis ik me of wordt de zee gladder? En de blauw-met-rode vlek groter. Ik haal hem langzaam in. Als de wind nou maar niet... Nog even. Niet op die steken in m'n zij letten. Nog even doorgaan. M'n hand stoot tegen het rubber. God, nou duw ik zélf het bootje weg. Nou oppassen. Voorzichtig. Nog even. Ik heb beet. Twee handen om de rand. M'n gezicht tegen het koele rubber. Door het gegons en gezoem heen dat stemmetje: 'Mamma... mamma...!' Ik kijk omhoog. Vlekken. Licht en schaduw. De ogen van Robbert. Een klein bruin handje dat uit de zon op me afkomt en m'n wang aanraakt. 'Mamma,' zegt Robbert, 'Mamma... waarom huil je nou...?'

Wat is hij moe na zo'n schooldag!

Nog maar net op de middelbare school, en nú al weten Peter en ik dat het niet mee zal vallen. Voor hem is alles nieuw, voor mij ópnieuw. Als ik z'n boeken bekijk merk ik dat ik méér onthouden heb van vroeger dan ik vreesde. Maar veel minder dan ik hoopte. Elke middag zitten we samen over z'n huiswerk gebogen. Want huiswerk op een middelbare school is wel even iets anders dan de tien rekensommen die hij op de basisschool weleens mee naar huis kreeg. Er moet nu duchtig geleerd worden, en leren moet je leren, dat is algauw duidelijk.

'Wat heb je opgekregen voor morgen?' vraag ik, en Peter kijkt ijverig in z'n agenda.

'Eh, geschiedenis hoofdstuk drie de eerste vijf vragen,' zegt hij. Neemt de vragen voor zich en begint ze ijverig te beantwoorden.

'Moet je niet eerst het hoofdstuk nog eens goed bekijken?' vraag ik.

'Nee,' zegt hij geduldig, 'ik moet gewoon die vijf vragen.'

'Maar dat kan toch alleen maar als je weet wat er in het hoofdstuk staat?'

Hij kijkt me weifelend aan. 'Ze zei helemaal niet dat het moest!' zegt hij dan.

'Ze vindt het doodgewoon dat je het zo doet,' zeg ik.

Hij zucht en begint het hoofdstuk te lezen. In een enorm tempo. In een paar minuten is hij klaar. 'Zo, nu de vragen.'

'Peter,' zeg ik voorzichtig, 'wat staat er in dat hoofdstuk?'

Nu begrijpt hij er niks meer van, en hij wil weleens weten wat ik met die opmerking bedoel.

'Nou,' zeg ik zo voorzichtig mogelijk, 'in elk hoofdstuk proberen ze je iets uit te leggen. Om je iets nieuws te leren dat je nog niet wist. En als jij dat hoofdstuk leest, moet jij uitvissen wát dat nieuwe is. En waar dat hoofdstuk nou eigenlijk precies over gaat. Daarna kan je pas die vragen beantwoorden!' Hij luistert met een gepijnigd gezicht, zegt niks en begint dan nog eens het hoofdstuk te lezen. Aan z'n gezicht en de denkrimpel tussen z'n ogen zie ik dat hij voor het eerst wéét wat hij leest. En dan kan hij ook aardig navertellen waar het over gaat. Het vragen beantwoorden verloopt daarna gelukkig zonder problemen. En dan komen de andere vakken waarvoor hij huiswerk heeft. Want trots op de lauweren rusten nadat er wat werk is verzet, is er op een middelbare school óók niet meer bij. Er moet redelijk veel worden gedaan, en het tempo is hoog.

Na een paar lessen Frans kan hij al een aardig verhaaltje houden, dat moeilijker in elkaar zit dan de piep die papa bij mij op school in de *jardin* fuumde. Léúker is het leren er ook op geworden. Bandrecorders, videoapparatuur en film horen bij het gewone lesmateriaal. De leraren zijn heel wat aanspreekbaarder dan vroeger, en de leraar Engels maakt afkeurende geluiden als in een verhaaltje staat dat de dochter *mother* helpt in de *kitchen*, terwijl de zoon samen met *daddy* naar de *television* zit te kijken. Hij vindt dat een ouderwetse rolverdeling, en ook al zegt Peter dat alle jongens toen 'boeh' hebben geroepen, het wordt toch maar lekker even gezegd.

Maar o, wat is hij moe na een schooldag. Zeven verschillende vakken achter elkaar, sjouwen met een loodzware tas die uitpuilt van de boeken, de nieuwe school, de nieuwe klasgenoten, elk uur een andere leraar. Hij loopt met een holle blik rond. Natuurlijk, het zal best wennen, maar het is nu heel even erg moeilijk voor hem.

Dat kinderen groter worden merk je 's nachts

Zo'n hevig onweer. Met lichtflitsen waarbij je de hele slaapkamer kunt zien, ook al is het midden in de nacht. En met donderslagen waar de ruiten van trillen. Ik word er direct wakker van, zelfs al voordat het zo hevig is. Tellen hoeveel tijd er zit tussen licht en geluid. 'Een-en-twintig, twee-en-twintig, drie-en-twintig...' En wachten op geluid van boven, het geluid van Robbert die uit z'n bed springt en vlug de zoldertrap afloopt en dan aarzelend voor de slaapkamerdeur staat. Wél of niet naar binnen gaan? Maar een nieuwe flits, waaraan geen einde lijkt te komen, maakt de keus eenvoudiger. En dan staat hij al naast het bed. 'Mamma... het onweert zo... ik ben bang.'

Zo ging het altijd. En zo gaat het steeds minder. Want dat kinderen groter worden merk je ook 's nachts. Er waren tijden dat ik blij was met één ongestoorde nacht slaap in een week. Altijd was er wel iets. Akelig gedroomd, dorst, bed nat, 'moet zo hoesten', onweer. En duizelig van de slaap vertelde ik dan dat enge dromen toch echt alleen maar dromen zijn en dat die griezelige man niet achter de stoel zit te wachten tot hij weer alleen is. Ik bracht water, verschoonde bedden, haalde hoestdrank uit de keuken (twee trappen af en weer op, plus nóg eens om de vergeten maatlepel te halen). Zoveel geluiden in de nacht waarvan ik wakker werd, nog voordat de stemmetjes van boven klonken, of die lichte kindervoetstapjes. En nu? Ze worden wel wakker van het onweer, dat kan ik horen. Het bewegen van het rechtop gaan zitten (gekraak, bonk tegen de houten wand), en dan hetzelfde bewegen in omgekeerde volgorde (bonk tegen de wand, gekraak) als ze weer gaan liggen.

Ongetwijfeld met de deken tot ver over hun oren getrokken. Maar tóch... Peter zal er niet over peinzen steun te zoeken bij ons in die angstige nachtelijke uren. En bij Robbert wordt het ook steeds minder. Ze kunnen het alleen wel af, de dromen, de dorst en nu ook het onweer. Maar ik blijf erop slapen. Hoor iets ongewoons en denk: de kinderen! Met wijd open ogen lig ik te wachten. Wat nu? Hóóp ik dat er eentje naar beneden komt? Stemmetje in het donker? 'Mamma...!' Maar de moederrol is wat dat betreft al aardig uitgespeeld. Daar verlangde ik toch járen naar, als m'n slaap weer eens werd onderbroken. En nu ik door kan slapen, zoals Willem altijd al deed, lig ik te wachten op een kind dat me nodig heeft.

Stom gedoe. Moeders zijn eigenlijk vreselijke mensen. Het is ook nooit goed. Als hun kinderen hen nodig hebben, zuchten ze. En als de kinderen ophouden hen nodig te hebben, zuchten ze ook. Gewoon zuchterige wezens dus, moeders. Terwijl ik dat allemaal lig te bedenken en het onweer in volle hevigheid om het huis heen woedt, hoor ik eindelijk toch die voetjes. Van Robbert. Hij komt de zoldertrap af en stevent zonder aarzelen richting badkamer. Doortrekken van de wc. Het brave gespetter van handen wassen. En dan weer die besliste blotevoetenstapjes richting zoldertrap. Nu kan niets me meer dwingen in bed te blijven. Ik stap de gang op en sta te knipperen tegen het nachtlichtje. Hij staat al onder aan de trap, kijkt me verbaasd aan.

'Kan je niet slapen, mam? Wat een onweer, hè? Lekker als je in bed ligt met onweer.' 'Ja, lekker,' zeg ik. We geven elkaar een zoen en ik kijk hem na tot hij in z'n kamer verdwenen is.

‘Mam, kijk ’ns hoe gaaf!’

Dit was het jaar van de Haar. De Haar op de arm, het been, de bovenlip en overal waar men maar redelijkerwijs een Haar mag en kan verwachten. Het jaar waarin gekeken en vergeleken werd. Waarin bij thuiskomst van school niet gepraat werd over de stand van zaken, maar over de stand van Haren. ‘Maarten heeft méér dan ik, mam, maar er zijn ook jongens met minder, hoor,’ zegt hij. Met z’n gymbroek aan staat hij lang en peinzend voor de spiegel. Kijkend naar alle spieren en haren die hij al heeft. ‘Kijk eens, mam... wat veel, hè?’ ‘Nou!’ zeg ik. Maar het ware enthousiasme wil niet komen. Boven aan de lijst van dingen die me niet interesseren in mannen staan Haren en Spieren. Nooit iets aan gevonden. Nooit van onder de indruk geweest. Voorzichtig probeer ik dat op Peter over te brengen. ‘De meeste meisjes kan het niks schelen, hoor, Haren en Spieren,’ zeg ik. Maar daar gaat het ook helemaal niet om, verzekert hij me. Dat heb ik weer eens helemaal verkeerd begrepen. Typisch zoals een moeder altijd dingen verkeerd begrijpt als er gekozen kan worden tussen goed en verkeerd begrijpen. Laat dát maar aan een moeder over. En vooral aan zijn moeder. Wat hebben Spieren nou met méisjes te maken? En wat hebben Haren nou met meisjes te maken? Niks toch. Spieren en Haren, dat vergelijk je onder elkaar. Dat is gewoon gaaf, als je die hebt.

En gelukkig heeft hij ze. Bezit ik een zoon die ze allebei heeft. Nou ja, hééft. Bijna heeft. Spieren én Haren. Alleen is hij spijtig genoeg blond, zodat je de Haren bij hem veel minder goed ziet dan bij iemand die het geluk heeft donker te zijn. En dan die Spieren, dat is duidelijk. Die heb je gewoon nodig om goed te kunnen voetballen. En tennissen. En... nou ja, gewoon nódig. En bovendien staat het ook nog gaaf. Hij vertelt het hele verhaal met een diepe, interessante stem. Beetje neerbuigend ook. Zoals je praat tegen iemand die dom is, maar verder best aardig. Iemand die je binnen het jaar in de lengte voorbijgegroeid zal zijn. De volwassenheid lokt, met Spieren, Haren en Laat-naar-bed-mogen. Met alle interessante dingen waarvan hij denkt dat een grotemensenleven er vol van is.

Nog nooit heb ik iemand zo zien genieten van groot worden. Voor mij was dat indertijd een gebeuren dat in het teken stond van angsten en onzekerheden. En als ik voorzichtig bij Willem informeer, blijkt dat bij hem ook zo geweest te zijn. Wat wist je nou helemaal van alles wat er ging gebeuren met je lichaam? Al die vreemde enge dingen waarom je op school giechelde, maar waar je niets van begreep? Geen periode in m'n leven is minder leuk geweest dan die van de puberteit. En zie nu Peter. Lachend, gezond, luidruchtig, blij, opgewonden. Weet alles en maakt er klinkende grappen over, waar hij als eerste luid en hartelijk om lacht. Alleen soms klinkt er ineens een vage bezorgdheid door al die pret heen. Ziet hij er wel uit zoals een jongen eruit moet zien die zo oud is als hij? Zal hij écht nog groeien? En die Haren en die Spieren, wordt dat allemaal net als bij pappa? Ja, dat wordt het. En hij sjort z'n schooltas onder z'n arm, knijpt z'n broer in de arm en verdwijnt weer voor een potje school.

Hij 'kan' álles van aardrijkskunde

Robbert 'kan' aardrijkskunde. Hij komt thuis met die mededeling en kijkt erbij alsof hij nu de hele wereld in z'n broekzak heeft. 'Ik kan álle landen!' zegt hij eenvoudig, 'álle landen en álle plaatsen en álle rivieren kan ik. Allemaal!' Terwijl hij aan het praten is, zie ik hoe Peter op de achtergrond langzaam begint te stralen. Die ruikt Triomf. Want als Robbert álles van aardrijkskunde 'kan', dan 'kan' Peter nog wel eventjes meer van aardrijkskunde. Tenslotte zit hij twee jaar langer met z'n neus boven de atlas. 'Robbert,' zegt hij en z'n stem heeft die tedere klank van Grote Lieve Broer, 'zeg Robbert, als jij álles van aardrijkskunde kan, zal ik je dan eens overhoren?'

Robbert bekijkt hem nadenkend. Hij voelt onraad, maar weet niet precies waar. 'Ja hoor,' zegt hij dus onverschillig. 'Zeg Robbert, wat is de hoofdstad van IJsland?' 'Eh...,' zegt Robbert.

En nog eens: 'Eh...!' Hij kijkt me smekend aan. 'Reyk...' vormen m'n lippen, maar hij kan het niet ontcijferen. 'Reykjavik, Robbert,' zegt Peter, nog steeds met die vriendelijke stem. 'Ik dacht dat je álles van aardrijkskunde kon.' Robberts lip begint te trillen. 'Ik kán ook alles van aardrijkskunde maar jij vraagt niet goed,' roept hij. 'O nee, hoe moet ik dan vragen?' 'Je moet vragen van: wat is de hoofdstad van Nederland. En dan zeg ik Amsterdam. En dan moet je vragen wat is de hoofdstad van België, en dan zeg ik Brussel.' 'O', zegt Peter, en valt even stil. Maar niet lang. 'Robbert,' zegt hij dan, 'wat IS de hoofdstad van

Nederland?' 'Amsterdam,' zegt Robbert stralend. 'En wat is de hoofdstad van België?' 'Brussel!' 'En Robbert, wat is de hoofdstad van Portugal?' Nu wordt Robbert woedend. 'Hij doet het wéér mam! Hij pést me! Jij pest me áltijd!' 'Niet waar mam! Hij zegt dat ie alles van aardrijkskunde kan, en dan kan je ook de hoofdstad van Portugal. En anders kan je niet alles van aardrijkskunde.' 'Zeg Peter,' zeg ik vals, 'wat is eigenlijk de hoofdstad van Roemenië?' 'Boekarest,' zegt hij onverschillig. 'Je dacht zeker dat je me tuk had. Nou, ik ga lekker buiten spelen.' En weg is hij. Robbert droogt z'n tranen. 'Mam,' zegt hij, 'vraag nou nog eens wat de hoofdstad van België is?' 'Wat is de hoofdstad van België,' vraag ik. 'Brussel!' roept hij triomfantelijk. En dan gaat hij ook buiten spelen. Maar z'n passie voor aardrijkskunde blijft. Tot wanhoop van het hele gezin, want ongestoord het *Journaal* bekijken is er ineens niet meer bij. Nauwelijks is er een kaartje achter de nieuwslezer verschenen of Robbert springt op. 'Aardrijkskunde!' roept hij dan opgewonden. 'Mam, dát is nou aardrijkskunde, zie je wel!'

En met z'n vinger wil hij alles aanwijzen wat hij ziet, zodat het *Journaal* voor ons alleen nog maar bestaat uit een stem die achter een paar spijkerbroekbillen vandaan komt. Op school schijnt hij zich uitsluitend met de atlas bezig te houden. En elke dag weet hij meer. Zelfs Peter raakt ervan onder de indruk. Op een dag zegt hij plechtig: 'Robbert, ik geloof dat je écht aardrijkskunde kan!'

’t Is wat als je puber wordt

‘Kleintje’, noemt hij z’n broer de laatste tijd. En hij legt er alle geringschatting in die hij als twaalfjarige voor een jongen van pas negen voelt. ‘Ga eens opzij, kleintje.’ ‘Is dat jouw boek, kleintje?’ ‘Je fiets staat nog buiten, kleintje.’ Op elk ‘kleintje’ reageert Robbert als iemand die nietsvermoedend op een punaise gaat zitten. Hij schiet letterlijk uit z’n stoel overeind, om zich dan in één beweging op Peter te werpen. ‘Rotjoch, je denkt zeker dat je stoer bent!’ En voor de zoveelste keer die dag kom ik tussenbeide. ‘Peter-hou-d’r-mee-op,’ zeg ik, kreun ik, klaag ik, schreeuw ik. Maar het helpt niet. Integendeel, want nu begint hij ook mij ‘kleintje’ te noemen. Op een andere, veel lievere manier. ‘Zal ik dat maar eens even voor je dragen, kleintje?’ ‘Kan ik wat voor je doen, kleintje?’ Zo irritant als het bij Robbert werkt, zo vertederend werkt het bij mij. Dat lange eind jongen met dat kindergezicht en die tussenin-stem, die zich zo verschrikkelijk groot voelt nu hij op de middelbare school zit. Eigenlijk vindt hij het niet eerlijk dat hij eerder naar bed moet dan ik. Hij hoort nu toch ook bij de grote mensen? Maar tegelijkertijd is hij gauw uit z’n doen. Als hij denkt dat ik hem uitlach of niet serieus neem, barst hij in tranen uit, terwijl hij naar de deur stormt en die met een klap achter zich dicht laat vallen.

‘Een echte puber,’ zeggen Willem en ik vertederd tegen elkaar. En we moeten lachen om de snelheid waarmee hij uit z’n kleren groeit. Net iets voor hem gekocht en zo alweer de zoom eruit. Hij krijgt iets slungeligs, iets uit z’n krachten gegroeids, en je kan merken dat hij niet goed raad weet met die lange armen en die veel te groot lijkende handen. Soms staat hij wel een kwartier naar zichzelf te staren in de spiegel, alsof hij zichzelf voor de eerste keer ziet. 'Vind je niet dat ik gekke tanden heb?' zegt hij bezorgd. En ik stel hem gerust. Maar een halfuur later staat hij alweer met ontbloot gebit naar zichzelf te staren. Hij wil ook steeds weten of z'n haar goed zit. 'Is het leuker als ik het zó kam, of moet het zoals ik het gisteren had?' 'Gisteren,' zeg ik gedecideerd, omdat ik voel dat het dodelijk zou werken als ik zou zeggen dat er zo op het oog geen verschil is. En tevreden verdwijnt hij weer naar boven. Z'n kleren zijn een probleem geworden. Ineens kleurt z'n lievelingstrui niet meer bij de broek waarop hij hem altijd droeg.

En op Robberts verjaardag wil hij niet meer meedoen met de spelletjes. Maar hij stopt wel, met veel vriendelijkheid en grapjes, z'n kleine neefjes Wouter en Frans in bad. Die vinden hem een geweldig grote neef, en omdat Peter dat zelf ook zo ziet, ontstaat er op die basis een perfecte verstandhouding tussen hen.

En toch, helemaal leuk is deze periode niet voor hem. Er worden op school zware eisen aan hem gesteld, en omdat hij van een basisschool komt waar het verrukkelijk toeven was maar waar nooit huiswerk gegeven werd, drukt dit nieuwe leven als een met bakstenen gevulde rugzak op hem. Uren achter elkaar op school zitten, met telkens een nieuw lokaal en een nieuwe leraar, en dan daarna huiswerk maken in plaats van voetballen. Spanningen zijn er nu al. Om de uitslag van een schriftelijke overhoring, en om het in de verte opdoemende rapport. Vooral Willem heeft veel medelijden met hem. 'Hij heeft nooit meer tijd voor zichzelf,' zegt hij bezorgd. Maar hij is er dan ook niet bij als Peter z'n tijd zit te verdoen met poppetjes tekenen in plaats van even door te werken. Hij is er nog zo aan gewend om over z'n tijd te kunnen beschikken dat het nog niet in hem opkomt er wat handiger mee om te gaan. En als het dan tijd is om naar bed te gaan, en er was weer geen potje voetbal of een halfuurtje televisie, terwijl het huiswerk ook al niet geweldig voor elkaar is, kan hij ineens diepbedroefd in snikken uitbarsten. Arme Peter... het valt niet mee om groot te worden.

De schrik in de ogen van het schuldgevoel

De kinderen kwamen niet ongewenst en niet onverwacht. Maar het schuldgevoel dat er gratis en geheel voor niks bij werd geleverd, daarop had ik niet gerekend. Een wasecht, kleurecht en onverslijtbaar schuldgevoel. Naast de baby had het zich gezellig in de wieg genesteld. En nog voordat mijn kind me met een doordringend geschrei tot zich had geroepen, had het schuldgevoel de weg naar mij al gevonden. Zou je niet weer eens even gaan kijken? Dat zit hier maar te lezen alsof er geen Moederplicht bestaat. Staat de fles trouwens al in de warmer? En wordt het vanavond weer een hapje uit een potje voor dat arme kind, of kook je zélf iets behoorlijks voor hem? De kinderen groeiden en het schuldgevoel bleef aan hen vastgekleefd zitten. Niet groter en niet kleiner dan in het begin, maar altijd aanwezig. Hij is veel te jong om nu al alleen over te steken. Alleen omdat jij te lui bent om elke dag mee te lopen... Waarom zit jij eigenlijk niet in de oudercommissie? Te druk met jezelf, zeker?

Waarom ga je naar dat feestje op zaterdagavond? Je weet toch dat de zaterdagavond een Gezinsavond hoort te zijn?

En natuurlijk, daar kun je vergif op innemen, drong het op een gegeven moment tot de kinderen door dat hun moeder gevoelig was voor bepaalde verwijten, op een bepaalde manier geuit. 'Je was er niet toen ik uit school kwam. Je was pas om halfvijf thuis. Ik was zóóóó alleen.' Z'n wang nog bol van de snel naar binnen gewerkte koekjes, de kruimels nog om z'n mond. Hier staat niet een kind dat geleden heeft, maar evengoed slaat het schuldgevoel met een pinnig gebalde vuist op m'n borst. Péng. Twee avonden achter elkaar eten zonder verse groente? Péng. De kinderen op zondagavond uit pure lamlendigheid te lang op laten blijven, terwijl ze maandag naar school moeten? Péng. Halverwege het ellenlange knikkerverhaal met de gedachten afgedwaald zijn en daarop betrapt worden ('Je luistert niet eens, mam!' Péng. Péng. Soms wend ik me smekend tot het schuldgevoel. Er is zoveel dat ik wél doe. Ik doe helemaal niet alles fout. Ik luister vaak wél. En eergisteren nog hebben we spinazie gegeten. Maar het schuldgevoel vertrekt z'n smalle mond tot een geniepige grijns en geeft geen antwoord.

Soms bezoekt het schuldgevoel me als ik 's avonds in bed lig, gezellig tegen de warmte van Willem aan. Peter had een vier voor z'n Franse repetitie, hè? Waarom heb je hem niet even overhoord? Je wéét toch dat hij dat fijn vindt? Geen tijd, zeker. Het bed lijkt ineens koud en ongezellig. Ik háát het schuldgevoel, en soms slaat er een beetje van die woede over op mijn gevoel voor de kinderen. Waarom móét ik ook altijd iets? Hun nagels knippen. Hun sokken wassen. Groente koken die ik niet eens lekker vind. Schaterend hangt het schuldgevoel in een hoekje van m'n ziel. Zó tuk heeft het me zelden gehad.

Maar gelukkig, ik merk dat z'n macht begint te tanen bij het groter worden van de kinderen. De eerste keer dat Peter zegt: 'Mam, je hoeft me niet als een klein kind te behandelen', zie ik het schuldgevoel in elkaar krimpen. De eerste keer dat Robbert zegt: 'Ik maak m'n boterhammen zélf wel klaar', worden de ogen van het schuldgevoel groot van schrik. Nee, het gaat niet goed met hem. Hij wordt magerder, bleker en kleiner met de dag. Nog even en dan heeft hij het gehad. Péng. Péng.

Een verjaardag om over te doen

Tóch al geen makkelijk kind, Robbert. Maar de dagen vóór z'n verjaardag slaan alles. Hij is werkelijk onmogelijk, zoekt ruzie, huilt zeker twee keer per uur en rolt doorlopend vechtend met Peter over de grond. Z'n vader, Peter en ik zijn deze dagen verenigd door het gevoel van: laten we nou alsjeblieft proberen om het toch nog een beetje leuk te houden! Maar dat valt niet mee. Met een wit smoeltje verdwijnt Robbert 's avonds in z'n bed, en precies even moe en hologig verschijnt hij de volgende ochtend weer aan het ontbijt. Ik ken het van hem. Het zijn de zenuwen die hem voor elke verjaardag, vakantie of feestdag overvallen. En eigenlijk heb ik dan zo verschrikkelijk met hem te doen. Kon hij maar zo probleemloos van alles genieten als Peter. Die zich gewoon verheugt op alle bijzondere dagen, in plaats van er onder gebukt te gaan zoals Robbert.

Het is een opluchting als eindelijk de dag van Robberts partijtje is aangebroken. Op een maandag zal hij jarig zijn, de zaterdag ervoor komen al z'n vriendjes, en op zondag de familie. Maandag trakteren in de klas en thuis pannenkoeken en dan zal z'n verjaarsdriedaagse eindelijk voorbij zijn. Z'n vriendjes komen prompt op tijd. Allemaal even lange knulletjes, met een spannend pakje in hun hand. Meisjes heeft hij niet gevraagd, want voor hem zijn dat nog steeds 'mei-den'. En 'meiden' trek je hoogstens aan hun haren, maar je nodigt ze zéker niet uit. Na de taart en limonade gaan we naar de film. *Bambi*, een ijzersterk succes, en door mij deze middag ongeveer voor de tiende keer gezien. En om ze na die paar uur stilzitten lekker te laten uitrazen, gaan we met z'n allen het bos in. Naar de holle boom, waar heuvels zijn en kleine beekjes, en waar het heerlijk spelen is. Inmiddels heeft Robbert met elk van z'n gasten al zeker drie keer ruzie gehad, tot vechtens toe. Maar de jongetjes ondergaan het gelaten, als iets wat erbij hoort en wat je dan in hemelsnaam maar van een jarige accepteren moet.

Nog geen halfuur zijn we in het bos of we horen bij het verstoppertje spelen de panische kreten van Robbert. En jawel, nog steeds wegzakkend in de blubber staat hij nu al tot z'n middel in een met rottend blad bedekte poel. Pure paniek. Terwijl hij nog steeds z'n keel schor brult, trekt Willem hem met een grote stok op het droge. Dat betekent naar huis. Robbert schokkend van het huilen, de vriendjes verslagen. En ook al wordt er thuis nog een uurtje gespeeld, het is toch niet meer zoals het was. Wat niet wegneemt dat Robbert de volgende ochtend stralend aan het ontbijt over 'm'n feest' praat. Hij heeft dan net z'n cadeautjes in ontvangst genomen. Een dag te vroeg, maar het kan op zondag nu eenmaal gezelliger en uitgebreider gebeuren dan op een schooldag. En terwijl hij blij en gelukkig aan z'n verjaarsontbijt zit, gebeurt het. Een klap tegen het raam, en dan het op de grond smakken van een merel. Terwijl we verbijsterd kijken, zien we hoe hij z'n vleugels nog een paar keer beweegt. Dan glijdt hij langzaam van z'n zij op z'n rug. De pootjes trekken nog een paar keer samen, en steken dan stokkerig en erg dood omhoog. Robbert begint onbedaarlijk te huilen, terwijl Willem gauw de vogel weghaalt. De hele dag blijft Robbert een beetje aangeslagen. En als aan hem gevraagd wordt wat hij allemaal ge-

kregen heeft, zegt hij: 'Er vloog een vogel tegen het raam...'
Er zijn verjaardagen, die zou je meteen over moeten kunnen doen!

Eerste hulp bij lekke banden

'Pap, m'n band is lek,' zegt Robbert op maandag. En op dinsdag. En op woensdag.

'Da's vervelend, joh, als ik tijd heb zal ik 'm voor je plakken,' zegt Willem op maandag. En op dinsdag. En op woensdag. Op donderdag houdt Robbert het voor gezien. Hij zoekt het hele huis af naar het eerste-hulp-voor-banden-doosje. Dat gaat niet geruisloos. Het doosje ligt niet in de keukenla, waar het zou moeten liggen, en niet op alle andere plaatsen waar het zou kunnen liggen. Maar Robbert zet koppig door en wordt voor z'n ijver beloond met een halfleeg doosje. Hij inspecteert het somber aan de keukentafel. 'Geen stukjes plakband,' zegt hij. 'Geen bandenwippertje. En o, de dop van de lijm is eraf en alles is eruit gelopen en opgedroogd.'

'Ga maar een ander doosje kopen,' stel ik hem voor, nadat ik eerst uitgebreid heb verteld wat ik vind van mensen die niet eens hun eigen bandenplakdoosje in goede staat kunnen houden.

'O, heb ík het dan weer gedaan,' roept Robbert verontwaardigd. Maar ik leg, alweer uitgebreid, uit dat het hier een geval betreft van wie de schoen past trekke hem aan. En dan geef ik hem geld voor het nieuwe doosje.

'Moet ik lopen?' zegt hij verongelijkt.

'Wil je dan fietsen?' kaats ik terug.

Hij verdwijnt met hangende schoudertjes en sjokt richting dorp. Een halfuur later is hij terug. Met een keurig doosje vol met alles waarvan iemand die midden in het bos een lekke band krijgt droomt. Hij sjouwt z'n fiets de gang in en keert hem met veel gekletter om. En dan begint hij met het bandenwippertje aan de achterband te frunniken. Op dat moment verlaat ik hem om boven te proberen nog wat te werken. Als ik anderhalf uur later beneden kom, hangt de binnenband vaalrood op de grond. Het ziet er eigenlijk uit als een wat slordig uitgevoerde operatie. De dokter had z'n dag niet, vandaag.

In een teiltje water duwt Robbert telkens een stukje band onder, speurend naar luchtbelletjes. 'Ja, ik heb het,' roept hij blij en begint een aandoenlijk gefrummel met doekjes om de band droog te maken, tubetjes, stukjes plakband en nog veel meer. Dan wurmt hij beide banden weer om het wiel en zet de fiets overeind. De fietspomp vindt hij gelukkig wél meteen. Hij pompt en pompt en pompt, met vuurrode wangen, terwijl het blije langzaam maar zeker van z'n gezicht verdwijnt. 'Hij is nog steeds lek,' zegt hij, tranen heel dicht achter z'n ogen. 'Vanavond doet pappa het,' beloof ik roekeloos. Vier uur later staat Willem op dezelfde plaats in dezelfde houding. Het teiltje water staat klaar. Willem tuurt met gefronste wenkbrauwen naar luchtbelletjes en roept even triomfantelijk als z'n zoon: 'Ja, ik heb het!'

Hij plakt, slaagt erin de banden weer op hun plaats te krijgen en pakt de pomp. Hij pompt en pompt en pompt. De band blijft leeglopen. Hij keert de fiets om en begint opnieuw, terwijl ik naar boven verdwijn om het niet allemaal te hoeven aanzien. Een uur later staat hij naast me. 'Hij heeft door spijkertjes of zoiets gereden,' zegt hij somber, 'die band zit vól met gaatjes. Er moet gewoon een nieuwe om.'

'Allemaal gaatjes?' zegt Robbert de volgende ochtend aan het ontbijt. En net als hij wil gaan pruilen omdat hij nu wéér naar school moet lopen, schiet hem wat te binnen. 'Dan kan ik er niks aan doen dat hij lek bleef, hè pap? Eigenlijk kan ik dus heel goed banden plakken. Net zo goed als jij.' En opgewekt vertrekt hij naar school.

'Ik hóéf jouw rijmpjes niet, mam!'

Nooit gedacht dat ik er nog eens eentje zou zien, maar kijk, daar ligt zo maar een écht poëziealbum voor me. Pastelkleurig vanbuiten, de bladzijden bol van de plakplaatjes. Net als vroeger. 'Poesiealbum' noemt Robbert het, en ook dat is net als vroeger. Want wat had je tenslotte te maken met die twee puntjes op de e, die zo'n deftig woord maakten van wat gewoon gezellig een poesiealbum was. Dit album is van een meisje uit z'n klas en hij moet erin schrijven. Dat vindt hij verschrikkelijk interessant, maar ook iets om je dood voor te generen. 'Een geDICHT!' zegt hij, met een gezicht alsof hij iets onvoorstelbaar onsmakelijks voor zich ziet. 'Ik moet een geDICHT in dat ding schrijven. En er ook nog een plaatje in plakken. Hoe kom ik nou aan een gedicht? Weet jíj soms een gedicht?' 'Ja hoor,' zeg ik. En dreun zonder aarzelen op: 'Rozen verwelken, schepen vergaan, maar onze vriendschap blijft eeuwig bestaan.' Robbert bekijkt me met een diep wantrouwen. 'Je hebt er al stiekem in zitten lezen,' beschuldigt hij me dan, 'dat stáát er al in!'

'Echt?' Ik kan het bijna niet geloven. Een rijmpje van pakweg dertig jaar geleden nog steeds in het poëziealbum van een door kernbommen en werkloosheid bedreigd kind-anno-1982?

Ik pak het album en blader. En inderdaad, het is niet te geloven, maar ze staan er allemaal in. 'Ik lag in m'n tuintje en sliep, toen kwam er een engel die riep: "Jan-Willem, je moet ontwaken, om een rijmpje voor Esther te maken."'

'Twee blauwe oogjes, een hartje van goud, een zuiver geweten, zorg dat je het houdt.' En de kroon spant het rollenpatroonbevestigende 'Boen de keuken, dweil de gang, vang de spinnen, wees niet bang, kook de piepers, roer de pap, dan zegt iedereen, wat is ze knap.'

'Wat zit je nou te lachen?' wil Robbert geïrriteerd weten. 'Ach niks, ik vind het gewoon mal. Al die ouwe rijmpjes. Helemaal niets nieuws erbij. Niets van deze tijd.' 'En hoe is dat dan? Een poesierijmpje van deze tijd?' zegt hij zonder veel belangstelling. 'Nou eh, zoiets als: "Neem een appel, neem er twee, en spoel de drugs door de wc." Hij kijkt me uitdrukkingsloos aan. 'Zoiets schrijf je niet in een poesiealbum, mam. Zoiets dóé je niet. Dat hoort niet.' Maar ik hou koppig vol, nu ik eenmaal op het goede spoor zit. 'Vandaag geen werk, morgen geen huis, in zo'n land is het niet pluis.' Maar hij kan er niet om lachen. De enige reden dat hij nog bij me aan tafel zit is dat hij hoopt dat er alsnog een bruikbaar rijmpje uit me zal rollen. En ook dát kan. 'Ik wil ook in je album staan, al moet ik er dwars doorhenen gaan,' stel ik voor. 'En dat moet je dan schuin over een bladzijde schrijven. En dan een paar leuke plaatjes erbij en je bent klaar.' 'Doorhenen,' mompelt hij, 'doorhénen...!' Schouderophalend en mompelend verlaat hij de kamer.

Een uur later zie ik hem op z'n knieën aan de lage tafel zitten, het poëziealbum voor zich, tong als een klein puntje uit de mond. 'Ik verzin zélf wel wat,' zegt hij ongevraagd. 'Ik hóéf jouw rijmpjes niet. Die van vroeger staan er al in. En die van nu vind ik niks aan.' Hij buigt zich weer over het album. 'Drugs in een poesiealbum,' hoor ik hem zachtjes mompelen, terwijl hij afkeurend z'n hoofd schudt.

Wat is het ook voor een taal...

Peter komt thuis met een twee voor Frans. En hij had het nog wel zo aardig geleerd, vindt hij zelf. Hij is diepbedroefd. 'Ik kán het niet, ik kán het niet. Haal me maar van school af,' zegt hij. Er rollen dikke tranen over z'n gezicht, die hij nijdig met de rug van z'n hand wegveegt. 'Ik kán niet leren. Ik ben de stomste van de klas. Ik kan d'r niks van. Ik kan helemaal niks.' Ik zeg niets. Ik zet zelfs geen thee voor hem neer. Er zijn momenten dat troostende woorden of gebaren verschrikkelijk irritant zijn. Dan moet je gewoon lekker even uitrazen, en die hand op je schouder schud je dan toch woedend weg. Ondertussen kijk ik op z'n repetitiepapiertje.

Tien zinnen heeft hij moeten vertalen. En erg consequent heeft hij alle leestekens weggelaten. Elk fout of niet aanwezig leesteken is een halve punt. Dat tikt aardig aan. De woorden zélf wist hij redelijk goed.

Hij haalt luidruchtig z'n neus op. 'Mag ik thee?' zegt hij. Trekt het papiertje naar zich toe en zegt: 'Ik mag 'm overdoen, de repetitie. En dan geldt dit cijfer niet meer. De hele klas mag 'm overdoen.' 'Oh, dat is fijn! Je kan er de tweede keer toch makkelijk een voldoende voor halen?' Hij haalt z'n schouders op. 'Ik kan d'r toch niks van,' zegt hij. En het klinkt nu meer als zelfmedelijden dan echt verdriet. 'Heb je naar je fouten gekeken?' vraag ik. 'Nee, wat heb ik dáár nou aan.' 'Nou, dan zou ik maar eens kijken. Alleen al die leestekens hebben je drie punten gekost.' Hij kijkt, kijkt nóg eens en roept dan woedend: 'Lééstekens? Moet ik ook nog LEESTEKENS leren? Hoe moet ik nou LEESTEKENS onthouden?' 'Als je een woord goed uitspreekt, dan hoor je toch vanzelf of er wat op moet of niet?' Maar daar is hij het helemaal niet mee eens. Hij spreekt het best goed uit, vindt hij, en hij heeft nog nooit behoefte gevoeld om ergens een leesteken op te zetten. 'Wat is het ook voor een tááL, Frans. Een ROTTAAL, dát is het. Hebben wij soms een taal met leestekens? Nee, dat hebben we niet. En verstaan we elkaar allemaal? Ja, we verstaan elkaar allemaal. Dus het kan ook zonder.' Hij werkt zichzelf op tot ongekende hoogte. Maakt er een prachtig melodrama van.

'Wanneer mag je die repetitie overdoen?' vraag ik. Hij is onmiddellijk gekalmeerd. 'Overmorgen,' zegt hij. En dus zitten we die avond en de volgende avond samen aan het Frans. Ik heb een apart lijstje gemaakt met de woorden met leestekens die hij moet kennen en steeds opnieuw vraag ik dezelfde woorden. 'Ja ja,' roept hij geïrriteerd, 'ik wéét het nou wel. *Voilà* is met een streepje naar links en *répéter* met twee streepjes naar rechts.' Er is geen twijfel mogelijk, hijként het nu. Hij moet wel verschrikkelijk veel pech hebben wil het nu nog misgaan. Twee dagen later krijgt hij de uitslag van z'n repetitie. Tegen halfvier word ik echt een beetje onrustig. 'Kom nou,' zeg ik tegen mezelf. 'Het is gewoon maar een repetitie.' Maar ik weet dat het méér is dan gewoon een repetitie. Als hij nu een goed cijfer haalt weet hij tenminste dat hij het kán. Hij fietst de tuin in. Zwaait jolig met twee handen, zodat hij bijna in de heg belandt. 'Wat denk je?' roept hij bij de deur. 'Een negenenhalf!' Hij stoeit met de hond, hij trekt de kat aan haar staart. Hij beukt veel te hard op m'n rug. Hij gooit met de deur. Hij brult een toppopdeuntje. En ik haal diep en erg opgelucht adem.

Diepgravende gesprekken onder het ontbijt

'Peter, ga je even douchen?'

'Ja, vergeet het maar...!'

'Hang je je jas even op, Peter?'

'Je doet het zelf maar!' Niet eens boos hoeft hij te zijn, om zo'n antwoord te geven. Bijna vriendelijk reageert hij overal even bot op.

'Ik ben je knecht niet.' 'Je zoekt het maar uit.' 'Huh, ik ben me daar gék.' Hij boldert door het huis met grote luidruchtige stappen. Z'n stem galmt. Deuren vallen met een klap achter hem in het slot. Iets groter en iets groener en hij zou de Hulk kunnen zijn. Nu is hij gewoon een puber. Kleine pukkeltjes op z'n neus, waar hij aandachtig naar staat te kijken in de badkamerspiegel. Weerbarstige haren, die hij eindeloos staat te kammen. Waarom heb ik toch altijd gedacht dat alleen meisjes iets om hun uiterlijk geven? Robbert en hij kunnen rellen schoppen als hun haar piekt. Woedend naar hun kamer rennen als hun lievelingstrui in de was zit, terwijl er nu juist zoiets Speciaals is waarvoor ze die ene, en alleen maar die Ene Trui aan moeten hebben. Hun eigen en elkaars lijf bekijken ze met meedogenloze kritiek. Ze lijden onder een bil die er niet uitziet zoals een bil eruit hoort te zien. Een been dat wat langer is, wat dunner, wat dikker, wat korter, wat krommer, wat rechter. Alles wat er aan een lijf zou kunnen mankeren ontdekken ze bij zichzelf en elkaar. Een nieuwe broek of trui en hun dag is goed. 'Gááf,' zuchten ze tevreden. 'Te gék gaaf, zeg mam, die trui.'

Peter is, natuurlijk, het grote voorbeeld voor Robbert. Zonder het aan hem te laten merken, natuurlijk, houdt hij scherp in de gaten wat zijn grote broer doet en zegt. Zonder hem klakkeloos na te doen. Want bij dingen die hem niet bevallen komt z'n eigen, niet te onderschatten, persoonlijkheid naar voren. Aan tafel voeren ze diepgravende gesprekken. Over de Wereld en de Mens. Over politiek en misdaad. Als ik nog boven ben, hoor ik ze met Willem aan het ontbijt opgewonden praten. Hoe lang doe je erover om met een fiets de wereld rond te gaan? Hoe werkt zo'n truc in een film als je iemand ziet zweven? En zou er nog een keer een wereldoorlog komen?

De geur van geroosterd brood drijft met hun opgewekte stemmen naar boven, waar ik in m'n eentje zo'n beetje aan de dag probeer te wennen. En daar zijn ze alweer, twee broers die ijverig naast elkaar hun tanden staan te poetsen en nog een laatste keer een kam door hun haar halen voordat ze naar school gaan. Willem volgt, een beetje geknakt door het vragenuurtje dat hij heeft moeten doorstaan. Sommige dingen wist hij niet en hij belooft dat hij het op zal zoeken, en dat ze vanavond antwoord krijgen. Dat is geen uitvlucht van hem. We weten allebei dat hij vanavond nog geen voet binnen de deur zal hebben gezet, of de antwoorden worden al van hem verwacht.

'Peter, je moet de hond nog uitlaten,' zeg ik. 'Vergeet het maar.' Hij ritst z'n ski-jack tot onder z'n neus dicht en geeft me een vriendelijke zoen.

'Het is trouwens de beurt van Robbert,' zegt hij.

'Vergeet het maar,' zegt Robbert. Zwaaiend fietsen ze de tuin uit. Brett springt kwispelend tegen me op. 'Wie zal me nu uitlaten, vrouwtje?' 'Vergeet het maar,' zeg ik. En trek zuchtend m'n jas aan.

Vreemd jongetje, dit kind van me

Met een plechtig gezicht komt Robbert de keuken binnen. 'Mam, als ik drie wensen mocht doen, weet je wat ik dan zou wensen?' Hij kijkt me vol verwachting aan. 'Ik zou wensen een eeuwig leven zonder verdriet en leed en mét geluk.' Ik kijk hem verbijsterd aan. 'En dan zou ik wensen dat er alleen nog maar aardige mensen op de wereld zouden zijn. Zoals wij dus.' Hij haalt diep adem. 'En dán zou ik wensen dat de honden in de tuin mogen plassen, want dan hoef ik ze niet meer uit te laten.' Ik schiet in de lach en prompt krijgt z'n gezicht iets onzekers. 'Zijn het geen goeie wensen?' 'Ik vind ze heel goed,' zeg ik. 'Ik moet alleen lachen omdat je derde wens zo heel anders is dan de eerste twee.'

'Maar wél handig, mam, als de honden in de tuin mogen plassen,' zegt hij.

Ik kijk peinzend naar hem. Vreemd jongetje, dit kind van me. En hij heeft het altijd gehad: aan de ene kant de sterren van de hemel willen plukken, maar dan in een rijtje onvervulbare wensen toch even iets praktisch noemen. Iets waaraan je zonder probleem kunt voldoen. Alhoewel, honden die in de tuin plassen is iets dat me niet bijzonder aantrekt.

'Ik vind het ontzettend vervelend,' zeg ik. 'Bruine plekken in het gras, vieze luchtjes, wa...' Hij kijkt me stomverbaasd aan. 'Waar heb je het nóú over?' 'Over honden die in de tuin plassen,' zeg ik. 'O...' Hij is alweer mijlenver met z'n gedachten. 'Maar dat van die aardige mensen zou leuk zijn, hè mam? Dan was er nooit meer ruzie. Of oorlog. Of dat je 's avonds op straat loopt en dat je een klap op je hoofd krijgt. Dat was er dan allemaal niet.'

'Maar het eeuwige leven lijkt me lang,' zeg ik. En denk aan stukjes schrijven in het jaar 2000, 3000, 5000 en 10.000. En daarna geef ik het op, omdat de gedachte alleen al me ontzettend vermoeit.

'Als niemand doodging, had niemand verdriet,' zegt Robbert praktisch. 'Maar na honderd jaar zou je niet eens meer je verjaardag kunnen vieren met alle mensen die je kent,' zeg ik. 'Want je huis zou niet alleen vol familie zijn, maar de hele strááat. Rijen mensen, wel een kilometer lang. Allemaal een bosje bloemen in hun hand, om je te feliciteren. Hoe kom je aan al die vazen? En dan kan je wel een maand lang taarten staan bakken, je moet ze toch iets geven? En de afwas daarna!' Aan zijn gezicht zie ik dat hij het helemaal niet meer zo leuk vindt om met mij te fantaseren. Welk mens betrekt nou bloemenvazen en de afwas bij een fantasie? Dan moet je toch wel ontzettend saai zijn. 'Maar ik vind het best een leuke wens van je,' probeer ik het goed te maken. 'En ik zou het enig vinden om jou te zien als een heel oude meneer, met een baard, en honderdtwintig kleinkinderen. Ja, dat zou ik best willen zien.' 'Een oude menéér...' Hij is nu echt verontwaardigd. 'Ik wórd helemaal geen oude meneer. Ik blijf gewoon zoals nu, en jij ook, en pappa en iedereen.' En eindelijk dringt het tot me door wat hij bedoelt. Een eindeloos durend, gezellig, onbezorgd, veilig kinderleven. Met een vader en moeder van wie je weet dat ze nooit dood zullen gaan. Je hele bestaan voorzien van een supergarantie tot in de eeuwigheid. Ach ja, waarom ook niet?

Ik zal er eens een boekje over kopen

Robbert heeft er bálen van, zegt hij. Tot nu toe heeft hij het zwijgend aangezien en aangehoord: Peter die alle aandacht krijgt, omdat het zo moeilijk wennen is op z'n nieuwe school, Peter die elke dag met mij over het huiswerk gebogen zit, Peter die met gymnastiek speciale kleuren moet dragen, terwijl Robbert het T-shirtje pakt dat toevallig vooraan ligt in de kast, Peter met de dikke tas vol boeken, met de passer en de gradenboog, met een maximultimap, een atlas en een rij woordenboeken. En, het ergste van alles, Peter die een bureau naast mijn bureau heeft in de werkkamer.

Robbert heeft het aangezien en aangehoord en nu is het genoeg. Hij protesteert door simpelweg dwars te gaan liggen. Er hard doorheen te praten als Peter wat vertelt. Gaan huilen omdat hij zo'n ver-schrik-ke-lijke pijn in z'n buik heeft. Niet meer alleen naar boven willen, want daar is het zo donker.

Ineens is hij ook begonnen met huiswerk mee naar huis te nemen. 'Schuif eens op, mam,' en hij sleept een stoel mee en zit vlak naast me met z'n tong uit de mond te rekenen. 'Honderdzesendertig en vijfentwintig. Moeilijk hè, mam?' 'Nou!' zegt mam, terwijl over Robberts hoofd heen Peter alweer vraagt hoe 'joe-ni-vur-si-ti' geschreven moet worden. Het blad met thee staat ook al op m'n bureau. Het wordt langzamerhand overvol in deze kamer. 'Gezellig hè?' zegt Robbert. 'Je moet je mond houden,' zegt Peter. 'Ik kan me niet concentreren.' Robbert kijkt me onzeker aan. Hij heeft een Hollands wantrouwen tegen moeilijke woorden. 'Moet ik m'n mond houden, mam?' 'Já,' zegt Peter, voordat ik antwoord kan geven. En dat is dan voor Robbert het sein om een knokpartij te beginnen. Ik pluk ze uit elkaar, zeg tegen ze dat alle boeken en schriften van de grond geraapt moeten worden, en dan is het weer even rustig. Maar aan tafel, als Peter weer een verhaal vertelt van hoe ze geláchen hebben op school, en dat hij voor aardrijkskunde een voldoende had, roept Robbert: 'En nou wil ik eens een tijdje niks meer horen over die rotschool.' Waarna hij een eindeloos verhaal begint, zonder komma's, punten of adempauzes, over Emiel, die zo flauw deed, en Fokko, met wie hij zo leuk kan spelen. Ondertussen houdt hij Peter scherp in de gaten, want die wacht duidelijk op een kans om ertussen te komen.

'Zo, nou wij,' zegt Willem als Robbert door ademnood gedwongen zwijgt. 'Nu gaan mamma en ik eens even praten.' 'Waarover?' wil Peter weten. Het is een moordende vraag. Willem werpt me een hulpeloze blik toe. 'Even stil is óók weleens fijn,' opper ik. En dan is er even alleen maar het geluid van vorken en messen. En van Robbert.

'Robbert, eet met je mond dicht,' zeg ik. 'Zo eet ik altijd,' roept hij verontwaardigd. 'Práten jullie dan, dan hoor je het niet.' 'Goed!' zegt Peter. 'Ik zal je wel even helpen, Robbert.' En alsof er niets is gebeurd gaat hij verder met z'n verhaal over aardrijkskunde. Robbert weifelt. Hij is bezig met de moeilijke keuze tussen smakken, huilen of zelf aan een verhaal beginnen. Het wordt hem allemaal te veel. Van zo'n broer kan je niet winnen. Hij schuift z'n bord van zich af en loopt de kamer uit. 'Ik dééd toch niks,' zegt Peter onschuldig. 'Ik ga een boekje kopen over kinderen opvoeden,' zeg ik wanhopig. 'Ik wil nou weleens weten of dit allemaal gewoon is. En of het nog lang duurt.' Willem neemt nog wat sla. 'Het is gewoon,' zegt hij eenvoudig. 'En het duurt nog héél erg lang.'

Knikkerverdriet

Robbert heeft het over pottenbakkers. Over bommen, pikkebommen en minipikkebommen. Hij praat over een mootjesbom, een Amerikaanse mootjesbom en het állerkostbaarste dat je kan bedenken: de looie det! Voor mij is het geheimtaal en voor hém is het z'n leven. Hij staat ermee op en hij gaat ermee naar bed. Hij leeft niet meer in Nederland, maar in knikkerland. Een paradijs voor wie over een volle knikkerzak beschikt, en een hel voor wie verloren heeft.

En nu, handen in de zakken, een onverschillig gezicht en branderige ogen, moet hij toezien hoe de anderen met alles wat hij verloren heeft verder spelen. De stemming waarin hij van school thuiskomt hangt af van winst of verlies. Van geluk of ongeluk in het spel. Van eerlijk of oneerlijk spelende vriendjes. Soms hoor ik hem aan het begin van de laan al huilen. Dan is het verlies té groot geweest, en de volle knikkerzak waarmee hij die ochtend zo blij naar school vertrok, té leeg. Een andere keer huppelt hij het tuinpad op. Dan is hij er met geleende knikkers in geslaagd wat terug te winnen. 'Kijk eens, mam...!' en hij legt z'n kleurige schat voor me neer. 'Ik legde díé en toen legde Erwin díé en Emiel díé en toen miste Erwin en Emiel miste ook en toen had ik er in één klap twee bij! In één klap! En kijk eens, mama... ik heb een pikkebom ook gewonnen vandaag!' Z'n blije stemming is niet meer stuk te krijgen. Hij zingt en lacht en is uitbundig vrolijk. 'Mam ik ga weer knikkeren, hoor...!' en weg is hij. Terwijl ik vurig hoop dat het geluk zich niet ineens tegen hem zal keren net nu hij zo vrolijk en gelukkig is. Ze spelen anders dan wij vroeger. Wij legden rijen knikkers uit op het schoolplein. Hoe meer knikkers naast elkaar, des te meer stappen moest je achteruit. En dan, met je knieën op de ruwe stenen, mikte je. Miste je de rij, dan was je je knikker kwijt. Maar raakte je het rijtje, dan kreeg je ze allemaal. Gelukkig raakte de gemiddelde knikkeraar 'm meestal niet, dus je kon er aardig aan verdienen. Maar ineens kwam er dan zo'n gevreesde jongen uit de zesde langs, die nonchalant naar jouw rijtje knikkers keek.

Je hart zonk in je schoenen: als hij maar dóórloopt...! Maar dan stopte hij, haalde een knikker uit z'n zak, bukte zich en in één beweging schoot de knikker tussen z'n duim en z'n wijsvinger vandaan. Schoot als een kleurige raket op je rijtje af, dat uit elkaar spatte. In je wanhoop probeerde je dan nog snel om er een paar achterover te drukken. Maar hij wist het precies: 'Négen lagen er!' zei hij dan, boven je uit torenend met alle dreiging die een zesde voor een derde klasser heeft. En je gaf ze alle negen, met tranen in je ogen, en tot het laatste moment hopend op een wonder. Van alle herinneringen uit m'n schooltijd zijn die van het knikkeren het levendigst. Het bitterst en het zoetst. De winst en het verlies. De victorie en de nederlaag. De diepe wanhoop om een lege knikkerzak. Als ik boodschappen doe, zie ik in de winkels knikkers liggen, prachtig en nieuw en zo goedkoop als bijna niets meer is. Hoe makkelijk zou het zijn, hoe graag zou ik voor hem een grote zak knikkers kopen. Maar ik bedwing mezelf. Want een gekrégen knikker is zo heel anders dan een gewónnen knikker. En weten dat je knikkerzak toch wel weer wordt aangevuld maakt het verliezen zo onbetekenend. Neemt de glans en de spanning van het spel af. Dus loop ik langs de fonkelnieuwe knikkers waarmee hij zo blij zou zijn, en zie met oprecht verdriet z'n betraande verliessmoeltje binnenkomen. Nooit heb ik zo duidelijk beseft dat je met géven iets belangrijks van iemand af kan nemen. Maar móéilijk heb ik het er wel mee...!

Wat heeft hij nu aan 'n moeder die niets doet

Om halfelf staat Robbert ineens weer voor me. Een bruin lijfje boven een verschoten blauwe pyjamabroek. Z'n gezicht staat op 'smart' en een stille traan rolt via z'n wang z'n mondhoek in. Hij snuift wat snotterig en vertelt dan van de Vlinder. De Vlinder die hem gewekt heeft met eng geritsel van vleugels tegen opgehangen posters en muren. Ritselderitsel. Misschien heeft hij eerst nog aan erger gedacht, maar met het licht aan zag hij direct dat het een Vlinder was, en een joekel ook nog. En nu kan hij niet meer slapen. Sterker nog, hij durft geen seconde meer in z'n kamer door te brengen. In die ruimte samen met dat ritselende Beest. Hij wiebelt van z'n ene been op het andere, terwijl hij het vertelt. Haalt zijn neus op, veegt regelmatig langs z'n allang weer opgedroogde wangen en kijkt me slaperig, maar slim aan.

Ik vind hem zo aandoenlijk dat ik hem het hele verhaal nog eens laat vertellen. Een Vlinder dus, en hij werd wakker van geritsel. Maar als het verhaal voor de tweede keer beëindigd is, wordt het me duidelijk dat hij actie van me verwacht. Want wat schiet hij tenslotte op met een moeder die alleen maar luistert en verder niets doet.

'Maar wat móét ik dan doen?' protesteer ik. 'Nou, níét doodmaken in elk geval, want het is een heel mooie vlinder,' zegt hij. 'Dus lelijke vlinders mag je wél doodmaken,' voeg ik snel iets opvoedkundigs toe. Maar hij kent dat van me en laat de opmerking zwijgend passeren.

Ik loop de zoldertrap op en hij volgt me op veilige afstand. Klaar om dekking te zoeken. 'Waar zit hij?' wil ik weten, maar hij zegt slim dat zoiets van een rondritselend dier moeilijk te zeggen is. Ik doe een lamp aan en zie onmiddellijk tegen het plafond een kleine, bruinrood, gevlekte vlinder hangen. Type nachtmot, maar toch met iets joligs. Door schade en schande wijs geworden heb ik een leeg waterglas en een briefkaart mee naar boven genomen. Nu is de vraag alleen nog hoe ik het plafond en dus de vlinder bereik. Maar Robbert komt al ijverig met een aluminium trapje aansjouwen. Ik klim omhoog en sluit de vlinder in de begrenzing van het glas. Frummel de kaart tussen glasrand en plafond en bevind me dan in het bezit van één Glas met Vlinder. 'O, wat een mooie,' roept Robbert schijnheilig. Maar als ik gemeen 'hebben?' zeg, struikelt hij bijna over z'n eigen benen van het wegduiken. De vlinder fladdert ondertussen sloom in het glas. In de badkamer gooi ik hem met een weids gebaar de donkere nacht in, maar dat heb ik toch verkeerd gedacht. Met dezelfde vaart vliegt hij weer naar binnen en wordt op de spiegel even twee vlinders. Ik herhaal de truc met glas en briefkaart, waar hij geen enkel bezwaar tegen heeft, en samen dalen we nog een trap af.

De voordeur met het lokkende licht erachter doe ik voor alle zekerheid achter me dicht voordat ik hem bevrijd, en dat heb ik goed gezien, want hij zet er onmiddellijk vastberaden koers naar. Boven aan de trap zit Robbert in spanning te wachten. 'Is hij wég?' vraagt hij. En, nog even wachtend bij de zoldertrap: 'Ik vind ze best mooi, mam. vlinders.'

Hoe zou het voelen als je de Perfecte Moeder bent?

Een goede huisvrouw zijn is een plicht. Niet een die je door anderen wordt opgelegd, maar – erger nog – door jezelf. Niemand die harder oordeelt over de in haast klaargemaakte hap waarin zich te weinig vitaminen bevinden dan dat Superwezen in je, dat zo goed weet hoe het allemaal zou moeten. En dat, als de kinderen blij genieten van frites, appelmoes en een kroket, vals mompelt: 'Appelmoes IS geen groente!'

Het Superwezen heeft heel goed in de gaten dat je een was in de droger propt omdat je weg moet, in plaats van hem aan de lijn te hangen. Wat meer werk, maar ook veel goedkoper. 'Lui...!' sist het Superwezen. 'Geldverspilling.' 'Kost dat dan niks?' sputter ik tegen, maar natuurlijk, ik had kunnen weten dat het een domme vraag is. Want wat kóst ik nou, als ik in gierende haast het wasgoed aan de lijn frummel, en weet dat ik met elke opgehangen sok weer een minuut later zal komen waar ik onderhand al had moeten zíjn?

Ik weet zeker dat mijn Superwezen groen is. Een giftig groen, waar geen mens mee zou willen lopen. Het heeft een tong die als een pas geslepen mes uit zijn mond flitst, en die mij zonder enige moeite zo klein krijgt als ik vroeger was, toen ik de theepot liet vallen en wist dat ik het verschrikkelijkste had gedaan dat bestond. 'Is dát nou opvoeden?' sist het Superwezen, als de kinderen zielstevreden met een rol drop in de hand naar hun geliefde televisieprogramma zitten te kijken, en ternauwernood zwaaien als wij voor een avondje film het pand verlaten. En ja hoor: 'Hadden we eigenlijk niet thuis moeten blijven?' mompel ik als we de straat uit rijden. 'Hoezo thúísblijven?' zegt Willem, die van de invloed van mijn Superwezen nauwelijks op de hoogte is, verbaasd. 'Nou, gewoon,' zeg ik zwak, 'ze zo maar een avond alleen laten. Ik bedoel, snoep en televisie, dat zijn toch slechte dingen voor kinderen.' En bezorgd zit ik naast hem en pas in Amsterdam, als we ook nog een parkeerplaats in de buurt van de bioscoop hebben gevonden en het niet eens regent en er geen rij staat bij het loket, terwijl het toch een spannende film blijkt te zijn, komt het weer goed met me.

'Het zal wel een bénde zijn,' stookt het Superwezen op de terugweg, 'en dat is je eigen schuld. Moeders horen Thuis en Nergens Anders. En nou we het er toch over hebben, wat dénk je eigenlijk wel? Twee kinderen, en werken en studeren, je denkt zeker dat je voor je plezier op de wereld bent.' De volgende avond kook ik goed en verantwoord. Dat betekent dat ik twee keer zo lang over alles doe dan anders, en dat de kinderen het twee keer zo snel op hebben. Dat wil zeggen: ze nemen één portie, zeggen beleefd dat het lekker is, informeren wanneer er weer frites komt en vragen of ze op mogen staan. Staande eet ik peinzend nog wat van de verantwoorde salade, en bedenk dan dat er dringend nog een was gedraaid moet worden, want nu zijn er toch écht geen sokken meer. Dat wordt dus een uur wakker liggen omdat de droger, geërfd en oud, stampend en knarsend zijn werk doet. Het Superwezen sist een valse variatie op een lach. Stel dat ik zo perfect was dat ik mijn eigen Superwezen zou zijn. Hoe dat zou voelen, vraag ik me af. En oefenend loop ik de trap op. Rechtop, onkreukbaar, onfeilbaar, alles lukt. Alles heb ik onder controle. De Perfecte Moeder die geen kind als moeder zou willen hebben. Tenminste, dat hoop ik maar.

Had ik nou maar...

We hebben ruzie, Robbert en ik. Zo'n om bijna niets begonnen en volkomen uit de hand gelopen ruzie. Nou ja, om niks begonnen... z'n laarzen zijn weer eens zoek. Buiten regent het dat het giet en ik zie hem de deur uit sluipen in het laatste paar schoenen dat nog redelijk past. 'Waar zijn je laarzen?' Stomme vraag: als hij dat wist, had hij ze aangetrokken, want het is best een braaf kind als hij tenminste kan vinden wat hij nodig heeft.

'Weg,' zegt hij moedeloos. 'Ga maar zoeken,' zeg ik. Z'n schouders zakken een paar centimeter naar beneden. Dat ik hem ook nét moest treffen bij de voordeur.

Zonder veel hoop sjokt hij het huis in. Ik hoor hem boven op de gang, in kasten, op de zoldertrap. Hij huilt er een beetje bij, met het voorgevoel van een kind dat de bui ziet hangen. 'Kan ze niet vinden,' zegt hij, met minder tranen dan ik vreesde. 'Zoek maar totdat je ze vindt.' Dat ben ik dus. De liefhebbende moeder.

Ik sluit de keukendeur voor z'n verdriet, leun tegen het aanrecht en spreek mezelf streng toe dat ik volkomen gelijk heb. Dat gedonder altijd van dingen die zoek zijn. Zwembroeken, gymspullen, hele jássen verdwijnen er in een Niets, vanwaaruit nooit meer wat terugkomt. Waarom verliezen andere kinderen nooit hun nieuwe ski-jack bij ons, en onze kinderen altijd hun nieuwe kleren ergens anders? En nou die laarzen weer.

Ik schrik op van het slaan met deuren en de woedende stem waarmee hij de trap afkomt. 'Ik Hou Nu Op Met Zoeken. Ik Ga Naar Buiten. Op m'n Schoenen!' zegt hij. 'Nee,' zeg ik, zoals altijd met even de angst dat hij tóch zal gaan. En wat moet ik dan? Maar dat enge moment is goddank nog niet aangebroken. Hartverscheurend snikkend verdwijnt hij naar boven. Halverwege de trap draait hij zich om. 'Ik ben nu zo verschrikkelijk kwaad op je! Ik word nooit meer goed op je. NOOIT MEER!'

Ik probeer me te voelen als iemand die het allemaal niks kan schelen, maar dat lukt niet erg.

Wat verslagen zit ik even later achter m'n schrijfmachine. Tegenover me staat zijn stoel, liggen z'n kleurpotloden en z'n velletjes tekenpapier. Als een hondje komt hij me altijd achterna, waar ik ook ben. Tekenen dicht bij mij. Knutselen dicht bij mij. Of het nou in de keuken is, in de kamer of hierboven. En ik weet niets anders te doen dan z'n middag te verknoeien om een paar stomme laarzen.

En dan komt hij binnen, zo stilletjes en geruisloos, dat ik het pas merk als hij op dat stoeltje gaat zitten. Hij trekt een velletje papier naar zich toe en begint te tekenen. Naar mij kijkt hij niet. Ik wel naar hem. Z'n oogleden zijn dik van het huilen, z'n gezicht is wit weggetrokken, met blauwe kringen onder z'n ogen. Hij tekent zwijgend door. Houdt dan het papier omhoog. 'Mooi, hè mam?' Ik knik. Het verdriet is nog steeds niet van z'n gezicht verdwenen. Ik krijg er een dik gevoel van in m'n keel. Had ik nou maar niet...! Maar hij tekent alweer verder. Zegt dan, zonder op te kijken: 'Misschien vind ik ze straks nog wel.'

'Hij breit. Robbert breit!'

'Breien...!' roept Peter met oprechte walging. En wijst naar het wat scheef uitgevallen, in dikke wol opgezette, knalrode breiwerk dat op tafel ligt.

'Mam, jij bréít toch niet...?'

'Nee,' zeg ik naar waarheid. Toen hij nog veilig en wel in mijn buik zat, ben ik in teder enthousiasme aan een babytruitje begonnen. Verder dan het halve voorpand ben ik nooit gekomen. Bij de laatste verhuizing vond ik het, smoezelig en half uitgehaald, terug.

'Ik kan ándere dingen,' sprak ik mezelf dan moed in, in de hoop dat niemand ooit zou vragen wát dan wel, want op huishoudelijk gebied is dat ook al niet veel.

'Maar wie breit hier dán?' roept Peter verbijsterd. 'Ik brei hier,' zegt Robbert, die net de kamer binnen is gekomen. Hij pakt het breiwerk op, gaat kalm op de bank zitten en drukt de stevige plastic breipennen met een geroutineerd gebaar onder z'n oksels. Peter staat er met open mond naar te kijken.

'Brei jij? BREI JIJ? EEN JONGEN DIE BREIT? Mam, zie je dat? EEN JONGEN DIE BREIT...!' Mam heeft het allang gezien, en mam is stomverbaasd. Niet omdat hier, op haar eigen bank in haar eigen woonkamer, een jongen zit te breien. Maar omdat die grote slungel, die er nu zoveel over te zeggen heeft, jarenlang thuiskwam met knutsel- en punnikwerkjes. Kleine lapjes op grotere lapjes naaien, met grote onbeholpen gauw-thuis-steken, dát was z'n grootste plezier. En moet je hem nu eens in edele verontwaardiging bezig horen over jongens die breien. Ik vertel hem uitgebreid wat ik vind van jongens die wat te zeggen hebben over jongens die breien. Over het ouderwetse, belachelijke, zielige van jongens die het gék vinden dat andere jongens breien. Of ballet doen. Of iets anders dat jongens volgens die jongens beslist niet mogen.

Ondertussen breit Robbert onverstoorbaar door. Hij heeft nu z'n benen languit op de bank gelegd, en de pennen doen een genoeglijk 'tik tik' tegen elkaar. Af en toe laat hij een steek vallen. Dan houdt hij het werk in de lucht, bekijkt het met een frons tussen z'n wenkbrauwen en doet dan een duik met één van de pennen. Of hij echt de gevallen steek ophaalt of zo maar een terloopse sliert, is me niet duidelijk. Maar op mij maakt het een overweldigende indruk van zelfvertrouwen en zielenrust.

Peter laat het er niet bij zitten. 'Jongens voetballen,' zegt hij. Maar het klinkt al wat zwakker. 'Ik ook,' zegt Robbert, zonder van z'n breiwerk op te kijken. 'En soms brei ik.'

Het klinkt tamelijk definitief en Peter weet geen ander antwoord dan een luid gesnuif. Robbert voelt haarfijn aan dat de vijand verzwakt is en op het punt staat de terugtocht te aanvaarden. En razendsnel heft hij de degen voor de genadestoot. 'Kijk Peter,' zegt hij bijna vaderlijk, 'jij bent verschrikkelijk dom, want jij moet alles in een winkel kopen. Alles. Maar ik...' en hij heft in stille triomf het kromgetrokken breiwerkje omhoog, 'ik maak tenminste alles zelf.' Waarna hij zwijgend en genietend van z'n overwinning nog wel drie hele minuten door breit, voordat hij ook gaat voetballen.

'Het is niet erg hoor, mam'

Niets ontroert me zo als Robbert die met z'n huiswerk bezig is. Linkerarm keurig recht op de tafel, zoals wij vroeger op schoolfoto's zaten. Schrift een beetje scheef. Balpen in de rechterhand, en z'n hoofd over de sommetjes gebogen. Tussen z'n nu al verfrommelde kraagje en z'n warrige haren zie ik een aandoenlijk groezelig jongensnekje. Ik kan er uren naar kijken, zo lief en weerloos is het. 'Mam, je komt me toch wel helpen?' en mam zit er al, want dit zijn de gezelligste uurtjes. 'Niet voorzeggen,' waarschuwt hij ernstig. 'Ik doe het eerst zélf, en als het niet lukt, doe jij het.' Ik knik braaf. Hij zucht. Z'n pen aarzelt over het ruitjespapier. 'Breuken zijn moeilijk, hè?' zegt hij dan. 'Een vierde plus twee achtsten. Dat is moeilijk, hoor.' Ik wacht. Hij trekt streepjes op het velletje kladpapier. 'Weet je wat, ik schrijf eerst alle sommen netjes over en dán ga ik ze maken.' Hij buigt zich nog dieper over het schrift en als ik goed kijk, zie ik dat hij op z'n onderlip bijt van inspanning. Maar hij schrijft keurig, dat moet ik toegeven. Langzaam, maar heel netjes. Soms, als hij zich vergist heeft, zet hij zuchtend haakjes om de vergissing. De zucht betekent: jammer, nou is het mooie van deze bladzijde af.

Ik kon dat vroeger niet verdragen. Fout in het schrift? Woedend scheurde ik de bladzijde eruit. En dan begon het zoeken naar de andere bladzijde, die ergens los in de tweede helft van het schrift zat. Al kostte het me uren, een bladzijde moest en zou er perfect uitzien. Bij Robbert werkt dat gelukkig anders. Hij mág van zichzelf fouten maken, ook al is hij er niet verrukt van. En dan komt het moment dat alle sommen zijn overgeschreven en het probleem van de vierde en de twee achtsten, die samen iets moois gaan opbouwen, zich weer voordoet. 'Hoe zal ik dát nou eens doen?' zegt hij peinzend. Alsof hij kan kiezen uit een assortiment van oplossingen. 'Je kan van die vierde achtsten maken, of van die achtsten vierden,' zeg ik. 'Het is allebei even simpel. ' Hij bekijkt me met een koele blik. 'Hans vertelt iets heel anders,' zegt hij. 'Als Hans het vertelt, snap ik het gelijk.' 'Het gáát erom,' zeg ik, 'dat je twee ongelijke dingen niet kunt optellen. Je moet ze eerst gelijkmaken. Bij breuken is dat tenminste zo.' Ik zie in zijn ogen het respect voor me dalen. 'Je kunt een appel en een peer toch ook niet optellen?' zeg ik in een wanhopige poging om z'n ontzag terug te winnen. En bedenk me te laat dat het een ongelukkig voorbeeld is, omdat je van een appel geen peer, en van een peer geen appel kunt maken, alleen om het optellen te vereenvoudigen. We zijn nu in een stadium gekomen dat we allebei de som niet meer begrijpen. Breuken. De benauwdheid van zijn niet-begrijpen begint langzaam op me over te slaan. 'Het is echt niet moeilijk,' zeg ik en ik pak het kladpapier. 'Kijk, een vierde en twee achtsten, dat is hetzelfde als twee achtsten plus twee achtsten, en hetzelfde als een vierde plus een vierde.' Hij doet z'n schrift dicht. 'Ik vraag het morgen wel aan Hans.' Bij de deur draait hij zich nog even om. 'Het is niet erg hoor, mam,' zegt hij dan goedig.

Maar ik wil niet dat hij groot wordt!

Robbert ligt op de grond in de slaapkamer. Een paar auto's en al z'n poppetjes om zich heen. Zondagmorgen. Voor de wastafel staat Willem zich te scheren. Peter zit wat wazig op de rand van het bed voor zich uit te kijken en ik weet nog steeds niet zeker of ik zal opstaan of me gewoon nog een keer zal omdraaien. 'Kijk eens,' zegt Robbert. Hij heeft de achterbak van de vrachtwagen volgeladen met gras. 'Kijk, dit is een list. Want de soldaten denken: o, dat is gewoon een boer met hooi. Maar moet je zien wat eronder zit.' Hij tilt de pluk gras op en ik zie zwaargewapende manspersonen door elkaar heen op de bodem van de wagen liggen. 'Zo komen ze dus het vijandelijke kamp binnen,' zegt Robbert, 'en als het donker wordt, komen ze uit de auto en dan vallen ze aan.' 'En winnen ze dan?' 'Natuurlijk winnen ze,' zegt hij, terecht verontwaardigd. Want wie zoals hij de wereld in z'n hand houdt, kan ook listen laten slagen. Hij gaat weer liggen, op één elleboog, zachtjes mompelend. En ik zie opeens wat een lief kindersmoeltje hij nog heeft. Een beetje rond bij de wangen, een hoog voorhoofd. Lief, lief. Nog een jaar, minder dan een jaar, en hij zal met een zware tas vol boeken en schriften door een groot schoolgebouw sjouwen. En wat zal er dan gebeuren met al die sprookjes en die listen die hij bij zich heeft?

Ik voel ineens een weerstand in me. Ik wil helemaal niet dat hij van de ene op de andere dag uit dit wereldje gerukt wordt. Maar ik weet ook dat ik er niets tegen kan doen.

Willem komt binnen. 'Wat zie jij er somber uit,' zegt hij. 'Hoe moet dat nou, volgend jaar?' zeg ik. Hij kijkt naar Robbert. 'Die speelt gewoon door,' zegt hij. 'Ik zat al in de tweede klas van de middelbare school en ik speelde nóg met autootjes en indianen.' 'En had je nog beren in bed?' 'Nee,' zegt hij, 'maar die had ik nooit, dus dat telt niet.' En dan wijst hij naar Peter. Peter, die nu vol aandacht naar z'n broer kijkt. Een beetje verlangend. Een vage glimlach om z'n lippen. 'Wat denk je nou?' vraag ik aan hem. 'Dat je nog zó spélen kan,' zegt hij, 'daar moet je elf voor zijn.'

Het klinkt een beetje droef en een beetje oud en helemaal niet als de grote jongen die aan tafel opschept over repetities en uit de klas gestuurd worden en keten met de andere jongens. En ondertussen speelt Robbert door. De list begint te werken. 's Nachts zijn de mannen uit de wagen gekomen, en ze hebben alle wielen van de vijandelijke jeeps vernield, zodat ze straks niet achtervolgd kunnen worden.

Op de rand van het bed zitten Willem, Peter en ik zwijgend te kijken. Robbert kijkt op. 'Vinden jullie dat zo leuk, dat ik speel?' zegt hij met het behaaglijke van een kind dat zich lekker voelt omdat het aandacht krijgt. En dan houdt Peter het niet langer vol. Hij laat zich van het bed glijden, op z'n knieën op de grond. 'Geef mij ook eens zo'n auto, Robbert,' zegt hij. 'Ik was de vijand, en ik wist best dat er wat aan de hand was. Het was nacht en ik liep wacht, en toen kwamen jullie...' En als Willem en ik allang beneden zijn, horen we boven nog het gemurmel van hun stemmen en de geluiden van een Vreselijk Gevaarlijk Gevecht.

En even denk ik terug aan toen

'Bevrijdingsdag, dat was zeker hartstikke leuk, hè mam?' zegt Robbert. 'Ik bedoel de échte Bevrijdingsdag, toen jullie de vlag weer uit mochten steken.' Hij is, net zoals Peter, dol op verhalen van toen. Maar wat ik ook vertel, en hoe ik het ook zeg, ik merk dat het overkomt als een spannend verhaal uit een griezelige, maar ook best spannende tijd. 'Leuk...' zeg ik aarzelend, en denk terug aan toen. Gek, in m'n herinnering is er helemaal niet één speciale Bevrijdingsdag. Er gebeurden allerlei dingen op allerlei dagen, en het had allemaal met de bevrijding te maken. Bovendien was ik nog tamelijk jong, ruim zes jaar, en van sommige dingen begreep ik maar bitter weinig. Dat 'die meid van verderop' kaalgeschoren zou worden wist ik al maanden voordat het werkelijk gebeurde. En toen het zover was, huilde ik, en ik was net zo bang als wanneer ik zag hoe Duitsers onze straat afsloten en de mannen uit hun huizen haalden. Dat kaalscheren was Bevrijdingsdag, maar Bevrijdingsdag waren ook de rijen tanks die langzaam door de straten reden, en die nog het meest leken op gigantische mierenhopen, zwart als ze waren van uitzinnig zwaaiende en juichende mensen die erop geklommen waren.

Bevrijdingsdag, dat was een hemel zilver van vliegtuigen, die als een gordijn laag overvlogen, terwijl op alle daken en balkons mensen stonden te huilen en te lachen en met lakens stonden te zwaaien. Het was die allereerste snee wit brood met reuzel en suiker. Nooit geproefd. Nooit geweten dat er zoiets onbeschrijfelijk heerlijks bestond. Na honger en borden suikerbietenpulp at ik eerbiedig van het brood, en kon daarna m'n verdere leven geen boterham meer weggooien.

Bevrijding was vuurwerk en lampions. Muziek op straat en dansende mensen tot diep in de nacht. Het was mogen opblijven en méévieren. Het was ook een straathoek met een krans van verse bloemen, bij een simpel kruis met zeven namen erop. Scholieren, neergeschoten als wraak op een verboden actie van opstandige burgers. Het was oma, die huilde omdat opa in Putten was doodgegaan, en nooit meer terug zou komen, bevrijding of niet. Het was tante Mien, die huilde omdat oom Frans ergens in een kamp in een ver koud land was gestorven. Bevrijding was ook zwaaien naar de open auto met die man erin die een sigaar in z'n mond had en met z'n vingers het v-teken maakte. Dat het Churchill was begreep ik pas veel later.

Bevrijding was de familie uit Indië die terugkwam. Nooit eerder geziene neefjes en nichtjes, griezelig bruin van wat nonchalant 'tropenzon' genoemd werd. Bevrijding was, net als de oorlog, dingen zien die ik niet begreep, of pas later. Maar die ik wel zág, die voor altijd en altijd in m'n geheugen gegrift werden, en die ik op elk willekeurig moment weer terug kon halen. Zó helder en scherp dat het gisteren gebeurd kon zijn, in plaats van zo onbegrijpelijk veel jaren geleden.

'Kreeg je veel snoep met de bevrijding?' vraagt Robbert, met bij voorbaat al iets van jaloezie in z'n stem. 'Limonade,' zeg ik, en ik zie de snoeren gekleurde lichtjes boven een terrasje met witte tafeltjes en stoeltjes. De limonade was vreemd en walgelijk zoet, maar ik durfde hem niet te laten staan, en terwijl ik dronk kwam er een wrang en uitgedroogd gevoel in m'n mond. Bevrijding. Van het woord krijg ik al een dik gevoel in m'n keel, hetzelfde gevoel dat ik krijg als ik een vlag zie wapperen. 'Ja hoor,' zeg ik tegen Robbert, 'het was hartstikke leuk.'

Het grote knikkerverdriet

Hij komt in tranen thuis. In het algemeen is hij tamelijk flink, maar wat hem nu is overkomen gaat kennelijk die flinkheid te boven. Hij gaat aan de keukentafel zitten en legt zijn gezwollen, vlekkerige gezicht op z'n armen. Ergens in z'n kleren hoor ik een zacht, glazen gerammel. Het verdriet heeft dus te maken met de grote passie in z'n leven, knikkers. Zonder op te kijken grabbelt hij in z'n broekzak. Uit z'n gebalde vuist komen twee grote, gekleurde, doorzichtige knikkers tevoorschijn. Hij laat ze los op het tafelblad en ze rollen langs z'n hoofd, waarvan zelfs de haren droef, klam en piekerig zijn. Hij heeft geknikkerd, klinkt z'n stem gesmoord, en hij heeft eerst alles verloren. Toen heeft hij twaalf knikkers geleend en die alle twaalf, in een vlaag van onbegrensd zelfvertrouwen, ingezet. De andere kinderen hadden hetzelfde gedaan, dus de hoeveelheid winst die in één klap mogelijk was, ging bijna het voorstellingsvermogen te boven. Hij was het laatst aan de beurt. Stond ver van het knikkerpotje, waar de andere kinderen bij elkaar stonden om te controleren of wat 'in' was ook wel echt, eerlijk, menens, 'in' was. Hij had gewaagd, vanaf die grote afstand. En omdat ik vaak gefascineerd heb toegekeken als hij knikkerde, weet ik hoe hij gestaan moet hebben. Een klein, pezig jongetje. Doodstil in z'n concentratie, alle spieren gespannen, en dan het snelle vooroverbuigen waarbij de knikker uit z'n hand schiet en als een glanzende raket op z'n doel af suist. Hij had geweten, zegt hij – en ik weet dat het waar is –, gewéten, nog voor de knikker de grond raakte, dat hij 'in' zou zijn. Had vol zelfvertrouwen de baan van de knikker gevolgd. Had gezien hoe hij het potje inschoot. En toen had zijn geroutineerde knikkermansoor iets opgemerkt. Of liever gezegd, iets gemist: het geluid van een stuiter die de pot in rolt en zacht klikkend in aanraking komt met de andere knikkers. 'Ik hoorde niks, mam, niks,' zegt hij, en z'n tranen vormen strepen op z'n groezelige gezicht. Zonder het te begrijpen was hij naar de knikkerpot gelopen. Zonder iets te vermoeden ook. Maar toen hij in het potje keek, was alles ineens duidelijk geworden. Middenin, half verscholen in de rulle aarde, had alleen zijn knikker gelegen. Hij had het nog steeds niet begrepen, was gaan zoeken, met het fanatisme en de wanhoop van iemand die weet dat nu alles op het spel staat.

De kinderen hadden een beetje staan giechelen, terwijl hij op z'n knieën graaide, onder struiken en achter hoge pollen gras. Toen waren ze naar huis gegaan, want het was etenstijd, en hij was alleen gebleven, in het halfdonker. Nog steeds hopend dat hij in het licht van de straatlantaarns vier maal twaalf knikkers zou vinden. En eindelijk had hij het opgegeven. Was, op straat nog, in huilen uitgebarsten, omdat het enige dat hij nu nog bezat die ene knikker was, plus een andere die hij nog in z'n jaszak vond. 'En mam,' zegt hij, 'die twaalf knikkers die ik geleend heb, moet ik evengoed teruggeven.' Hij kijkt me aan en ik weet ineens dat het zelfs voor hém al geldt: volwassen worden doet pijn.

Gesprekken over de rol van de vrouw

Nog een jaar zal Robbert op de lagere school zitten, en ik vind het heerlijk. Ik weet wel dat hij vergeleken bij de kinderen van de eerste klas een boom van een jongen is. Een soort Hulk. Nou ja, bijna een man dus. Maar voor mij is hij nog een heel klein jongetje, met een beetje molligheid om de knietjes, en ronde wangetjes. Aan Peter zie ik hoe dat allemaal verandert in twee jaar tijd.

Hoekige, uitgegroeide armen en benen, dons op de bovenlip, een stem die ineens klinkt alsof hij uit de kelder komt. Het is ontroerend en eigenlijk ook fascinerend. Ik kijk hem aan en probeer in z'n gezicht iets te vinden van het kind dat zo lang om me heen was. Dat vind ik terug op momenten van enorm plezier, of diep verdriet. Maar als hij de tuin in fietst, het huis binnenstapt met grote wat trage passen, op een speciale manier wiegend vanuit de heup, zie ik iemand die op weg is groot te worden.

'Zo moedertje,' en ik duik maar vast in elkaar om het gewicht van die dreun op m'n schouder wat op te vangen. 'En, wat schaft de pot, vrouwtje? Goed je best gedaan in de keuken vandaag?' En grijnzend schenkt hij een glas melk in. Hij is zo trots op z'n man-zijn dat hij vervuld is met een diep medelijden, en een beetje minachting ook, voor wie dat gevoel niet kan delen. En bij ons thuis ben ik de enige niet-man en daarom dus zielig. 'Vrouwtje, vrouwtje, laat mij dat eens voor je dragen,' zegt hij en hij laat onmiddellijk dat wat hij van me overnam uit z'n grote, maar tamelijk onhandige handen vallen. Ik kan hem in geen gro-

Robbert schrijft over duikboten

'Een duikboot,' zegt Robbert, 'dat is een fijn ding, joh. Je kan er heel diep mee onder water!' Hij kijkt me vol verwachting aan. Het is tussen de middag en we zitten tegenover elkaar aan de keukentafel boterhammetjes te eten.

'Vreselijk,' zeg ik uit de grond van m'n hart, want ik vind onder water ongeveer het ergste wat er is. Zelfs de Maastunnel kom ik niet zonder kippenvel en klamme handen door. 'Ach welnee,' zegt Robbert, 'wat kan er nou gebeuren?' 'Volgens mij word je nat,' zeg ik, 'dat kán niet anders. Een hele boot onder water, daar moet je wel nat in worden.' Hij kijkt me weifelend aan. Maakt dat mens nou weer stomme grapjes of weet ze écht niet beter? Hij besluit me een kans te geven. 'Je wordt helemaal niet nat in een onderzeeboot,' zegt hij. 'En als iemand dan het wc-raampje open laat staan, hè, als iemand nou eens vergeet om dat dicht te doen als ze onder water gaan?' Hij krijgt iets wanhopigs over zich. 'Ze hebben geen wc-raampjes, mam,' zegt hij. 'Frisse boel,' mompel ik, 'met al die matrozen.' Hij heeft er genoeg van. 'Ik praat er niet verder over,' deelt hij mee. En eet narrig z'n boterham op. Maar het duikbootwezen zit hem duidelijk hoog, want even later begint hij er weer over. 'Ze hebben een keer een duikboot uitgevonden, en die noemden ze "de schildpad",' zegt hij. 'Daar kon maar één man in, en die moest dan stiekem onder water naar een vijandelijk schip varen, en dan kon hij daar een gat in boren, zodat dat vijandelijke schip zonk. Goed hè?' 'Hoe weet je dat?' vraag ik argwanend, want ik ken z'n fantasie. 'Uit een boek op school,' zegt hij. 'Ik ga een werkstuk maken. Over duikboten.' En dat doet hij ook inderdaad. Dagenlang krijg ik op: 'Wat heb je vandaag gedaan?' als antwoord: 'O, aan de duikboten gewerkt.' En dan is het af. Trots zit hij aan tafel tegenover me met een schrift in de hand. 'Ik zal je alles voorlezen,' deelt hij mee, 'en als er plaatjes zijn, dan laat ik je die even zien.'

'De eeuwen door hebben de zeelui de vissen benijd,' begint hij op plechtige toon, 'omdat deze ook bij zeer slecht weer, als de mens de veilige wal niet kon verlaten, in zee konden blijven.'

'Robbert,' zeg ik, 'heb jij dat zélf geschreven?' 'Natuurlijk,' zegt hij verontwaardigd, 'kijk maar...!' En hij houdt me triomfantelijk het schrift met de keurige potloodletters voor. 'Ik bedoel,' zeg ik, 'of je dat zelf hebt bedacht. Die zin. Heb je die zin zélf bedacht?' 'Wat doet dat er nou toe?' zegt hij onverschillig. 'Het gaat gewoon over duikboten. M'n hele werkstuk gaat over duikboten.' 'Maar ook bij gunstige weersomstandigheden bezaten de vissen een voordeel dat meer in het bijzonder de afgunst van strategen en legerleiders opwekte: het voordeel van de onzichtbaarheid in het water,' draagt hij verder voor, niet in het minst gehinderd door mijn gezichtsuitdrukking. 'Nou ja, mam,' zegt hij, 'af en toe heb ik weleens wat overgenomen uit een boek, maar er staat ook veel van mezelf in.' 'Wat dan?' wil ik graag weten. 'O,' zegt hij vaag, 'hier en daar. Ik heb er ook tekeningen in. Wil je ze zien?' En hij duwt zowaar de schildpadduikboot onder m'n neus. Tjonge, die man zit er benauwd bij. Een duikboot vól man. En inderdaad, twee vervaarlijk uitziende boren steken uit de wand van de duikboot naar buiten. Ik dacht dat alleen kinderen zoiets mals konden bedenken, maar dit is niet alleen bedacht, maar ook nog uitgevoerd en in gebruik genomen

door Grote Mensen. Om vijandelijke schepen tot z
te brengen. Ondertussen leest hij door. Bladzijde na
zijde. En enigszins getroost denk ik: het is in elk gev
heel werk geweest om zóveel over te schrijven...!

tere verwarring brengen dan door z'n spel mee te spelen. 'Ik heb zo heerlijk de ramen gelapt vandaag,' zeg ik. 'Zie je niet hoe ze glimmen? Ik had ook een heel fijne nieuwe spons gekocht. En een nieuwe zeem. Dúúr, maar echt het geld waard.' Hij kijkt me onzeker aan. 'Moest je dan niet schrijven?' 'Schrijven?' roep ik verontwaardigd. 'Wát schrijven. Terwijl de ramen gelapt moeten worden, zeker. Ik heb trouwens ook je trui gewassen. Een nieuw wasmiddel. Wil je eens kijken of ie nou mooier is dan anders?' Hij mompelt wat en verdwijnt naar binnen.

Aan tafel worden er lange en verwoede gesprekken gevoerd. Vooral over de rol van de vrouw raakt hij niet uitgesproken. 'De vrouw hoort thuis,' zegt hij beslist, 'maar als ze werken wil is dat ook leuk.' 'Thuis zijn is ook werken,' zeg ik. 'Uh, inderdaad. Ze hoort dus thuis te werken, maar ze mag ook best niet thuis werken. De vrouw, uh, uh... Zeg mam, Robbert eet alle vla op.' Z'n onzekerheden stapelt hij op, om ze meestal op een waanzinnig ongelegen moment bij me op tafel te deponeren. 'Zeg mam, wat vind jij nou eigenlijk van abortus?' als ik bezig ben een preitaart te maken voor de vier gasten die binnen een halfuur voor m'n neus zullen staan. 'Uh, dat jullie geen kinderen meer krijgen, uh, hoe dóén jullie dat eigenlijk?' als ik met een rood hoofd probeer een stukje te schrijven dat nog met de post van zes uur mee moet. 'Zeg mam, wat jij verdient, hou je dat alleen? Dat is niet eerlijk, hoor mam, want pappa houdt het ook niet alleen. Of doet hij dat wel, mam? Hoe doen jullie dat eigenlijk met het geld?' als ik net heb gezegd dat hij nu naar bed moet, omdat het inmiddels al tien uur is.

Hij is niet te stuiten, nieuwsgierig. Alles wil hij weten over de grotemensenwereld waarin hij straks ook thuis zal horen. 'Hoe moet dat?' 'Hoe gaat dat?' 'Hoe doe je dat?' 'Hoe vind je dat?' 'Waarom is dat?' Het is bijna een opluchting als ik door het raam zie hoe hij in de achtertuin met z'n hak een kuiltje in de grond maakt en dan ijverig en met toewijding samen met Robbert een potje knikkert.

Moeders die autorijden, dat kan niet

Ze zijn ervan overtuigd dat ik niet kan autorijden, Robbert en Peter. Koken? Prima, hebben ze niks op aan te merken. En 'het huis doen', zoals ze dat noemen, kan ook wel genade vinden in hun ogen. Maar autorijden, nee! 'Vrouwen horen niet achter het stuur,' zegt Robbert. En hij antwoordt schaamteloos 'daarom' op mijn 'waarom'.

Peter is al niet veel duidelijker. 'Nou, gewoon, vrouwen horen in huis, dáár horen vrouwen,' zegt hij. Een auto voor een vrouw vindt hij weggegooid geld. 'Zonde,' roept hij.

Het is een van de weinige dingen waarover ze het roerend eens zijn. Behalve als ze weggebracht moeten worden. Naar het sportveld, naar een feestje ('graag om twaalf uur halen, dág mam!') en als ze me zo gek zouden krijgen, ook nog naar school als het regent. Maar ik ben niet gek. 'Ga maar fietsen,' zeg ik. 'Ik kan toch niet autorijden? Het is toch zonde? Als ik jou was, zou ik niet eens in mijn auto willen.' Ze lachen slim en zeggen niets waarvan ik zo nijdig zou kunnen worden dat ze ook écht op de fiets moeten. School is een uitzondering. Dat is zo dichtbij, dat ze er met de fiets eerder zijn dan dat ik de auto heb gestart.

Als ik een hele dag weg moet, 'op interview' zoals ze dat noemen, zijn ze verschrikkelijk ongerust. 'Van die driehoeken op de weg, die witte, dan moet je uitkijken, mam, dan komt er een voorrangsweg,' zegt Robbert bezorgd. 'Ja, en een rood stoplicht betekent stoppen,' zeg ik. Want soms kan ik het niet waarderen om door de kinderen als een klein kind behandeld te worden. En Willem zegt ook al: 'Kijk een beetje uit.' Het lijkt wel of ik in m'n eentje op een vlot de Atlantische Oceaan ga oversteken, in plaats van drie kwartier in de auto naar Purmerend moet rijden. 'Pur-mer-end...' zucht Robbert en meteen klinkt het als het einde van de wereld. En dat op een gewone zomerse dag. Geen gladde wegen, geen zware regenval, geen mist. Gewoon een droge weg onder een zonnige hemel. Maar toch wat onbehaaglijk geworden door alle bezorgdheid thuis besluit ik me keurig aan de honderd kilometer te houden. Iets wat een ijzeren zelfdiscipline vraagt en vrijwel onmiddellijk beloond wordt doordat ik nog geen twintig kilometer verder langs een snelheidscontrole kom.

In Amerika rijdt niemand harder dan tachtig kilometer per uur, heb ik gehoord. Hoe houden ze het uit. Ik heb het gevoel dat m'n auto schommelt en schudt en wiebelt van weerzin tegen de opgelegde zelfbeheersing. Maar ik kóm in Purmerend, en verder ook. Nog verder Noord-Holland in, met die eindeloze weilanden, kerktorentjes in de verte, slootjes, boerderijen en heel veel mooie bomen. Een streek om je auto neer te zetten en lekker in het gras te gaan zitten kijken. Niks Purmerend, niks interview, vandaag ben ik toerist in Noord-Holland. Mág het even? Maar het mag helemaal niet. Er zit iemand te wachten met koffie en een koffieservies dat ik nog niet eerder heb gezien. Bijna tien jaar interviewen en nog nooit twee keer hetzelfde koffieservies gezien, hoe is het mogelijk? Hoeveel soorten bestaan er eigenlijk?

En dan is het avond en ben ik terug. De kinderen gaan net naar bed, ze ruiken naar zeep en shampoo en zeggen: 'Gelukkig dat je weer thuis bent, mam.' En Willem zegt: 'De honden zijn al uitgeweest. Zal ik maar afsluiten?'

‘Discodansen bij kerstboomlampjes, leuk’

‘Weet je nu zeker wat je met je verjaardag wilt gaan doen?’ ‘Ja,’ zegt Robbert, ‘een feestje.’ Ik zucht. Gisteren nog zei hij: ‘Naar een dierentuin.’ Een week ervoor was het de speeltuin. Een dag dáárvoor wilde hij met tien kinderen naar de bioscoop. Vandaag is het dus een feest. ‘Weet je het echt zeker?’ ‘Nee,’ zegt hij ontspannen, en stopt nog een boterham in het rooster.

‘Moet je doen, Robbert, een feest. Dan zal ik diskjockey zijn. Hang ik al m’n discolampen voor je op. Hoef je niks voor te betalen,’ biedt Peter royaal aan. ‘Jij Komt Niet Op Mijn Feest,’ zegt Robbert koel en nadrukkelijk.

‘Huh, je bent zeker bang dat ik die kinderachtige meiden van je afpik. Nou, die hoef ik helemaal niet. Die kinderachtige meiden,’ zegt Peter beledigd.

‘Met veel cola,’ zegt Robbert. ‘Ik kom achter de bar staan. Goed Robbert? Ik sta achter de bar. En dan maak ik bandjes met van die gave muziek. En dan hang ik m’n discolampen op,’ zegt Peter, die wel vaak, maar nooit lang uit het veld geslagen is.

‘Niet van die gezinsflessen, maar blikjes en rietjes,’ zegt Robbert. ‘En chips.’

‘Die doe ik dan in bakjes,’ zegt Peter, ‘als er toch niet geschonken hoeft te worden omdat het blikjes zijn, dan heb ik mooi tijd om de bakjes bij te vullen. En de bandjes terug te spoelen. En de lampen te veranderen van kleur.’ ‘Ook ándere drank natuurlijk,’ zegt Robbert. ‘En kleine worstjes, zoals jij ze altijd maakt met op school trakteren. Aan pennetjes op een kool met zilverpapier eromheen.'

'En als ze leeg zijn, haal ik ze weg,' zegt Peter, 'anders gaan ze ermee gooien. Daar moet je altijd iemand voor hebben op een feest, Robbert, iemand die ervoor zorgt dat er niet gegooid wordt met eten. En iemand die de platen opzet, en voor de lampen zorgt.' 'En mogen ze dan om zeven uur komen, mam? Dat ze dan patat met een kroket krijgen voordat het feest begint?'

'Dat kan ik dan samen met mamma halen,' zegt Peter, 'en het op de bordjes doen. En de borden weghalen als ze leeg zijn, want anders gaan ze ermee gooien,' zegt Peter.

Robbert zucht. 'Mam, kan je hem nou niet laten ophouden?' Peter staat boos op. 'Je denkt toch zeker niet écht dat ik op dat stomme feest van jou wil komen?' Hij slingert z'n tas over z'n schouder en sjokt de trap op. 'Ik vraag of pappa de kerstboomlichtjes ophangt,' zegt Robbert dromerig. 'Dat geeft van dat leuke licht.' 'Poeh, kerstboomlichtjes,' zegt Peter, die geruisloos weer naar beneden is gekomen. 'Wie wil er nou een feest met kerstboomlichtjes. Mijn discolampen zijn veel gaver. Jammer dat jij ze niet krijgt.'

Robbert krijgt voor het eerst iets weifelends. 'Zijn kerstboomlichtjes echt niet leuk, mam?' 'Als jij ze leuk vindt, dan zijn ze leuk,' zeg ik, en ik werp een lange blik in de richting van Peter. 'Discodansen bij kerstboomlampjes. Léúk,' zegt hij, en gaat voor de tweede keer naar boven. Deze keer horen we luid en duidelijk de zolderdeur dichtslaan.

Robbert zucht. 'Mam, ik weet alleen veel minder meisjes dan jongens.'

'Je moet gewoon een lijst maken, en het geeft toch niet als er meer jongens dan meisjes zijn, als het maar leuk is.'

'Ja,' zegt hij. En na een lange stilte: 'Mam, is naar de speeltuin ook goed?'

Autootjes hoeven ze niet meer

Wat was het leven nog eenvoudig toen een simpel autotje met zwaailicht een wonder teweeg kon brengen. 'Ooo, mám...!' Vochtige zoen en de rest van de dag op de knietjes op de grond. Hoofd zijdelings op het vloerkleed. Starend naar dat Prachtige, dat hij langzaam met een hand heen en weer liet rijden. Waarbij hij dromerig 'tie-díé, tie-díé' zong. Zoals ik in m'n kinderloze jaren voor etalages met kleren stond, was ik nu niet weg te branden bij speelgoedwinkels. Al z'n wensen kende ik uit m'n hoofd, net als alle merken autootjes. Ik wist z'n voorkeuren, wist dat niets hem een groter plezier deed dan wanneer zo'n autootje ook nog portieren en een achterklep had die open en dicht konden. Ik genoot met hem mee en was net als hij verdrietig als er een wiel afbrak, een koplamp losraakte, een portier op onverklaarbare wijze spoorloos verdween. Als ik op straat een autotrein of een takelwagen zag, terwijl hij niet bij me was, kreeg ik een spijtig gevoel. Zoiets moois, en nou kon hij er niet van genieten. Feest als de straatveegauto de hoek om kwam. Grote zwaailichten en een ronde bezem, die behendig langs stoepranden ging. Hij op m'n arm, samen voor het raam. Op vuilnisautodag werd hij blij wakker.

En over die keer dat we langs de brandweerkazerne liepen en deuren open zwaaiden, waarna er drie (3!) glanzende rode ladderwagens met loeiende sirenes naar buiten schoven, praatte hij wéken. En toen z'n broertje kwam en zijn ergste jaloezie voorbij was, legde hij trouwhartig z'n oudste autootjes naast hem in de wieg. Niet z'n mooiste, want er werd toch alleen maar op gesabbeld en dat kon je net zo goed op iets ouds doen, bedacht hij praktisch. En het kleine broertje groeide op met alle autootjes, parkeergarages, treintjes en spoorbomen van de oudste.

En wéér gingen we tijdens het boodschappen doen langs de brandweerkazerne en stonden we samen in stille aanbidding als bij de garage een lange autotrein stopte, waar een monteur de ene na de andere auto af reed. Hoe lang is dat nou helemaal geleden?

Maar de enige die nu nog naar een autotrein kijkt ben ik. Met altijd nog iets van dat: goh, een áútotrein...! Zij kijken allang naar heel andere dingen. De etalage van een sportzaak. De merkschoenen, shirtjes met namen, tennisrackets en al die interessante dingen die bij sommige sporten horen. Beenbeschermers, maskers, grote handschoenen, honkbalknuppels. Ze kijken naar de felgekleurde tassen waarin je al je sportspullen vervoert, zodat je in één klap alles kwijt bent als zo'n tas gestolen wordt. Ze vinden het heerlijk om in een boekwinkel te kijken naar tijdschriften en stripboeken. Maar als ik boodschappen doe en ik heb zin om ze een beetje te verwennen, weet ik eigenlijk niet goed meer wat ik voor ze mee moet brengen. Voor dat autootje van vroeger is niets teruggekomen dat even simpel is om uit te zoeken en te geven. Niets waarmee ze zo verheerlijkt en gelukkig urenlang, urenlang bezig zullen zijn. En soms mis ik dat dan een beetje.

En Cruijff praatte ook nog tegen hem!

Peter is makkelijk. Bij hem kan alles. 'Ach Peter, wil je even...' en hij staat al. Gewoon omdat hij dat in zich heeft. Even een handje meehelpen, wat opruimen, de honden uitlaten, theewater opzetten. En ondertussen een gezellige babbel houden. Wat vind ik nou eigenlijk van Ajax, wat vind ik daar nou van? En dat Cruijff die hele club uit de rode cijfers heeft gehaald. Vijfendertig en dan nog zó voetballen. Hij tekent ervoor, want vijfendertig is toch wel verschrikkelijk oud, zegt hij, en hij kijkt er ineens wat zorgelijk bij. 'Ik ben ouder,' zeg ik. Maar dat telt niet mee. Je ouders zijn ánders oud dan andere mensen, tenminste, als je van je ouders houdt, en dat doet ie op een overrompelende jongehondige manier. Maar van Cruijff houdt hij ook. Hij heeft hem zelfs opgebeld toen hij een spreekbeurt over hem ging houden. Hij vertelt het me wat verlegen en onzeker. En terwijl ik hem verbijsterd aankijk, vertelt hij toch met enige trots dat Cruijff nog tegen hem praatte ook. Hij had niet veel tijd, zei hij, maar een paar vragen had hij toch heel vriendelijk beantwoord.

Als ik m'n stem terug heb, vertel ik hem dat ik nooit, NOOIT meer wil hebben dat hij een Bekende Nederlander thuis stoort. Waarom niet? Omdat Bekende Nederlanders doodmoe zijn van het bekend zijn en thuis gewoon met hun benen op tafel willen zitten of iets anders willen, maar niet nog eens aan de telefoon geroepen willen worden. 'O,' zegt hij bedremmeld, 'maar hij was niet boos, mam, echt niet.' 'Dat is verschrikkelijk aardig van hem, maar je mag het nooit meer doen.' Hij belooft het plechtig, maar de glans van dat moment dat hij met Die Ene sprak laat hij zich niet afnemen. En dat probeer ik ook niet. Robbert reageert koel op het bericht dat z'n broer met Die Ene heeft gesproken. We weten allebei dat híj zoiets nooit zou doen. Al zou hij naast hem zitten in de bioscoop, dan nog zou hij geen woord met hem wisselen. Eén snelle zijdelingse blik zou hij werpen en in die fractie van een seconde álles zien: hoe hij keek, wat hij aanhad, of hij moe was of niet, met wie hij was, álles. Verder zou hij dan nors voor zich uit blijven kijken. En nog een paar uur heel stil zijn.

Hij heeft dat van mij. Met wijd open ogen urenlang dromen van Doris Day. Maar als ik haar ooit tegen was gekomen in de Hema, zou ik ter plekke gestorven zijn. En nooit, nooit zou ik het woord tot haar gericht hebben.

Ondertussen ben ik tamelijk nieuwsgierig naar wat Peter nou eigenlijk gevraagd heeft. Na enig aandringen vertelt hij het en het is precies wat ik dacht, niet één vraag die hij niet uit een paar krantenknipsels had kunnen halen.

'Moest je dáár die man voor lastigvallen?' zeg ik. Maar natuurlijk, ik weet ook wel dat het om iets anders ging. Die Stem in z'n oor. Die Gedachten die zich toch heel even bezig moesten houden met iets wat Peter zei. Sinds die dag kijkt hij anders naar *Studio Sport.*

'Stil,' zegt hij, 'Cruijff speelt.' En de manier waarop hij het zegt is voldoende om ons op slag heel rustig te krijgen.

'Dan krijg ik later een goeie baan, mam'

'Ik hoop dat m'n Citotoets goed is,' zegt Robbert. 'Want dan kan ik naar een goeie school en dan krijg ik later een goeie baan. Hè mam?' 'Uh...' zegt mam. En door haar hoofd flitst de klassieke vraag: hoe vertel ik het mijn kind?

Welke cabaretgroep zong vroeger: 'Laat je zoon studeren, laat hem voor minister leren'? Dat was nog in de tijd dat 'hoe vertel ik het mijn kind?' sloeg op de vraag 'waar komen de kindertjes vandaan?' Voor de rest zat het wel goed, toen. Wie z'n best deed op school kwam meestal wel goed terecht, later. Werk genoeg. Wie had er toen ooit kunnen dromen van schoolverlaters zonder baan en met een uitkering? Nu zijn de zaken omgekeerd. Voor kinderen van Robberts leeftijd is de voortplanting allang geen mysterie meer. Uitgebreid en met verve kunnen ze dit slimme en niet onplezierige gebeuren verhalen tot in de kleinste details. Maar er zijn andere dingen heel moeilijk aan hen uit te leggen. Bijvoorbeeld dat een goede baan voor niemand meer zeker is. Een slechte trouwens ook niet meer. Zelfs niet als je de 'goeie' school en de 'goeie' studie hebt gedaan.

Al het leren van de wereld kan niet garanderen dat Robbert op een dag niet tot het leger hopeloze banenzoekers zal gaan behoren. Of tot de groep teleurgestelden die zo graag iets wilde studeren, maar niet toegelaten werd omdat er in dat vak al zoveel werklozen rondlopen. Al die jaren huiswerk, repetities, spanningen rondom zittenblijven en overgaan, maar niet de zekerheid van werk, een huis, een deel van het leven.

Tot Robbert is die harde werkelijkheid nog niet doorgedrongen. Gezellig babbelend zit hij aan de keukentafel z'n boterhammetje te eten. Z'n ogen groot en vol vertrouwen voor de toekomst. Wie z'n best doet zal beloond worden. Zo hoort dat. Zo zal het ook met hem gaan. Hij schenkt zichzelf nog een glas melk in en praat opgewekt verder over de toets en over wat hij zal moeten kiezen uit al die interessante banen, zoals piloot, dokter, brandweerman of politieagent.

Peter is heel wat beter op de hoogte dan hij. Elke avond leest hij de kranten van de eerste tot de laatste pagina. 'Goh mam, de werkloosheid is alwéér toegenomen,' zegt hij dan. 'Als ik van school kom, werkt er niemand meer. Dan kunnen ze me mooi gebruiken, want er zal toch wát moeten gebeuren.' Z'n optimisme kent geen grenzen. Hij is als de soldaat in de oorlog die zeker weet dat iedereen geraakt kan worden behalve hij. En ondertussen waken Willem en ik ervoor om al te somber te doen over wat zo mooi 'toekomstverwachtingen' heet. Voorlopig zijn ze veilig op hun scholen. En van die tijd proberen we gebruik te maken door zonder al te veel nadruk duidelijk te maken dat het leuk is om dingen te leren en bezig te zijn, ook al krijg je er misschien niet direct werk en geld voor terug. Ik probeer me voor te stellen hoe het is om nu volwassen te worden, en de gedachte maakt me niet vrolijker. Maar de kinderen zitten er niet mee. Ze verheugen zich mateloos op de tijd die lonkt vanuit de verte. Een tijd waarin ze zo lang op zullen blijven als ze zelf willen en *Dallas* kunnen zien zonder dat hun moeder de kamer uit loopt, omdat ze het de vreselijkste serie aller tijden vindt. Als dat maar eenmaal bereikt is, dan komt de rest ook wel goed. En ach, misschien is dat ook wel zo.

Emancipatie in een koekenpan

Als ik thuiskom staat er achter het fornuis, gehuld in mijn alternatieve tuinkruidenschort, een Bevallig Wezen pannenkoeken te bakken. Ernaast, zonder schort maar met een pollepel in z'n hand, staat Peter. En aan de keukentafel zit Robbert het tafereel met welgevallen gade te slaan, want die is het eens met elke actie die als resultaat iets eetbaars heeft. 'Ha mam,' zegt Peter nonchalant, 'we bakken even een paar pannenkoeken.' En het vriendinnetje geeft me opgewekt een hand. Ik ga aan tafel zitten, terwijl Peter en z'n vriendinnetje, niet in het minst gehinderd door mijn aanwezigheid, doorgaan met bakken. Ondertussen voeren ze een ernstig gesprek over de kwaliteit van het beslag (precies goed, met voldoende eieren en net niet te veel melk), de temperatuur die de pan moet hebben (hoe heter hoe beter) en of de smaak van een pannenkoek ongunstig beïnvloed wordt door het gebruik van margarine. Als ze het daar samen volkomen over eens zijn, begint het gesprek een andere wending te nemen. 'Pannenkoeken bakken,' delen ze elkaar mede, 'is iets dat elke aap kan leren. Maar de goede pannenkoekenbakker zit niet met een mes te wurmen om een pannenkoek in de pan om te keren. Een goede pannenkoekenbakker maakt een nonchalant gebaar met de pan, waarbij de koek hoog de lucht in geslingerd wordt, en daarna vangt dezelfde goede pannenkoekenbakker de pannenkoek weer op.'
De toon van dit gesprek is lichtelijk uitdagend en Peter werpt dan ook af en toe een steelse blik op mij, om te zien

hoe ik reageer op dit voorspel van door de keuken vliegende pannenkoeken. Maar ik kijk blanco terug, te benieuwd naar het vervolg van dit gesprek om in te grijpen. En ja, de conversatie krijgt iets dringenders. Want Peter voelt zich genoodzaakt mee te delen dat de beste koks altijd mannen zijn en dat het op grond daarvan niet meer dan logisch is dat de beste pannenkoekenbakkers óók mannen zijn! En z'n vriendinnetje neemt de uitdaging zonder meer aan. Ze kijkt even naar mij om te polsen of ik begrijp dat ze zo'n aantijging niet over haar kant kan laten gaan, en slingert dan hoopvol de pannenkoek de lucht in.

Ik hoop hevig dat het haar zal lukken, terwijl ik aan het gezicht van Peter zie dat hij precies het tegengestelde hoopt. Want wat zou het dikke pret zijn als, tussen nu en twee tiende seconde later, de honden zich gulzig op de ter aarde gestorte koek zouden kunnen werpen. Maar gelukkig, een ontluikende feministe behaalt in mijn keuken haar eerste kleine overwinning, want de koek daalt elegant neer in de pan. En nu moet Peter dus bewijzen dat het hem net zo makkelijk afgaat. Zijn gebaren zijn aanmerkelijk minder elegant dan de hare. Met z'n grote jongensknuisten omklemt hij de steel van de koekenpan, en de manier waarop hij de koek de pan uit werpt heeft meer met karate te maken dan met bakken. Maar ook bij hem is er het adembenemende moment dat de koek onbestemd door de lucht zweeft en de plaats van landing nog niet zeker is. En dan ligt ook deze koek weer braaf in de pan. Stand 1-1, met Robbert als grote overwinnaar want die heeft nu ineens twee koeken die hij met stroop kan bedruipen. Met iets van verafgoding kijkt hij naar zijn grote broer en voor het eerst zie ik hem denken: misschien heeft het toch ook wel vóórdelen, als je broer ouder is.

'Niet helemaal om negen uur naar bed is toch niet zo erg?'

's Avonds alleen thuis zijn, dát vinden ze nog eens heerlijk. 'Gaan jullie maar rustig, hoor,' zeggen ze, 'wij redden ons best.' Eten hoef ik ook al niet voor ze klaar te maken. Liever niet, zelfs. 'We zien wel,' zeggen ze vaag en ze trekken zo'n uitgestreken gezicht dat het bijna niet goed kan zijn wat ze in hun schild voeren. Maar omdat Willem en ik toch écht weg moeten, zit er niets anders op dan maar te gaan. 'Doen jullie straks de gordij...' 'Já mam.' 'En de honden moeten nog...' 'Já pap.' 'Laat de voordeur niet per ongeluk...' 'Néé, mam.' Ze kunnen ons wel wégkijken, maar in plaats daarvan suggereren ze beleefd dat de mensen bij wie we zullen gaan eten, nu vast al verschrikkelijk ongerust zijn. 'Stel je voor,' zegt Robbert, 'ál dat eten, en dat wordt nu allemaal koud.'

'Niet te laat naar bed,' zegt Willem. 'Nee pap.' 'Negen uur,' zeg ik. 'Túúrlijk,' knikken ze braaf, met in de kleine computertjes in hun hoofd allang alle programma's van deze avond, compleet met aanvangstijden. En denk maar niet dat ze één onderdeel zullen missen omdat daar nu zo'n pathetisch mens staat te beweren dat ze om negen uur naar bed moeten.

Als afscheid vlij ik even mijn wang tegen die van Peter. Hij háát lippenstiftzoenen, ze brengen hem in een ommezien tot grote razernij, dus hebben we tot dit toch ook wel gezellige alternatief besloten. Maar Robbert zoen ik, een lekkere knuffel waarbij hij als een diertje tegen me aan kruipt en snel en zacht zegt: 'Niet helemáál negen uur is ook niet zo erg, hè mam?' En omdat mam allang weet dat uit het oog laat naar bed betekent, kan ze zich het grote gebaar van nonchalant toegeven veroorloven. Willem staat er wat streng bij te kijken. Hij ziet de kinderen vele uren minder per dag dan ik en heeft nog steeds de illusie dat er zoiets als gezag op afstand bestaat.

'Wat gaan ze nou eigenlijk eten?' informeert hij in de auto. 'Boterhammen met hagelslag bij de televisie, borden pap bij de televisie, pannenkoeken bij de televisie en waarschijnlijk een deegje van Robbert. Bij de televisie,' zeg ik. Want ik kén het uitzinnige eten van m'n kinderen zodra wij uit de buurt zijn. Zoals ik ook de deegjes van Robbert ken, bestaande uit een prak van roomboter, bloem en suiker, waarmee hij zich volstopt tot hij op de rand van ziekzijn is. De restjes vind ik altijd op een schoteltje in de koelkast. 'Kan je nog mooi iets van bakken,' zegt hij nonchalant de volgende dag. Mijn uitleg over hoe Verschrikkelijk Ongezond dit soort snacken is, weerlegt hij met een verhaal over hoe Verschrikkelijk Lekker het smaakt. ('Als ik bakker was, dan bakte ik nooit iets. Alleen maar deegjes mam, verder niks.')

We zijn die avond niet eens laat thuis. Twaalf uur. De televisie voelt nog wat lauw aan, maar dat kan ook het weer zijn. In de keuken borden met hagelslag, papresten en een schaal met een restje beslag. En in de koelkast een schoteltje met iets erop waarvan Willem vol walging uitroept: 'Wat is dít?' Het is duidelijk, ze hebben weer een béste avond gehad.

Robbert weet wat vals spelen is

Ik ken niemand die zo verschrikkelijk vals kan spelen als Robbert. Met z'n grote blauwe ogen kijkt hij z'n medespelers trouwhartig aan en ondertussen gebeurt er van alles wat beslist niet in de spelregels staat. Het probleem is alleen dat je het wel weet, maar het niet kan bewijzen. Want zoals elke oprechte valsspeler is ook Robbert watervlug. Een kleine afleidende babbel, een bliksemsnelle beweging met een klein handje en er is weer iets in zijn voordeel veranderd. Niemand vrolijker dan hij als hij beschuldigd wordt. 'Wat deed ik dan, hè? Hoe deed ik het dan?' En hij rolt bijna onder de tafel van het lachen. Net als wij, want zijn manier van spelen geeft net dat beetje extra aan een spel waardoor je geboeid blijft.

Lang geleden, toen ganzenbord nog z'n lievelingsspel was, ging het al net zo. Op mysterieuze wijze kwam zijn vrolijke, felgekleurde plastic gans nooit in de gevangenis terecht, of ergens anders waar het vervelend toeven was. Zodra hij tellen kon, en dat was gauw, wist hij al geruime tijd voordat hij aan de beurt was welk getal z'n dobbelsteen beslist niet moest hebben.

En met kleine handige beweginkjes, o, vaak niet meer dan een miniem tikje met z'n pink, wist hij een onvoordelig getal te veranderen. Natuurlijk kwam het niet altijd goed uit. Soms was het via een slinkse ingreep verkregen getal net zo erg of nog erger dan wat hij eigenlijk gegooid had. Maar dat verdroeg hij dan manmoedig, met de aangeboren filosofie van een beroepsspeler die weet dat je ze niet allemaal kunt winnen.

Niet lang na het ganzenbord kwamen de kaartspelletjes. Simpele spelletjes, waarbij het erom ging wie het eerste door z'n kaarten heen was. En dat was Robbert dus. Niet drie of vier keer op een avond, maar altijd. Tot wanhoop van Peter, die er niets op tegen had om af en toe te verliezen, maar die het gevoel van een keer winnen van dit broertje zelden of nooit mocht meemaken.

Heel lang bleef het een raadsel hoe zo'n klein kind zo verschrikkelijk handig met kaarten kon zijn. Totdat ik een keer, bij een grondige afstofbeurt van de tafel, bij de onderkant van het blad terechtkwam en daar een heel stel kaarten vond, geschoven in de kier tussen tafelblad en poot. Het betrappen van Robbert werd een spel op zich. 'Robbert, doe je handen eens boven tafel. Mét de kaarten erin, Robbert.' 'Robbert, als je de dobbelstenen hebt gegooid, blijf dan even weg met je handen, graag.' En Robbert grijnsde, deed wat hem gevraagd werd en wist uiteindelijk toch op de een of andere manier het spel weer naar z'n hand te zetten. Maar langzamerhand bleek dat hij eigenlijk ook zonder vals spelen erg goed in spelletjes was.

Het ging hem steken dat als hij een keer op 'gewone' wijze een spelletje gewonnen had, tóch iedereen er grappige, maar evengoed beschuldigende opmerkingen over maakte. Dat leidde dan tot grote woede en hevig verdriet, waarmee niemand medelijden had omdat eigen schuld nu eenmaal dikke bult is. Uiteindelijk vond hij de oplossing. Vóór een spelletje, vooral als het een spel is waarin hij goed is, deelt hij mee of hij 'op eerlijk' of 'op vals' gaat. Dan zijn we gewaarschuwd. Opletten doen we gewoontegetrouw toch wel, maar het moet gezegd: hij houdt zich er aardig aan. Meestal.

'Wij dragen allemáál een pet in bed,' zei Robbert eenvoudig...

Voor sommige dingen is geen verklaring te bedenken. Ze zijn zoals ze zijn, en daarmee moet je het doen. Een van die dingen is het honkbalpetje van Robbert. Een gek geval, precies de goede tint donkerblauw, en met de letters NY van de beroemde New Yorkse club vlak boven de klep. Jaren geleden kreeg hij het petje van Willem, die net zijn eerste reis door Amerika had gemaakt, en het werd onmiddellijk Robberts lievelingspetje. Het deed stationschefpetten en dergelijk spul verbleken van ellende. Maar niets is ooit écht lang favoriet bij een kind, en na enige tijd overschreed ook de pet de grens naar de vergetelheid. Tenminste, zo leek het. Totdat mij iets merkwaardigs begon op te vallen.

Steeds als Robbert de pet tevoorschijn haalde, werd hij ziek. Niet dóór die pet, want zo bijgelovig ben ik nou ook weer niet. Het was meer zo dat er dan een ochtend kwam dat hij niet op tijd in de badkamer verscheen. En als ik dan in zijn kamer poolshoogte ging nemen, trof ik hem met een opgezet koortssmoeltje in bed aan. Met de pet op. Vanonder die pet, ontworpen om stoere mannenhoofden te bekronen, was het zieke kindersmoeltje extra aandoenlijk. Er klopte niets meer van. Pet en kind hoorden duidelijk in verschillende werelden thuis, en niet samen in een door koorts verwarmd bed. Als ik op m'n hurken ging zitten, kon ik onder de klep Robberts ogen zien: klein, waterig, met gezwollen oogleden. Als ik stond zag ik alleen dat kleine rechte neusje, en een schilferig koortsmondje.

'Ben ziek, mamma,' en dat was het sein voor de verhuizing. Want traditiegetrouw mag het zieke kind in het grote bed. Omringd door glazen sinaasappelsap, dropjes, de platenspeler, stripboeken en de walkman. Een aanblik die mij rillingen bezorgt, omdat ik weet dat ik 's avonds niet de energie kan opbrengen het bed van schone lakens te voorzien, zodat ik me neer moet vlijen tussen kreukelige lakens en, het ergste van alles, broodkruimels.

Maar hoe gruwelijk dat ook is, aan sommige tradities kan niet getornd worden, en zo ligt daar mijn zieke zoon. Smekend om van dittem en van dattem. Elk graadje verhoging uitspelend tot het uiterste. En mét pet op.

'Draag jij een pet in bed?' zei een bezoekend schoolvriendje een keer. 'Wij dragen allemáál een pet in bed,' zei Robbert eenvoudig. Waarna de jongen iets schichtigs kreeg, en niet lang meer bleef.

Wonderlijker nog dan het feit dat hij met een pet op ziek is, is het spoorloos verdwijnen van de pet als Robbert weer genezen is. Onvindbaar. Soms zoek ik even. Blik in de kast. Woelen in de rommelkist. Kijken onder het bed. 'Waar is je honkbalpetje toch?' 'Weet niet,' antwoordt hij, zonder op te kijken van z'n computerspelletje. En inderdaad, hij ziet er zo gezond uit dat hij het petje voorlopig niet nodig zal hebben. Maar zonder enige twijfel komt het weer een keer tevoorschijn. Straks, als hij ineens geen trek meer in eten heeft, en een beetje hangerig is, weet ik dat de pet weer in aantocht is.

Misschien blijft hij wel zitten

Peter denkt dat hij wel zal blijven zitten. Willem en ik denken dat eigenlijk ook. De repetities die hij ons zwijgend onder de neus duwt, liegen er niet om. Soms een onverwachte acht, maar vaker de dunne getalletjes onder de vijf. Hij is er niet vrolijk onder. 'Ik doe toch echt m'n best, mam,' zegt hij. 'Jawel,' zeg ik, 'maar wel erg kort.' Hij geeft geen antwoord. We weten allebei dat z'n angst dat er in de straat zonder hem gevoetbald wordt groter is dan z'n angst voor een onvoldoende. Ik probeer erachter te komen wat hij écht vindt van het idee om te blijven zitten. Maar hij weet het niet. Hij kan het zich ook niet voorstellen, voor de tweede keer in de eerste klas. Alleen dat hij dan de vertrouwde klas kwijt zal zijn doet hem verdriet. 'Maar misschien haal ik het toch nog wel,' zegt hij zonder veel hoop. Hij wil ook weten wat wij ervan vinden. 'Ben je dan boos, mam, als ik blijf zitten?' 'Nee,' zeg ik, 'natuurlijk niet.' 'Waarom niet?' Maar ik kan er geen antwoord op geven. Misschien ben ik niet boos omdat het van alle erge dingen die kunnen gebeuren het minst erge is. Misschien ook omdat ik hem nog zo'n kind vind. Een jochie van twaalf, wat is het helemaal? Zal hij een jaar láter een diploma op zak hebben.

'Hoe ging dat bij jou thuis?' vraag ik aan Willem, die álles van zittenblijven af weet. 'O...!' zegt hij met een gezicht dat boekdelen spreekt. 'Schreeuwen van m'n vader, huilen van m'n moeder, de hele vakantie straf. Maar dat waren ze na een week weer vergeten.' Ik denk aan de drama's bij mij thuis. M'n broer, bij wie het allemaal ook niet zo voorspoedig ging. M'n vader, die elke avond samen met hem huiswerk zat te maken. De schaduw die over het hele gezin hing in de repetitietijd. Het gretige 'En...?' van m'n moeder als hij uit school kwam. M'n broer die huilde dat hij het niet kon, niet kon, niet KON, en die het later zo goed deed op een andere school. Dat wat de beste jaren van een gezin zouden moeten zijn, de laatste periode dat alle kinderen nog thuis zijn, vergald door het schoolgebeuren.

Toen Peter nog maar net bezig was in deze klas ging het bij ons net zo. Hem naar boven sturen om huiswerk te maken, overhoren, terugsturen als hij het niet voldoende kende; de sfeer was om te snijden. Tot Willem op een dag zei: 'Zo kan het niet langer. We hebben het altijd leuk gehad met z'n vieren, we moeten hem nu niet buiten gaan sluiten omdat deze school meer van hem vraagt dan de vorige. Als hij hulp wil, kan hij het krijgen. Als hij denkt dat hij het alleen kan, moet hij dat proberen. Oók als we zien dat het niet gaat. Hij kan beter op eigen kracht een jaar mislukken, dan door ons jarenlang meegesleurd worden.' Zelf vind ik het niet eens zo'n gek idee, dat zittenblijven. Steeds als hij vraagt of ik hem wil overhoren, merk ik hoe dingen uit de eerste lessen door hem zijn vergeten. Les tien kent hij voor een repetitie bijna uit z'n hoofd, maar de helft van wat ervóór kwam, weet hij niet meer. Hij is geschokt en verontwaardigd als ik het tegen hem zeg.

'Les één hebben we toch niet op voor deze repetitie!' zegt hij. 'Dat hoeven we niet te weten, mam, dat hébben we al gehad!' Voor hem is huiswerk zoiets als een kroket. Je slikt 'm door en dan is ie weg. En dat zou naar de tweede moeten? Willem en ik houden hele verhalen tegen hem, proberen hem uit te leggen dat er iets fout is met de manier waarop hij het leren bekijkt. Hij luistert vriendelijk

en aandachtig, en springt dan op. 'Wat ga je doen, Peter?'
'Nog even voetballen. We hebben morgen het eerste uur vrij, dus dat huiswerk hoeven we lekker niet te maken!'

Van die school waar zoveel kón naar de school met Orde en Regelmaat... we hielden ons hart vast voor Robbert. Zes jaar lang had hij min of meer zijn gang kunnen gaan, en we dachten eigenlijk dat het allemaal prima ging. Geen slechte beoordelingen (aan cijfers werd niet gedaan, maar dat hóefde ook niet van ons). Wel af en toe opmerkingen in de trant van: 'Hij zou een beetje meer aandacht kunnen besteden aan...' of: 'Hij moet nu wat harder gaan werken aan...' Mededelingen waarvan Willem en ik niet zo direct het nut inzagen, omdat het werk zich tenslotte op school afspeelde, en er nooit huiswerk gegeven werd.

Toen hij in de zesde klas zat, kwam de klap. Een Citotoets die Robbert reduceerde tot een kind dat van bijna niets iets af wist. We zaten met onze ogen te knipperen. Waren dit de resultaten van zes jaar school? Van vriendelijke niets-aan-de-hand-rapporten? Zelfs op de meest simpele school voor voortgezet onderwijs zou hij met deze basiskennis in de problemen komen. Robbert huilde bittere tranen, werd daarna razend en eindigde in zo'n diepe verslagenheid dat we niet meer wisten hoe we hem moesten helpen.

Op school vonden ze het allemaal ook wel naar. Maar de onderwijzer had privéproblemen gehad en het onderwijs was daardoor wat in de verdrukking gekomen. We konden maar één ding bedenken, en dat was: nóg een jaar zesde klas, maar dan op een school waar strenge regels waren, en waar de onderwijzers het als belangrijkste taak zagen kinderen iets te leren. De school met Orde en Regelmaat dus. En wij hielden ons hart vast. Robbert was in de maanden voordat het nieuwe schooljaar begon niet meer te hanteren. Z'n stemmingen varieerden van bodemloos verdriet tot zenuwachtige woede-uitbarstingen. En één ding was duidelijk: hij durfde niet. Bang om op te vallen. Bang voor het strenge beleid dat hij verwachtte. En toen was het zover. Wit om z'n neus wilde hij al een halfuur te vroeg naar school.

'Want als je op zo'n strenge school te laat komt, gebeurt er wat,' voorspelde hij. Maar het wonder gebeurde. Hij kwam terecht bij een juffrouw die volkomen begreep wat er aan de hand was, en voor er twee dagen om waren, was ze voor hem het Meest Fantastische Wezen op aarde. En toch spaarde ze hem niet. Een dictee kreeg hij terug, rood van de doorhalingen.

'Vijfentwintig fout, maar je hebt heel goed je best gedaan,' stond er dan onder. En hij, terwijl hij ons verrukt het blad papier in de handen duwde: 'Ze vindt dat ik mijn best doe!' Dolgelukkig meldde hij dat hij maar liefst twéé keer gymnastiek in de week kreeg, 'één keer meer dan dáár'. En drie keer per week handenarbeid. Bijles en apart bijgewerkt worden door de juffrouw haalden al snel de allerergste kantjes van de achterstand af.

Toen hij voor het eerst een voldoende kreeg voor rekenen, tekende de juffrouw een vlaggetje in z'n schrift. 'Maar de totale achterstand is in één jaar niet in te halen,' meldde ze bezorgd. 'Hij zal in de brugklas, van welke school ook, echt nog elke week bijles moeten hebben.' Soms raakt Robbert daar wat verslagen van. 'Maar ik kán leren, heeft ze gezegd,' troost hij zichzelf dan. En in gedachten ben ik haar voor de zoveelste keer dankbaar.

Zo voelt dat dus als ze wat groter worden

Is het echt waar dat ze 's zomers sneller groeien dan 's winters? 'Ze schieten omhoog,' zei m'n moeder altijd. En ja, dat gevoel heb ik de laatste tijd vaker. Even niet kijken, en ze zijn weer een stuk omhooggeschoten. Iets minder kind, iets meer mens, iets meer sok tussen de onderkant van de broekspijp en de half vergane gymschoen, iets minder tijd tussen nu en het moment dat ze hun spullen in een gehuurde Volkswagenbus stoppen en verhuizen naar een kamer die ik op voorhand al haat. In mijn grenzeloze egoïsme heb ik eerst: 'ha fijn, een jaar langer thuis' gedacht toen ik hoorde dat Peter zou blijven zitten, en me pas daarna gehaast om z'n gekwetste trots te verzorgen. En hetzelfde blije gevoel vervulde me toen tot me doordrong dat nóg een jaartje zesde klas voor Robbert de beste oplossing zou zijn. Al die drukte om het Goede Rapport en De Overgang bleef me vreemd tot het moment dat het tot me doordrong dat twee jaar achter elkaar zittenblijven zou betekenen 'van school af'. De tijden zijn hard, ook voor kinderen, dus heb ik dit jaar met lichte tegenzin Peters vorderingen op school gevolgd.

Maar veel hoefde ik er niet aan te doen. Met het stijgen der jaren neemt om onnaspeurlijke redenen zijn plichtsgevoel toe, en z'n 'já mam', als ik informeer of dat proefwerk nou wel goed geleerd is, klinkt geduldig en wat vermoeid, en wat méér zegt, hij haalt er nog een goed cijfer voor ook. 'Já mam' en hij kijkt naar me met die wat verbaasde blik die hij heeft sinds hij boven me uit is gegroeid. Zelf weet ik ook niet meer zo goed hoe de rolverdeling tussen ons nu eigenlijk is geworden. Echt een kind kan ik hem niet meer noemen, al roept alles in me dat hij dat is en blijft, en kan ik zonder enige moeite nog de goedlachse baby met het blauwe, veel te warme jasje in de zomerzon zien zitten. Maar ik kan niet meer, zoals al deze voorbije jaren, de zaken zo'n beetje voor hem regelen. 'Doe nou maar dit'. 'Ga nou maar dat.' Alles vanuit de heilige overtuiging dat ik en ik alleen weet wat Goed is voor M'n Kind. In grote lijnen regelt hij nu al zelf z'n leven, wat voor kleren er voor hem gekocht worden, van welke clubs hij lid wil zijn, hoe lang hij met z'n huiswerk bezig is en hoe laat hij naar bed wil. Meer huisgenoot dan kind, meer goed gezelschap dan iemand voor wie de verantwoordelijkheid op m'n schouders drukt.

Dus zó is het als je kinderen ouder worden, maar ook dat is niet helemaal goed gezien. Zo is het ook als je zelf ouder wordt en iets gaat begrijpen van je eigen gevoelens en die van je kinderen. Als je onderscheid gaat maken tussen dat wat je wilt uit puur eigenbelang en dat wat je niet wilt, maar wat toch beter is.

Het besef dat ik ze steeds meer verantwoordelijkheid moet geven ligt in de orde van weten dat spinazie gezond is. Je moet het eten, maar daarom hoef je het nog niet lekker te vinden. En dan verkeer ik nog in de gelukkige omstandigheid dat ik nog één kind heb dat gezellig zeven minuten wil knuffelen, en met de televisie aan wel tien, terwijl hij met een warm bolletje tegen m'n arm leunt. Zoveel moedergevoel nog in me en nog maar zo weinig jaren.

Het was zo gek nog niet, die grote gezinnen van vóór de pil.

'Als ik rechercheur ben, arresteer ik jullie ook, mam'

Robbert wil detective worden. Z'n besluit staat vast. 'Een eenzaam beroep, mam,' zegt hij over z'n boterham met hagelslag heen, 'want je kunt niemand vertrouwen, zie je. Niet voordat je weet wie het gedaan heeft. En als je het wél weet, dan doet het er niet meer toe, want dan ga je hem gewoon arresteren.' 'Als wie wát gedaan heeft?' vraag ik. 'O,' zegt hij vaag, 'gewoon, een moord of zo.' 'Ben je dan niet bang om daar achteraan te gaan?' wil ik weten. Hij kijkt me koel aan. 'Rechercheurs zijn niet bang. Bovendien...' Hij klopt met een lepe knipoog op z'n broekzak... 'Bovendien wát?' 'Bovendien heb ik een pistool. Hierzo. Of hier,' en nu wijst hij onder z'n oksel, als een fotomodel dat het resultaat van deodorant toont, alleen wat oneleganter. 'En denk maar niet dat ik dat pistool ooit afdoe. Oók niet als m'n kind jarig is,' zegt hij. 'In bad,' zeg ik. Hij kijkt me onzeker aan. Het is kennelijk een nieuw gezichtspunt voor hem, dat rechercheurs in bad gaan. 'Dan leg ik hem naast me, op de rand van het bad. En als ze dan binnenkomen...' Hij knijpt één oog dicht en maakt een snelle James Bondbeweging. Het ontbreekt er nog maar aan dat hij de pantomime eindigt met het wegblazen van denkbeeldige kruitdamp.

'Je moet niet schieten,' zeg ik, 'want als je raak schiet is het zielig en als je mis schiet ben je een sufferd.' Hij zucht. 'Mámma, ik schiet alleen maar als het niet zielig is.' 'Hoe weet je dat van tevoren?' vraag ik. Maar voor hem is de lol eraf. Als politiemoeder ben ik gezakt en nou moet ik het verder zelf maar weten ook. Maar 's avonds komt hij op het onderwerp terug. 'Zeg mam, als ik rechercheur ben, dan arresteer ik jullie óók, hoor, als jullie iets doen wat niet mag. Dus jullie moeten maar niks uithalen, want ik zou het wel rottig vinden. Maar weet je, het móét gewoon. Want daar ben je rechercheur voor. Je kunt niet zeggen: laat maar, het is m'n moeder.' 'Zodra jij rechercheur bent, hou ik op met stelen,' beloof ik. 'Of ik doe het zo slim dat niemand het merkt.' 'Ik wel,' weet hij met grote zekerheid, 'want ik kén jou, mam. Ik zie dat direct.'

En dan ontmoet ik zomaar toevallig een échte rechercheur. 'Zal m'n zoon even jaloers zijn dat ik een échte heb ontmoet,' vertel ik hem. 'Hij mag best een ochtendje komen,' zegt hij, 'dan laat ik hem alles zien. Kan hij vragen wat hij weten wil.' Robbert trekt wit weg als ik het hem vertel. 'Een échte rechercheur?' zegt hij ademloos. 'Heb je z'n pistool nog gezien? Hij hield zeker de hele tijd z'n jasje aan, hè, want daar zat z'n schouderholster onder.' 'Hij was in z'n overhemd,' zeg ik, 'misschien vond hij me wel ongevaarlijk.' Hij kijkt me weifelend aan. 'Was het wel écht een echte?' Maar dan komt de vreugde weer boven. 'Tjonge, een hele ochtend bij een rechercheur. Tjongejonge.' En hoofdschuddend verdwijnt hij naar z'n kamer.

Als ik hem 's avonds naar bed breng, zie ik op z'n tafeltje een stapel witte, zelfgemaakte visitekaartjes liggen. Z'n naam erop, en daaronder in grote letters: 'Detective 1ste klas'. 'Mooi hè, mam?' zegt hij vanuit z'n bed. En dan, slaperig: 'Een échte rechercheur. Tjongejonge.'

Het kerstrapport komt steeds dichterbij

'Mam,' zegt Peter, 'wat voor soort rapport moet ik eigenlijk hebben?' Ik bekijk hem wantrouwend, maar z'n gezicht ziet er onschuldig genoeg uit. 'Een goed rapport,' zeg ik op m'n hoede. Hij zwijgt. Op de tafel voor hem liggen stapels boeken en schriften, en hij is druk bezig een popidool in z'n agenda van een grote snor van ballpoint te voorzien. Best een goede snor, jammer dat het idool een meisje is, en geen jongen. 'Zeg mam,' zegt hij, druk bezig met de bakkebaarden, 'mam, wat bedoel je eigenlijk met een goed rapport?' 'Een rapport zonder onvoldoendes,' zeg ik zonder aarzelen. Hij kijkt op. 'Zonder onvoldoendes? Helemaal Zonder Onvoldoendes?' 'Niet één onvoldoende,' zeg ik meedogenloos. 'Niet één,' mompelt hij verslagen. Hij zwijgt. Z'n ballpoint prikt door het papier heen. Hij slaat de bladzijde om en bekijkt somber de verknoeide foto op de andere kant. 'Mam?' Er is weer hoop in z'n stem. 'Mam, als ik geen onvoldoendes heb, vind je het dan een goed rapport?' 'Nee,' zeg ik, 'als je geen onvoldoendes hebt en alleen maar zessen, vind ik dat een slecht rapport voor iemand die het voor de tweede keer doet.' 'Geen zéssen,' roept hij klaaglijk, 'wat dan wél, hè? Wat dan eigenlijk wel? Tienen soms, hè? Tienen?' 'Nee hoor,' zeg ik luchtig, 'in elk geval zevens. Misschien hier en daar een acht. Op het kerstrapport zéker.'

Het is duidelijk dat het gesprek hem niet vrolijk maakt. 'Maar als ik dan toch een onvoldoende heb? Wat doen jullie dan? Krijg ik dan soms straf?' Dat is een moeilijke vraag. We zijn niet zo goed in het bedenken van straffen, Willem en ik. Als ze echt erg vervelend zijn moeten ze naar hun kamer. 'Kom maar terug als je weer gewoon kan doen.' Maar straf? Echt een straf die erin hakt? Ik zou werkelijk niet weten wat voor ergs ik daarvoor zou moeten bedenken. Maar hij staat op een antwoord. 'Wat voor straf dan?' 'Ik vind dat je dan maar eens een tijdje niet naar schoolfeesten moet gaan,' zeg ik, 'totdat het op school weer beter gaat.' 'Alleen maar omdat ik een onvoldoende heb?' roept hij klaaglijk. 'Nee, niet omdat je een onvoldoende hebt, maar omdat je die onvoldoende dan hebt gehaald door pure stomme luiheid,' zeg ik. 'En ik heb er een hekel aan als je het uit pure stomme luiheid verknoeit op deze school.' Hij kijkt me gekwetst aan. 'Misschien kán ik wel helemaal niet goed leren,' zegt hij. 'Stuur me maar naar een andere school. Ik kan d'r niks van. Ik kan nergens iets van.'

Zijn zelfmedelijden neemt hand over hand toe, en ik zit er gefascineerd naar te kijken. Tjonge, het gemak waarmee deze zoon Drama uit de Hoge Hoed tovert is ongelofelijk. Hij legt z'n boeken en schriften op een keurig stapeltje. Zucht diep. 'Nou mam, zal ik dan maar naar een andere school...?' Ik schiet in de lach, en hij kijkt op. Z'n trouwhartige jongensgezicht toont een mengeling van 'jammer, het is weer mislukt', en toch ook een beetje moeten lachen. 'Ik heb m'n huiswerk af,' zegt hij dan zakelijk, 'kan ik nog even naar buiten voor we eten?' 'Ja hoor,' zeg ik. Hij staat op. 'Ik sta gemiddeld op een acht,' zegt hij. 'Maar als ik een keer pech heb, en een één haal, sta ik gemiddeld op een zes, en als ik dan nóg een keer pech heb, is het een onvoldoende. Twee keer pech en dan niet naar een schoolfeest, het is niet eerlijk, mam!' Ik geef geen antwoord. Hij haalt z'n schouders op en loopt naar de deur. 'Nou, goed dan,' zegt hij slachtofferig, 'ik-zal-wel-weer-m'n-best-doen.' En fluitend stapt hij de gang op.

'Mam, trek het nou gewoon even aan.'

'Vind je dat het nog kan...?' hoor ik haar vragen aan haar dochter. En onopvallend ga ik zo staan dat ik haar beter kan zien. Halverwege de veertig, schat ik. Beetje bleek, vermoeid gezicht, maar wel leuk. Haar dochter zal tegen de twintig zijn, slank, en opvallend gekleed in al die volstrekt niet bij elkaar passende kledingstukken die samen zo'n hartveroverend geheel vormen. De vrouw kijkt haar dochter vragend aan, en houdt het truitje op armlengte van zich af. 'Hou eens onder je kin,' zegt de dochter. En gehoorzaam drukt haar moeder het kledingstuk tegen haar borst, houdt het met haar kin klem en kijkt van onderuit vragend naar haar dochter. Het is niet de bevalligste pose om iets te passen, en de dochter schiet dan ook in de lach. 'Mam, trek het nou gewoon even aan.' 'Dan moet ik alles weer uit doen,' zegt haar moeder, 'en het staat vast niet, en dan moet alles weer aan en dan is het ook nog voor niks geweest.' 'Toe nou mam,' zegt de dochter. Even later komt de moeder uit het pashokje tevoorschijn, een beetje verhit, met piekende haren over haar voorhoofd. Ik voel met haar mee. Dat gewurm in een altijd te klein hokje waarin je jezelf met weerzin in de spiegel bekijkt. 'Staat je leuk,' zegt de dochter, 'némen mam.' De moeder bekijkt zichzelf aarzelend in de lange spiegel. 'Die opdruk vind ik zo wild,' zegt ze. 'Wild?' zegt de dochter, terwijl ze naar de in elkaar gestrengelde bloemen op de borst van haar moeder kijkt. 'Dat is niet wild, dat is gewoon leuk. Vrolijk.' Ik vind het ook vrolijk, maar dat doet er niet toe. Ik weet precies wat de moeder bedoelt. Halverwege de veertig, en doodsbang om er te jeugdig bij te lopen. Zodat 'de mensen' zullen zeggen: 'Die wil er nog jong uitzien! Liever een jutezak aan, dan dát.' 'Mam, het staat je echt heel leuk,' zegt de dochter, 'anders zou ik het toch niet zeggen? Ik laat je toch niet voor gek lopen?' 'Nee, dat is zo,' zegt de moeder, maar ze aarzelt nog steeds. Dan loopt ze lusteloos naar het rek en schuift wat truitjes opzij. Nu heeft ze allang geen zin meer in iets nieuws, weet ik. Ze heeft spijt dat ze naar binnen is gegaan. Ze vindt dat helemaal niks haar meer leuk staat, en omdat haar mondhoeken daar treurig van gaan hangen, is dat ook binnen vijf minuten zo. 'Trek jij het nou eens aan,' zegt ze tegen haar dochter, 'het is veel meer iets voor jou.' 'Voor mij?' roept de dochter, en doet verschrikt een stap achteruit. 'Dat is toch veel te saai voor mij?' Ineens komt er kleur op het gezicht van de moeder, je zíet haar opbloeien. Ze bekijkt zichzelf nog eens in de spiegel, en zegt: 'Vind je het écht te saai voor jou?' 'Tuurlijk,' zegt de dochter. 'Gelukkig', zegt haar moeder, 'ik néém 'm...!'

En hij vindt het niet eens érg!

Aan tafel zegt Robbert heel terloops: 'O ja, ze hebben geprobeerd mijn fiets te stelen, maar ze kregen het slot niet open. En trouwens, ze liepen weg toen ik eraan kwam.' We kijken hem verbijsterd aan. Wat stelen, waar stelen, wie stelen? Hij is alweer ongeduldig. 'Nou, gewoon, grote jongens van een jaar of twintig. Drie. En het is wel kapot, hoor mam, het slot. Dus ik zal een nieuwe moeten.' We lopen naar buiten om zijn fiets te bekijken. Het slot ziet er droevig uit. Beetje losgerukt, schroeven er half uit, hier en daar verbogen. Maar het was een duur slot, het duurste en sterkste dat er was, omdat we graag wilden dat Robbert wat langer plezier van zijn nieuwe fiets zou hebben dan de doorsnee nieuwefietsbezitter. Wat stilletjes lopen we weer naar binnen. 'Wat is er nou?' zegt Robbert wat argwanend. 'Het is toch zeker mijn schuld niet? Ik had hem gewoon op slot gezet. En natuurlijk wordt die fiets een keer gestolen. Soms tillen ze het achterwiel een eindje op, kijk zó, en dan lopen ze er gewoon mee weg terwijl hij op slot staat. Ik moet eigenlijk ook nog een hangslot voor m'n voorwiel.' En fluitend begeeft hij zich naar de televisie.

Terwijl ik de honden eten geef, vraag ik me af waarom ik ineens zo'n akelig gevoel heb. Is het omdat Robberts fiets bijna werd gestolen? Nee, dat is het niet. Het zou vreselijk jammer en verdrietig zijn, maar we zijn verzekerd en bovendien is een gestolen fiets het einde van de wereld niet. Maar wat is het dán dat me zo vreselijk dwarszit dat ik er wat benauwd van rondloop? En dan wéét ik het. Het is de vanzelfsprekendheid waarmee Robbert aanvaardt dat z'n nieuwe fiets zeker gestolen zal worden. Is het niet vandaag, dan wel morgen. Nu is het mislukt, maar op een keer lukt het. En hij wordt er niet warm of koud van, want zo is het nu eenmaal.

Beelden van vroeger. Het hoofd van de school komt met een ernstig gezicht binnen. 'Kinderen, er is iets ergs gebeurd. Uit een jaszak op de gang is drie gulden gestolen. Daar wil ik eens ernstig met jullie over praten.' En wij, negen, tien jaar, met rooie koppen in de banken. Stélen. Het woord alleen al! Het bonkte door je heen. Zou er echt een dief in de klas zitten? En wat zegt Robbert nu als er bij een vriendje iets uit de jaszak is gestolen: 'Die stomme oen, wie laat er nou iets in z'n jas zitten?' Inderdaad. Welke stommeling verwacht nou dat z'n fiets er na twee uur nog staat? Dat het geld nog in z'n jaszak zit. Of dat die jas zélf er nog hangt. Dat de benzine nog in z'n tank zit na een nacht parkeren. Of de benzinedop nog aan de auto. Of de wieldoppen. Of de wielen zélf. Of de hele auto. Wie is er nou nog verbaasd dat schoolkinderen in de pauze niets beters weten te doen dan pikken in het winkelcentrum? 'Beneden de vijftig gulden wordt er niet eens meer procesverbaal opgemaakt,' vertelt een winkeljuffrouw. 'Maar ja, we stallen het ook wél verleidelijk uit!'

Natuurlijk, en dan kan je op je vingers natellen dat het gepikt wordt. Eigen schuld dikke bult. Wie niet op z'n spullen let is de dader. En een klein jongetje van twaalf dat niet kan weten dat het eens anders was, vindt het de gewoonste zaak van de wereld en stapt fluitend op z'n bijna gestolen fiets.

'Mam, je blouse staat veel te ver open!'

'Pap, waarom draag jij nooit een blazer?' vraagt Peter. We zitten aan tafel. Voor één keer eens op een normaal tijdstip. Het eten dampend in schalen voor ons. Verse groente, en dat ook nog om kwart over zes. Dit zijn momenten om te onthouden. 'Ik haat blazers,' zegt Willem eenvoudig. 'Wat een onzin,' zegt Peter, 'wie haat er nou blazers? Waarom haat je eigenlijk blazers?' 'Omdat ik me dan net voel alsof ik op Wimbledon de puntentelling moet bijhouden,' zegt Willem. 'Of moet kijken of ze wel eerlijk roeien in een skiff. Ik hou er gewoon niet van.' Peter snuift. Het is de nieuwste ontwikkeling, zijn bemoeienissen met wat wij dragen, en het neemt af en toe merkwaardige vormen aan. Met een weids gebaar kan hij ineens de deuren van de kast in onze slaapkamer opengooien. 'Moet je kijken!' roept hij dan tegen niemand in het bijzonder, maar voor iedereen duidelijk hoorbaar. 'Wat een kléren. Mijn vader heeft een spijkerbroek. Mijn vader heeft rare jasjes. Mijn vader heeft...' Hij bukt zich en duikt weer op met Willems lichte zomerschoenen in z'n handen. '...Mijn vader heeft tapdansschoenen. Máár...' en hij keert zich om met een dramatisch gebaar, '...mijn vader heeft géén blazer.'

Pap, die zich ondertussen rustig heeft staan aankleden, zit nu op de rand van het bed z'n tapdansschoenen aan te trekken. Ik vind ze eigenlijk ook niet zo leuk, maar op dit moment is een gebaar van loyaliteit op z'n plaats.

'Ik hou van die schoenen,' zeg ik, 'ze maken je vader

buitengewoon aantrekkelijk...' Peter snuift en Willem blijft bewegingloos zitten, veter in een hand, want het is hem allang bekend wat ik van z'n schoenen vind. 'Je vader, die altijd al een buitengewoon aantrekkelijk man is geweest,' zeg ik met alle overtuiging die ik om halfacht 's ochtends kan opbrengen, 'ziet er met die schoenen nóg buitengewoner aantrekkelijk uit.' 'Nou ja...' snuift Peter en hij stapt de kamer uit op z'n zwarte loafers. 'Je moet ze schoonhouden,' zeg ik tegen Willem, 'iedereen weet dat tapdansschoenen glanzend en vlekkeloos moeten zijn.' 'Nou ja,' zegt Willem en hij stapt de kamer uit.

Maar beneden aan het ontbijt ben ík aan de beurt voor een lesje.

'Mam, die plooirokken die je vroeger droeg vind ik toch heel wat leuker dan dít...,' zegt Peter, terwijl hij koeltjes m'n nieuwe broekrok bekijkt. 'En gewone schoenen staan ook veel beter dan die laarzen.' 'Schoenen met wollen kousen tot de knieën, zeker,' zegt Willem. 'Als mamma me dat aandoet, eet ik m'n tapdansschoenen op.' 'Wees niet bang,' zeg ik, 'ik kán niet tegen wol, maar verder vind ik het best leuk wat Peter bedoelt.' Maar die laat zich niet paaien. 'Je blouse staat te ver open,' zegt hij afkeurend. Terwijl ik hem verbijsterd aankijk, zegt Willem: 'Ik vind dat mamma er hartstikke spannend uitziet.' 'Spánnend!' roept Peter. 'Tapdansschoenen, bróékrokken. Volgens mij ben ik een vondeling.' 'Dat klopt,' zegt Willem gemoedelijk. 'We hebben je gevonden bij de achteruitgang van een klein theater. We denken dat je ouders daar optraden met een hondennummer. Op een dag wordt er gebeld en dan komen ze je halen. Met zeven bouviers. Die mag jij dan leren door een hoepel te springen.'

'Ach, wat kan het mij ook schelen,' zegt Peter. 'Van mij mag je dragen wat je leuk vindt.'

Jullie moesten vroeger zeker alles uit je hoofd leren, hè mam?

Altijd een beetje een rare week, die laatste week voordat de school weer gaat beginnen. Er moeten schriften gekocht worden en pennen in allerlei kleuren. Kaftpapier en verder van alles wat niet nodig is, maar er zo aantrekkelijk uitziet dat het alleen al daardoor onmisbaar wordt.

Wat een verschil met vroeger! Zoals bij zoveel dingen denk ik ook nu weer: wat is dit toch een leuke tijd om op school te zitten. Als ik zoiets hardop tegen Robbert zeg, krijgt hij iets over zich dat nog het meest met vermoeide wanhoop te vergelijken is. Leuker dan vroeger! Heb ik dan nooit opgelet als hij met verhalen over school thuiskwam? Zat ik weer met m'n gedachten elders als hij vertelde van z'n kwellingen?

'Je had eens vaker in m'n boeken moeten kijken, mam,' zegt hij met edele verontwaardiging. 'Alles wat daarin staat moeten we weten.' Hij zwijgt met een smartelijke trek op z'n gezicht. Ik zwijg ook. Al vanaf het begin van z'n schoolcarrière heb ik me verbaasd over de hoeveelheid lesstof die niet geleerd hoeft te worden. 'We hebben een repetitie over hoofdstuk zes en zeven,' meldt hij dramatisch als hij thuiskomt. En als ik dan een blik op hoofdstuk zes en zeven werp tref ik de ene doorgestreepte paragraaf na de andere.

'Waarom staan al die strepen erdoor?' vraag ik in m'n onschuld. 'Oh, dat hoeven we niet,' zegt hij onverschillig. 'Hóéf je niet? Het staat toch gewoon in dat hoofdstuk?' zeg ik. Hij zucht diep. 'Mam, káp het alsjeblieft!' Ook al hoor ik de uitdrukking voor het eerst, ik begrijp onmiddellijk wat hij ermee bedoelt. Maar toevallig heb ik eventjes geen zin in kappen.

'Wat zonde van al die bladzijden. Hadden ze dan niet beter een dunner boek kunnen maken dat je wél helemaal moet leren?' zeg ik. Hij werpt me een valse blik toe, pakt het boek en slaat het demonstratief dicht. 'Luister mam, dit is een boek van schóól. En op schóól heb jij lekker niks te zeggen.' Hij pakt z'n tas onder z'n arm en verdwijnt.

Bij de deur draait hij zich even om. 'Jullie moesten vroeger zeker álles leren wat in een boek stond, hè?' informeert hij verdacht vriendelijk. 'Alles!' beaam ik. 'En jullie kaftpapier was saai, en de examens waren moeilijker...' Ik kijk naar hem en wacht zwijgend op de climax. 'Maar jij had zó een baan toen je van school af kwam. Eén sollicitatiebrief, weet je nog, mam? Je kon zó beginnen!'

Hij kijkt me triomfantelijk aan. In de rangorde van zielig, zieliger, zieligst heeft hij duidelijk de overhand. Maar ik kan het niet laten. 'Die baan had ik omdat er in mijn boek niks was doorgestreept,' zeg ik. Hij schiet in de lach en zegt: 'Nou, in elk geval ben ik blij dat ik niet alles hoef van die hoofdstukken, want ik snap er toch al niks van.' En fluitend verdwijnt hij naar boven.

Troep op de trap... Daar hoor je toch overheen te stappen?

Achttien jaar getrouwd. Voor het gemak zeg ik de laatste tijd maar 'bijna twintig', en nog steeds verkeert er altijd wel een gedeelte van het huis in een toestand die nog het meest aan die van een verhuizing doet denken. En dat terwijl Willem en ik zo innig het Nette en Opgeruimde beminnen. Maar daar schijnt het in ons huis niet van te mogen komen. De enige manier waarop wij erin slagen om ten minste een deel van het huis opgeruimd te houden, is door alles wat we om die reden uit dat deel moeten verwijderen, in een ander deel van het huis te deponeren. Met alle verschrikkelijke gevolgen van dien. De normale weg die wij bewandelen, wanneer we eigenlijk niets meer om ons heen willen hebben maar ook niets kwijt willen, is die via de eerste verdieping naar de zolder. Dat is een weg die soms in tien minuten afgelegd wordt, als iemand in blinde drift voorwerpen de kamer uit begint te werpen. Meestal de rol van Willem als hij niet z'n Kalme Zelf is. Maar die weg kan ook een tijdsbestek van twee weken in beslag nemen.

Het is wonderbaarlijk hoe lang iets op een trap kan liggen waar dagelijks misschien wel honderd keer langs wordt gelopen zonder dat iemand op het idee komt: laat ik dat eens meenemen naar boven. Bijvoorbeeld omdat Opgeruimd zo Netjes staat. Iedereen in dit huis kent de regel: wat op de trap ligt moet naar boven. Maar in de praktijk komt het erop neer dat wat op de trap ligt iets is waar je kennelijk geacht wordt overheen te stappen. En als ik één van mijn koppige eens-afwachten-hoelang-het-duurt-buien heb, ligt de groeiende stapel die bestemd is voor Boven er na twee weken nog. Langer hou ik het niet vol, zodat het moment aanbreekt dat ik met verbitterd zelfbeklag de bijna niet meer te tillen berg in mijn armen klem en ermee de trap op wankel. Daarbij komt er een aantal gedachten in mij op die het vuur van mijn woede nog meer aanwakkeren. Zoals: en ze zijn óók al te beroerd om een nieuwe rol wc-papier te pakken als ze de laatste gebruikt hebben. Of: alles wat ze uit hun handen laten vallen, laten ze liggen totdat iemand het opraapt. En wie is de ongelukkige die dat van het wc-papier op een ongelegen moment merkt? En die twintig keer per dag bukt om gevallen voorwerpen op te rapen? Precies, ik! En verongelijkt sjouw ik naar de keuken om eens een ferm stuk ontbijtkoek te nuttigen, want zoals iedereen weet: eters worden gemaakt en niet geboren.

Ondertussen is de rommel er door mijn ingrijpen niet minder op geworden, maar alleen verplaatst. Want nu ligt de berg op de zoldertrap. En daarna, als ik geteisterd door een woedeaanval de kinderen zo ver heb dat ze ermee aan de wandel gaan, op zolder. Voor altijd en altijd en altijd. Tot de dag dat Willem en ik in een vlaag van overmoed het grote karwei Zolder Opruimen beginnen, en de hele ellende nu van boven naar beneden getransporteerd wordt, verpakt in kartonnen dozen en vuilniszakken. En liefst op een moment dat de kinderen niet in de buurt zijn om erin te graaien en met van ontroering verstikte stem geliefde speeltjes te ontdekken, waar ze allang niet meer om gaven, maar die, door de vuilnisdood bedreigd, ineens het dierbaarste worden. O, rommel! O, huishouden! Waren we nog maar nomaden.

En opeens zijn er niet twee maar drie volwassenen

'Ha die pap,' zegt Peter. En na een korte aarzeling: '...ouwe jongen.' Hij zet er z'n diepe mannelijke stem bij op en slaat Willem ook nog eens joviaal op de schouder. Van ons allemaal moet hij er zelf misschien nog wel het meest aan wennen dat hij ineens zo'n grote zoon is geworden. Vijftien jaar. Bijna volwassen dus. Wat zeg ik? Gewoon volwassen. En dat zullen we weten ook. We zijn Gelijken geworden.

Drie volwassenen in een huis, met verder nog een kind, twee honden en een kat. Robbert kijkt het met lede ogen aan dat z'n broer aan de horizon van de volwassenheid verdwijnt. En soms heb ik het gevoel dat het allemaal wat te overweldigend is voor hem. Dat grote, luidruchtige. Die al even grote, maar gelukkig in dit huis wat minder luidruchtige vrienden. De grappen, de moppen, de stapels boterhammen die als sneeuw voor de zon verdwijnen en waar altijd net het beleg op zit dat Robbert zou hebben genomen als hij wat sneller was geweest. De verhalen over de repetities, het afkijken, het keten, de wedstrijden, de feesten. Het hele ik-tijdperk van een puber, breed uitgestald als een kermistent vol prijzen, en Peter erachter, aanprijzend, lachend, overrompelend in z'n enthousiasme. Meeslepend in z'n vrolijkheid.

Soms merken we ineens dat we alweer veel te lang met Peter bezig zijn geweest. Hij begon dat verhaal toen we aan tafel gingen en hij is er nog steeds mee bezig nu we al bijna klaar zijn met eten. Robbert lijkt dan wat kleiner te worden, wat smalletjes. Het verhaal dat hij wilde vertellen steekt wat schameltjes af bij dat van z'n broer. Ik wéét dat hij dat denkt. En toch laat hij zich graag overhalen.

'Nou... eh... we waren dus op het plein... eh... en...'

'O ja, mam,' roept Peter erdoorheen, 'dat was ik nog vergeten, we kregen dus die repetitie terug en toen zei...'

'Hou jij nou eens even je mond,' zegt Willem en Peter zwijgt gekwetst. Maar Robbert heeft ook niet meer zo'n zin in z'n verhaal. En pas uren later, als ik Robbert in bed stop, komt los wat er op dat plein gebeurde en hoe leuk dat was.

Soms doen ze me denken aan twee bomen die te dicht bij elkaar zijn geplant, m'n twee zonen. De ene zo snel groeiend en zo goed gedijend dat hij het licht voor de ander afschermt, zodat die wat achterblijft. En verbeeld ik het me of is het écht zo dat Robbert anders gaat praten dan vroeger? Sneller, over z'n woorden struikelend. Iemand die, áls hij de gelegenheid krijgt om wat te zeggen, zoveel mogelijk woorden in zo weinig mogelijk tijd wil proppen. Peter heeft er alle begrip voor als ik hem vertel dat het voor Robbert niet zó geweldig is dat hij altijd alle aandacht vraagt.

'Ja, ja, dat is niet zo best,' zegt hij joviaal. En als Robbert thuiskomt, toont hij z'n goede wil door hem op de schouder te kloppen en vriendelijk te zeggen: 'Zo mannetje, wat heb je allemaal meegemaakt vandaag?'

Robbert bedenkt zich geen moment en vliegt hem als een boskat naar z'n keel. Waar Peter op reageert met de hardhandige verongelijktheid van iemand die het allemaal toch zo goed meende.

Nee, het valt niet mee voor Robbert, dat uit de kluiten

gewassen geweld naast hem. 'Ik hoop dat ik nooit zo word als hij,' zegt hij somber. En aan z'n gezicht zie ik dat hij niet kan wachten tot het zover is.

Als het scheergeweld losbarst...

Als het even wil staan er 's ochtends twee met wit schuim bedekte gezichten naast elkaar voor de badkamerspiegel. Vader en zoon. Allebei met een fonkelend scheermes in de hand. Allebei de wang glad naar binnen gezogen zodat het mes haar en geen huid vangt. Dezelfde gebaren. Dezelfde ogen boven al dat schuim. Allebei een handdoek om de hals. En onverstaanbare uhh-mumm-opmerkingen uitwisselend. Ik kan er niet helemaal tegen. Het heeft iets overweldigends. Je begint met één man in het scheerschuim en ineens staat er een duplicaat naast. En hoe moet dat straks als Robbert óók zover is? Nóg een spiegel en een wasbak aanschaffen? Loten wie eerst mag? En hoe moet ik dát nou weer verwerken? Een beschuimde drieling. Allemaal groter dan ik. Alsof ik in de Alpen verdwaald ben. Eeuwige sneeuw die boven me uittorent. Ik vermijd de badkamer als het scheergeweld losbarst, maar dat is nou juist niet wat Peter bedoelt. Want die voelt zich heel wat. Zou zich waarschijnlijk het liefst midden op straat scheren en zal dat ook beslist bij de eerst voorkomende gelegenheid doen, bijvoorbeeld bij een bomalarm om zeven uur dertig in de morgen. Tot zo lang moet hij het doen met een zeer beperkt publiek, dat bovendien niet de belangstelling opbrengt die hij verlangt en verwacht. Want Robbert negeert hem jaloers en ik wacht met het betreden van de badkamer tot de wasbakken weer ontschuimd zijn.

Nadat hij dat een tijdje knorrig heeft aangekeken, verandert hij van tactiek. 'Even wat bijscheren, mam,' staat hij dan ineens naast me, met de schuimspuitbus in de aanslag. 'Dat ellendige scheren. Jullie boffen toch maar.' Het klassieke antwoord daarop, betreffende maandelijkse stonden en het onder smarten ter wereld brengen van een kind, verveelt ons allebei reeds lang, dus doe ik het zwijgen er maar toe. En hij scheert net iets te nonchalant een paar denkbeeldige haren weg, zodat ineens het rood opwelt tussen al het wit, zoals in het begin van het sprookje, als de Lieve Koningin zich in de vinger prikt en haar Koninklijke Bloed de sneeuw rood kleurt. Terwijl ik m'n onuitgeslapen gezicht zonder veel hoop bewerk met de hulpmiddelen der cosmetische techniek, kijk ik onopvallend naar m'n zoon. Die trouwhartige kinderogen boven al dat schuim. Dat malle lange uit z'n krachten gegroeide lijf. Dat stuk mens, geen kind meer en nog geen man. Zo trots op alles wat hem groot doet lijken. Zonder zelfs om te kijken neemt hij afscheid van het kind-zijn. Zoals iedereen dat doet. Zou hij ook, over twintig jaar, langs z'n oude school rijden en z'n auto parkeren om even heel stil te zitten kijken naar die slungel met die tas vol schoolboeken scheef onder z'n snelbinders, die nog net op tijd het schoolplein op stuift? Zou hij ook zichzelf zien, met een glimlach, maar ook een beetje treurig? Zo lang geleden. Zo voorgoed voorbij.

Hij ziet me kijken. 'Wat is er, mam, je kijkt zo raar?'

'Niks,' zegt mam luchtig. En schildert voorzichtig met rouge een opgewekt wangetje.

Voor het eerst alleen thuis

De eerste keer een paar dagen en nachten alleen thuis omdat de kinderen bij hun vader zijn. Het is iets dat ik bijna verwelkom. Laat nu alles maar gebeuren wat bij een scheiding hoort. Laat ik nu alles maar voelen wat er te voelen valt, dan zijn er wat dat betreft tenminste geen verrassingen meer te verwachten.

En zo zie ik mijn kinderen vertrekken. Dat wil zeggen, ik zie ze niet echt vertrekken. In de keuken nemen ze afscheid van me. Schuldbewust en verdrietig. Zich schamend voor het feit dat ze zich er zo op verheugen om weer even bij hun vader te zijn. Geslingerd tussen het verlangen naar hem en het gevoel dat ze mij daarmee verraden.

Oh, om daar geen gebruik van te maken!

Om die situatie niet tot op het merg uit te benen. Een tragische blik, een zucht, een opmerking die net even iets van hun gevoel voor hun vader aantast... het is zo makkelijk om te doen en zo verschrikkelijk moeilijk om te laten. Want ze is kwaad op hem.

Daar staat zijn auto voor de deur waarin hij op zijn kinderen zit te wachten. En hier zit ik, in de keuken, omdat ik de auto met hem erin niet wil zien. Net zomin als ik wil zien hoe de kinderen instappen en wegrijden. We hoorden bij elkaar, en nu ineens niet meer.

Roepend dat hij het allemaal niet wilde heeft hij het toch laten gebeuren, en mijn woede daarover is nog lang niet verdwenen.

Maar beter dan proberen hem via zijn kinderen te treffen is het om hem naar de achtergrond van mijn gevoel en mijn leven te laten verdwijnen.

Want door iemand die geen rol meer speelt in je leven kun je immers ook niet gekwetst worden.

Daarom meen ik het als ik de kinderen fijne dagen toewens.

Ik hoor de voordeur dichtgaan en daarna de autoportieren, en binnen een minuut is het zo stil alsof er nooit stemmen in huis zijn geweest.

Dus loop ik maar eens rond, alsof het de eerste keer is dat ik mijn huis zie. In elke kamer blijf ik even staan nadenken, en dan ben ik weer terug in de keuken.

Gekookt hoeft er niet te worden, dus dat scheelt tijd.

Tijd... waarvoor eigenlijk? Eigenlijk hoef ik niks.

Maar dat is nu precies de verradelijke gedachte waardoor ik mij te vaak en te lang heb laten verlammen. Er moet niet niets, er moet een boel!

En ik zet een pot thee en ga achter mijn bureau zitten.

Waar zouden ze nu ongeveer zijn...?

Ach, wat doet het ertoe. Er zijn mensen die altijd alleen wonen. Ik heb over een week de kinderen weer bij me. Hij niet. Van die bijna achttien jaar samen heeft hij niets anders dan zijn vrijheid, die hij, als ik zijn teksten mag geloven, nauwelijks met plezier benut.

En dan ben ik aan het werk, en het gevoel van alleenzijn verdwijnt.

Als ik weer op mijn horloge kijk is het drie uur later.

Geluk...?

Daar moeten we het maar even niet over hebben.

Maar ik kom er doorheen, en dat is voorlopig genoeg.

Berusting

Is het waar dat alles slijt met de tijd?

Wanhoop, verdriet, bitterheid, maar ook liefde...?

Of is het meer een gewenning die plaatsvindt, waardoor van elk gevoel de harde kanten worden afgeslepen?

Ik weet het niet, maar zeker is dat ik langzamerhand de vader van mijn kinderen met andere ogen ga bekijken.

Nog steeds weet ik wat ik aantrekkelijk aan hem vind, en waarom.

Maar tegelijkertijd merk ik dingen die mij nooit eerder zijn opgevallen. Is hij zo veranderd of heeft de verandering in mijzelf plaatsgevonden, zodat ik nu pas in staat ben om eigenschappen in hem op te merken die mij tot nu ontgaan zijn.

Z'n zwakheid, z'n besluiteloosheid, de manier waarop hij vlucht voor situaties die hij niet aankan.

En wat heeft hij de afgelopen maanden bij mij opgemerkt?

Ik kan alleen de dingen noemen waarin ik in mijzelf teleurgesteld werd. Het mij mee laten slepen door emoties, mijn onredelijkheid, het hem willen dwingen. En naast de teleurstelling om wat we blijken te zijn is er een toenemend gevoel van matheid. Een gevoel van 'het doet er niet meer toe, laat maar gaan, het geeft niet meer'.

Ik ben moe van het verdriet, moe van het verlangen naar hem, moe van het kijken in welke stemming hij nu weer is en hoe ik daarop zou moeten reageren.

De keren dat ik opgelucht ademhaal als hij wegrijdt nemen toe. Evenals de keren dat ik een benauwd gevoel krijg als ik hem zie.

En het lijkt alsof ook de kinderen met die vage onverschilligheid worden besmet.

Steeds minder vragen ze of hij gebeld heeft en wanneer hij weer komt.

Ze houden van hem en ik weet dat ze dat altijd zullen blijven doen. Maar er is iets afstandelijks gekomen in dat houden van. Iets wat te maken heeft met jezelf beschermen tegen te veel pijn en te veel teleurstellingen, zoals dat bij mijzelf ook is gebeurd.

Het verdriet dat nog altijd in mij knaagt is om het besef dat het niet zo had hoeven gaan. Het had anders gekund en gemoeten, maar om de een of andere reden hebben we elkaar niet op het juiste moment teruggevonden, en nu ziet het ernaar uit dat het voorgoed te laat is.

Voor het eerst sinds al die maanden zit ik weer hele dagen achter mijn bureau, in plaats van rond te lopen met een hol gevoel in mijn maag. Ik kijk niet meer op als er een auto in de laan stopt, en als ik geen zin heb neem ik de telefoon niet op, zonder daarbij het gevoel te hebben dat ik een belangrijk gesprek met hem misloop.

Vanuit het middelpunt van mijn leven is hij verschoven naar de buitenkant, het randgebied, de grens tussen nog net wel en net niet meer een rol spelen in mijn leven.

Ik wil weer meedoen aan het leven, nu het gevoel van benauwdheid is verdwenen.

En daarmee eindigt het verhaal van een man en een vrouw die ooit van elkaar hielden. Voor wie van romantiek houdt heeft het verhaal geen gelukkige afloop. Maar er zullen ook mensen zijn die het zo treurig nog niet vinden, misschien.

Rommel en dingen die nog gedaan moeten worden.

Er zijn van die momenten dat het me ineens opvalt. Met de ogen van een vreemde kijk ik naar mezelf, en wat zie ik dan? Een werkende vrouw die de pech heeft dat haar werkruimte zich in haar eigen huis bevindt. En die derhalve bij elke stap die ze buiten dat werkvertrek zet, geconfronteerd wordt met Rommel en Dingen die nog Gedaan moeten worden. Zó vanachter de schrijfmachine vandaan, en op weg naar beneden omdat de melkboer zojuist heeft gebeld, ziet ze schoenen liggen waar geen schoenen horen te liggen. Ziet ze stof op het gangtafeltje. Ziet ze door de halfopen douchedeur een onderbroek, een paar sokken en de *Hitkrant* liggen. Ziet ze het spijkerjasje nonchalant over de trapleuning gegooid. Ziet ze... Ze doet de voordeur open, geeft de melkboer het boekje met de bestelling en ziet alweer schoenen waar geen schoenen horen, een jas over de verwarming gegooid omdat de eigenaar te lui is om even een hangertje te pakken. Ziet ze dat de planten in het halletje hoognodig water moeten hebben. Ze sjouwt de boodschappen de keuken in en ziet op het aanrecht gebruikte glazen en borden die in de vaatwasser horen. Ziet dat de pindakaas zonder deksel in de zon staat uit te drogen. Ziet dat de planten op de vensterbank dringend water moeten hebben. Bedenkt zich dat het brood bijna op is. En het hondenvoer ook. Ze zet de boodschappen van de melkboer weg en vult het litermaatje met water. Dat wordt een tijdlang heen en weer lopen tussen keukenkraan en dorstige planten, want ook die in de huiskamer zijn er niet al te best aan toe. Als ze de planten in de huiskamer water geeft ziet ze de opengevouwen kranten op de vloer liggen. 'Dat is de oudste,' weet ze, want die kan alleen maar kranten lezen die voor hem op de grond liggen. En als hij ze uit heeft stapt hij er overheen en loopt de kamer uit. Ze zucht. Vouwt kranten op. Bergt schoenen weg. Hangt jasjes op. Stoft het tafeltje af en nog een andere tafel en dan ook maar een kastje, de vensterbank en nog een paar dingen. En als ze op haar polshorloge kijkt ziet ze dat het zo laat is dat ze zich moet haasten om brood te halen. En daarna moet er gekookt worden. En dan is het avond, en opnieuw heeft ze die dag niet gedaan wat ze eigenlijk had willen doen.

Gewoon een mep geven?

Er zijn mensen die zonder nadenken een klap geven op een beestje dat hun niet bevalt. Zo'n klein kruipend insectenbeestje. Of iets met vleugeltjes. Of iets met pootjes die vol haartjes zitten. Hoor nou toch eens hoe líéf het klinkt, als je van al die woorden verkleinwoordjes maakt. Terwijl dat KLAP daar staat als een grote logge moker.

Maar mensen die een dier een doodsdreun willen geven houden zich niet op met verkleinwoorden. 'Báh, wat een spin! Wat een engerd. Wim, doe iets...!' En Wim pakt de opgerolde krant en laat die met onverschillige reuzenkracht neerdalen op dat zielige kruipertje met haartjes. Vervolgens veegt hij het geplette schepseltje van de krant door middel van een vegende beweging langs de achterkant van de bank. 'Wim, de bank! Oh bah, nou durf ik er niet meer op te zitten.' Opnieuw een wezen minder in de wereld, en geen mens die er droevig van wordt.

Vaak heb ik ze benijd, de mensen die erin slagen om dat wat hun afkeer of angst inboezemt zo resoluut uit hun leven te verwijderen. Gewoon een mep geven zodra het 'hè bah, wat éng'-gevoel zich aandient, en het probleem is opgelost. Bij mij werkt dat heel anders. Heel vroeger was ik bang voor alles wat kroop en sloop. Maar gelukkig, in de loop der tijd leerde ik leven met de allerkleinsten onder ons. Zo'n bijna doorzichtig spinnetje bekijk ik met een glimlach. Alles wat zich buiten in de natuur bevindt laat ik hoe dan ook met rust. Want daar horen zíj, terwijl ik er een nauwelijks welkome gast ben.

Maar spinnen zo groot als een kurk, die wekken oergevoelens van angst in mij op. Daar sta ik, midden in m'n slaapkamer, en zie hoe het beest zich langzaam over het plafond boven de gordijnen voortbeweegt. Wat nu? De enige wapens die ik in deze omstandigheden heb zijn een omgekeerd glas en een briefkaart. Spin vangen, er helemaal mee naar het einde van de laan lopen, hem vrijlaten en hopen dat hij niet eerder thuis zal zijn dan ik. Maar de plek waarop het beest zich bevindt maakt een actie met glas-en-kaart onmogelijk. De stofzuiger zou erbij kunnen, maar de gedachte dat ik een spin opzuig, en dan ook nog zo'n grote, maakt me licht misselijk. En ik heb zo'n slaap. Ik wil gewoon naar bed. Maar ik weet dat het onmogelijk is. Smekend kijk ik richting spin. Maak een draad! Laat je zakken. Ik zal het glas onder je houden. Je voelt er niks van en voordat je het weet zit je op een struik waar morgen honderdduizend vliegjes in je web dansen.

De spin zet onverstoorbaar zijn gang voort. Zie je wel, altijd wel gedacht. Geen onredelijker wezen dan een spin. Zuchtend haal ik m'n dekbed en m'n hoofdkussen van het bed. Dat wordt weer een nachtje doorbrengen op die ellendige bank beneden. En de eerstkomende weken de gordijnen nauwelijks durven te bewegen.

En dáárvoor heb ik dus 'n doodschrik opgelopen...

Zie hem nou eens staan, mijn zoon. De oudste. Vijftien en een half, baard in de keel en erop als hij niet regelmatig het scheermes ter hand zou nemen. Zo-even heeft hij me duchtig gestoord terwijl ik met mijn rug naar het raam achter m'n schrijfmachine zat. Hij klopte hard op het glas, zodat de honden losbarstten in hysterisch gegil en over de banken naar de vensterbank vlogen, terwijl ik met hartkloppingen van schrik in één beweging m'n beker thee over de grond veegde.

Ook al zag hij wat hij allemaal aanrichtte, het deerde hem kennelijk niet. Overrompelende grijns. Linkerhand omhoog in een vreemd saluut. Voetbal onder de rechterarm geklemd.

'Wat móét je?' roep ik, onvriendelijk en vast van plan niet voor z'n charme te zwichten.

'Ik wil je iets laten zien,' roept hij opgewekt.

'Ik wil niks zien,' roep ik kwaaiig terug.

'Kijk eens, mam...' Want wat hij niet wil horen, hoort hij niet. Een gave die hém goeddoet, en mij bij tijd en wijle sloopt.

Ongehinderd door m'n boze blikken heft hij de voetbal in allebei z'n handen omhoog. Bukt zich voorover. Brengt de bal over z'n hoofd heen naar z'n nek.

Ik kan m'n ogen niet geloven. Een kleine-kinderentrucje. Gewoon een stom kleine-kinderen-trucje gaat hij nou staan uitvoeren. Vanonder z'n oksel zie ik ineens weer z'n brede grijns tevoorschijn komen, maar dan kijkt hij weer voor zich, kennelijk geconcentreerd. Ik kan vermoeden wat zich nu moet gaan afspelen. Hij zal de bal loslaten, en die moet dan keurig langs z'n ruggegraat naar beneden rollen. Voilà. Applaus. En daarvoor heb ik dus een doodschrik opgelopen en moet ik straks thee opdweilen.

Met verbijstering zie ik hoe hij de bal loslaat, die braaf begint te doen wat er van hem verwacht wordt. Tot halverwege de rug, want dan neemt hij kennelijk een kloek besluit, waarna hij met een keurig boogje onderlangs het rechterschouderblad gaat, nog even de gebogen rechterarm raakt en dan met een dom stuiten op het gras terechtkomt. Peter staat even bewegingloos. Tussen het rode jack en z'n blauwe trainingsbroek is een stukje, nog bruine, huid te zien. Nu bukt hij zich om de bal op te rapen. Z'n glimlach naar mij is nog steeds stralend. 'Mislukt, ma,' roept hij opgewekt, en bukt zich weer.

Onwillig blijf ik staan. Beelden uit een ver verleden. Klein jongetje met rood jasje roept: 'Kijkt eens mam,' en springt van stoeltje. Bons. Val. Tand door lip.

'Kijk eens, mam.' Jongetje in blauw truitje probeert over drempel te huppelen. Struikelt. Valt. Huilt.

'Kijk eens, mam...' De bal is weer in de nek, wordt losgelaten en kiest koppig dezelfde weg als eerst. 'Weer mislukt,' klinkt Peters blijde stem. Ik word wantrouwend. Zou het mogelijk zijn dat...? Hij ziet kennelijk iets aan m'n gezicht, bukt zich en voert het trucje nu snel en foutloos uit. Mal stom joch. Ik merk dat ik lach. Hij zwaait en verdwijnt.

'Waarom móést dat nou ineens, die truc?' vraag ik 's avonds. 'O,' zegt hij luchtig, 'je was almaar zo hard aan het werk. Ik dacht: laat d'r maar eventjes lachen.'

Peter vindt zichzelf een Echte Man, maar dan wat jonger

Peter weet wat een Echte Man is. Precies zoals hijzelf, maar dan wat ouder. Punt. Ik kijk in z'n opgewekte jongensgezicht, en benijd hem om de simpele manier waarop hij het leven in z'n eigen voordeel weet te regelen. Een Echte Man... Ik ben al ver in de veertig, en nog steeds weet ik niet wat ik me daarbij moet voorstellen. Stevig vanbuiten? Stevig vanbinnen? James Bond? Maar die heeft er zoveel wapens bij nodig dat het ook weer verdacht is. Woody Allen dan? De antiheld die er zo van doordrongen is dat hij geen Echte Man is, dat hij het daardoor misschien juist weer wél is. En trouwens, is een Echte Man behaard over het gehele lijf? 'Ja,' knikt Peter hevig, en trekt nadrukkelijk z'n rechter spijkerbroekspijp een eindje omhoog. Al bij voorbaat grijnzend om het gezicht vol walging waarmee ik me van hem af zal wenden. En heeft die Echte Man dan soms ook een boel spieren? 'O, zeker!' weet Peter te vertellen, en stroopt er z'n mouw voor op om het te demonstreren. En hoe stelt hij zich het leven van Echte Mannen dan wel voor? wil ik van hem weten. Hij pakt z'n *Bosatlas* van tafel en zegt nonchalant: 'Drank en vrouwen.' Tjonge, dat is nog eens andere koek dan Cola en nuffige schoolvriendinnetjes die tot het laatste moment onzekerheid laten bestaan over het feit of ze al dan niet het schoolfeest zullen bezoeken. Hij gaat in elk geval een leuk leven tegemoet, als Echte Man, zeg ik bemoedigend. En daar is hij het volkomen mee eens. Hij sjort z'n schooltas onder z'n arm, en smijt de deur achter zich dicht, voordat ik kan vragen of hij de deur niet achter zich dicht wil smijten. Ik zucht. Een Echte Man. Heb ik er ooit één ontmoet? Ik denk na, maar kom niet verder dan de herinnering aan voorvallen waarbij ik dacht: écht iets voor een man! En dat is toch niet helemaal wat ik bedoel.

Ik haal een zak aardappelen uit de kelderkast, en kijk met weerzin naar de enge bleke uitlopers die er aan alle kanten als tentakels op zitten. M'n hersenen geef ik ondertussen door dat ik niet meer in het onderwerp Echte Man geïnteresseerd ben, en dus ook geen verdere informatie nodig heb. 'Tarzan,' krijg ik per omgaande pesterig toegezonden. Ik haal een dunschiller uit de keukenla, en negeer de boodschap. 'Jean-Paul Belmondo,' houden m'n hersenen dreinerig vol. Ik pak een vergiet en de plastic aardappelschilbak, en denk na over Belmondo. Altijd een leuke man gevonden om naar te kijken. Maar wat ik leuk aan hem vind, is nou juist de manier waarop hij een beetje de spot drijft met Echte Mannen. 'Alain Delon,' smeken m'n hersenen, die gemakzuchtig in de Franse hoek blijven zitten. Ja, kóm nou, Delon, daar vind ik niks meer aan sinds hij z'n eigen parfums op posters staat aan te prijzen, met dat verwaande Franse hoofd van hem. Alhoewel, hij hééft wel iets. En als het nou eens heel hard zou regenen, en ik de krant al uit zou hebben...? Nee, besluit ik ferm, zelfs dan niet Delon. Ik vul een pan met water, en zet de aardappels op. Terwijl ik me gekoesterd voel door de heerlijke, rustgevende gedachte dat Echte Mannen niet Echt bestaan.

‘Oké, ik zal er wel weer idioot uitzien vandaag’

Wat heerlijk moet het zijn om een grote broer te hebben als Peter. Niet alleen heel groot en sterk, maar ook nog lief en behulpzaam. En veel minder uitgekookt dan Robbert, die dan ook regelmatig schaamteloos misbruik maakt van de beschermende gevoelens die Peter voor hem heeft. ‘Robbert, je hebt m’n trui aan!’ roept Peter beschuldigend als Robbert aan het ontbijt verschijnt. Die kijkt alsof hij voor het eerst van z’n leven over het verschijnsel ‘trui’ hoort spreken. ‘Ja, TRUI!’ zegt Peter dreigend. ‘O, trui...!’ herhaalt Robbert, met het opgeluchte van iemand die eindelijk begrijpt waar het gesprek over gaat. ‘Ik wil dat je hem uitdoet,’ zegt Peter. ‘Maar ik heb hem net aan!’ zegt Robbert terwijl hij gaat zitten en een boterham pakt. Ik zie in de ogen van Peter machteloze onzekerheid verschijnen. Want hij weet: wát er ook gebeurt, het gaat lang duren, en tijd is het meest knellende probleem op dit uur van de dag. ‘Mam,’ zegt hij daarom smekend. ‘Robbert, je pakt niet zomaar spullen van een ander zonder het eerst te vragen,’ zeg ik geroutineerd. Want dit hoort bij de standaardteksten die ik zo langzamerhand slapend kan uitspreken. ‘Ja, maar je moet zeggen dat hij hem uit moet doen,’ dringt Peter aan. ‘Ik zeg helemaal niet dat hij hem uit moet doen, hij dóét hem gewoon uit,’ zeg ik. Robbert kijkt me verwijtend aan.

‘Boek...’ prevelen zijn lippen. ‘Wát zeg je?’ ‘Boek! Peter heeft gisteren een boek uit m’n kamer gehaald. Zónder te vragen.’ ‘Ik heb het teruggelegd,’ roept Peter verontwaardigd. ''s Avonds pas,' zegt Robbert, en begint aan z'n tweede boterham. 'Oké, 's avonds pas, maar ik héb het teruggelegd.' 'Dat doe ik ook. Vanavond,' zegt Robbert. Bij zoveel geraffineerdheid vallen Peter en ik stil. We wisselen wanhopige blikken, terwijl Robbert z'n triomf verbergt door zich diep over z'n bord te buigen. Want hij voelt dondersgoed dat hij op het scherp van de snee aan het balanceren is. 'Boek was gisteren, trui is vandaag. Trui moet uit,' zeg ik. 'En jij haalt voortaan geen boeken meer uit z'n kamer zonder te vragen.' Peter mompelt wat, terwijl Robbert z'n stoel achteruit schuift. 'Oké, oké, ik trek die trui wel uit. Ik zal wel een trui aantrekken die helemaal niet bij deze broek staat. En een andere broek kan ik niet aantrekken, want die zit in de was. Ik zal er wel weer idioot uitzien vandaag. Omdat mijn moeder m'n broek in de was heeft gedaan, en omdat ik de trui van m'n broer niet aan mag.' Hij zucht, en sjouwt langzaam en met gebogen schouders naar de keukendeur. 'Is z'n broek echt in de was, mam?' vraagt Peter. Ik knik. Nu kijkt Peter bezorgd. 'Dan vind ik het wel zielig,' zegt hij. 'Robbert,' roept hij naar de verdwijnende rug, die onmiddellijk en vol hoopvolle verwachting tot stilstand komt. 'Voor vandáág mag je hem aan. Maar morgen niet. Mam, is z'n broek morgen droog?' 'Ja,' zeg ik. Robbert zit alweer. 'Dank je, Peter,' zegt hij met warmte in z'n stem. 'Jaja,' zegt Peter. 'En je mag best voortaan boeken uit m'n kamer halen. Boeken zijn er voor íédereen!' zegt Robbert edelmoedig. 'Fijn,' zegt Peter, 'maar truien niet. MIJN truien in elk geval niet.' En Robbert knikt braaf, met een slim dat-zullen-we-nog-weleens-zien-gezicht.

Twee miniheren had ik ineens, in plaats van twee jolig uitgedoste zonen

Op foto's van vroeger hebben mijn zonen golvend haar dat tot op de schouder reikt. Ik vond het overweldigend lief staan, maar als zij nu naar zichzelf als kind kijken, kunnen ze nauwelijks woorden vinden om hun intense afschuw uit te drukken. 'Màm... hoe kon je!' is nog het minste dat ik te horen krijg. 'En die oenige bretèls... nee, echt mam, je bent hartstikke lief maar smáák heb je niet.' Maar smaak had ik toevallig wél, in die tijd.

Werd ik niet regelmatig op straat staande gehouden door dames die mijn kinderen zo allersnoezigst vonden? Was het niet zo dat ze op hun kleuterschool totaal niet uit de toon vielen, maar opgingen in het geheel van eigentijdse kleuters? Een echt mini-jeanspak hadden ze, die zonen van mij, en ze waren erin om op te eten. Wat heb ik met plezier hun kleren bij elkaar gezocht. En wat vond ik het erg, toen ze de leeftijd kregen waarop ze een doorslaggevende stem kregen op het gebied van hun eigen kleding.

Terwijl de rekken in de winkels vol met vrolijke kleren hingen, wilden zij ineens alleen nog maar kleren waarbij ik van saaiheid in slaap viel. Donkerblauw, bordeauxrood en roestbruin, met van die nuffige 'op-de-schoolfoto-kraagjes' er bovenuit. De lange haren waren, wegens het voortschrijden van mode en trends, al verdwenen.

In plaats van mijn jolig uitgedoste zonen had ik ineens twee miniheren in huis, met een zeer uitgesproken mening over De Sok, De Blouse, De Trui en Het Jack. Om over Het Kapsel maar te zwijgen. Ochtenden waarop de haren na het slapen alle kanten op stonden, waren goed voor een drama.

Er kwamen ook ineens Wensen. Zo'n brandend verlangen naar een glanzende Herenloafer-met-kwastje. Het soort schoen waarbij ik me alleen maar een man kan voorstellen die mij niet bekoort. Waar waren de kinderen gebleven die een elpee, een cassetterecorder of een voetbal wensten? Niet meer in mijn huis in elk geval. Want nummer één op hun lijstje stond De Loafer, en nummer twee was De Gave Trui met het merkje dat 'in' was.

'Kun je nou echt niks anders verzinnen om te vragen?' vroeg ik dan, waarna ze met een lijstje kwamen dat uitgebreid was met: 'Een Donkerblauw Jasje' en 'Een Grijze Broek'. Morrend accepteerden ze dat ik dát voor twaalfjarigen te ver vond gaan. Nu, een paar jaar later, kopen diezelfde zonen tot mijn grote vreugde oudroze en zachtgroene truien, en over donkerblauwe jasjes praten ze niet meer.

Voorlopig.

‘Oké,’ zegt hij, ‘vier bier dan, en je bent een vreselijk mens’

En zo zijn we dan in het stadium van Onderhandelen gekomen. Peter aan de ene, en ik aan de andere kant. Onderhandelen over hoe laat thuis van het feestje, en over hoeveel glazen bier. Onderhandelen over hoe laat naar bed, en wat nog net een aanvaardbaar aantal onvoldoendes is en wat net niet meer? En hij is een geducht onderhandelaar, die Peter van ons. Charmant. Kwinkslag hier, kwinkslag daar. Altijd in voor een goeie grap ertussendoor. En ondertussen precies in de gaten houden hoe de stemming is, hoe z’n kansen liggen, en of hij uiteindelijk bereikt wat hij wil. Omdat hij een fuifnummer is komen de onderhandelingen veelvuldig voor. In de eerste plaats omdat er wat thuiskomen betreft verschillende tijden zijn voor een doordeweeks en een weekendfeest. En verder omdat hij bij elke volgende gebeurtenis probeert de toestand nog iets meer naar zijn hand te zetten. Weer eventjes tegen de grenzen aan te duwen. Optimistisch hopend op een overwinning als wij eindelijk, door grote vermoeidheid, geveld zullen zijn. De onderhandelingen over het thuiskomen verlopen nog het meest soepel van alles.

‘Hoe laat moet ik thuis zijn?’ informeert hij nonchalant. Hij kijkt niet naar me, want hij voelt instinctief dat het verlangen op zijn gezicht zijn kansen nadelig zou kunnen beïnvloeden. Dus kijk ik maar eens naar die over z’n boterham met kaas gebogen krullenbol en zeg: ‘Tot hoe laat duurt het?’ ‘O,’ zegt hij vaag, ‘tot een uur of één, twee, misschien wat later. Kan ik niet het best gewoon tot het einde blijven? Ik bedoel, dan gaan we allemaal tegelijk naar huis, en dat vind je zelf toch ook prettiger, mam, als ik met z'n allen fiets?'

'Tot hoe laat duurt het?' herhaal ik onbewogen.

Hij zucht. 'Twee uur. Mag zeker weer niet, hè?' Dat is een gemene ertussendoor. 'Mag zeker niet' betekent: want hier mag nooit iets, omdat ik van die ouderwetse ouders heb die niet weten dat tegenwoordig Iedereen tot het Einde mag Blijven! Maar omdat het een vrijdagavondfeest is, en omdat ik weet dat z'n vrienden óók mogen blijven, en omdat ik denk dat het best een leuk feest is, mag het wél. 'Hoi,' zegt hij opgelucht, en in één adem: 'Nou, dat is dan afgesproken.' En hij wil al opstaan.

'Drinken,' zeg ik, 'wat spreken we af over drinken?' Hij laat zich zuchtend weer op z'n stoel zakken. 'Jeetje, mám, hoe weet ik nou wat voor dorst ik vrijdag heb?' Ik heb het niet over fris, ik heb het over bier. 'Wat spreken we af?' 'Vijf?' zegt hij, 'zes?' 'Vergeet het maar,' zeg ik. 'Wat dan, hè?' roept hij hartstochtelijk, 'wat dan wél? Twéé soms?' 'Zoiets,' zeg ik. 'Vergéét het maar,' roept hij. 'Ik wil iets afspreken waar je je aan kan houden,' zeg ik. 'Dat kan niet met twee,' zegt hij beslist. 'Waarmee dan wel?' Hij aarzelt. 'Vier. Vijf?' 'Vier,' zeg ik. Hij zucht. 'Vier bier. Mam, dat feest begint al vróég. Vier bier...' 'Vijftien jaar,' zeg ik. 'Vijftien en een half,' zegt hij. We kijken elkaar aan met een soort wanhopige genegenheid. 'Oké,' zegt hij, 'vier bier, en je bent een vreselijk mens.' Hij geeft me een zoen en stapt fluitend met z'n schooltas onder z'n arm de deur uit.

Als die gedachte eenmaal in je is opgekomen, ziet de wereld er anders uit dan voorheen

Als ik langs een school rijd, met zo'n stoep vol kleine kinderen en wachtende moeders, neemt m'n auto al zonder dat ik er iets aan hoef te doen het tempo aan van een traag voortgeduwde kinderwagen. Niets ergers kan ik me voorstellen dan dat zo'n kindje ineens de stoep af rent en onafwendbaar onder m'n wielen terechtkomt. 'Dag mam...!' en de straat over zonder op of om te kijken. Heel vroeger had ik dat niet. Ik keek wel uit bij zo'n school, maar dat plaatsvervangende moedergevoel dat ik nu heb, was er toen niet. Daarvoor moet je zelf kleine kinderen gehad hebben. Hetzelfde gebeurt als ik langs scholen met grote kinderen moet. Met z'n drieën naast elkaar maken ze het je onmogelijk erlangs te komen. Ze praten met elkaar, dwars op hun zadel zittend, duwen elkaar en proberen schooltassen van elkaars bagagedrager te wippen. Straks zal er eentje vallen, en waar hij ook terecht zal komen, niet onder mijn auto. Tempo kinderwagen, en gewoon maar doen alsof ik die uitdagende ogen niet op me gericht zie.

Brommers... Wat vond ik het altijd een ondingen. Je denkt dat je alleen in die straat rijdt, en ineens zit er zo'n mal maanmannetje naast je, voorovergebogen over z'n stuur. Of juist heel onverschillig, met opgetrokken knieën: ik voel me thuis op m'n brommer alsof ik in een leunstoel zit. Daar kon ik me wezenloos aan ergeren.

Totdat er eentje van mij op zo'n ding thuiskwam. Zoon met brommer, dat betekent in elk gehelmd brommerwezen dat ik tegenkom die van mij herkennen. Zou hij ook zulke idiote bochten maken? Zo roekeloos lang op de verkeerde weghelft blijven rijden? 'Welnee,' zegt die van mij, 'ik kijk wel uit.' Maar het moederhart blijft twijfelen. En in het verkeer beschouwt datzelfde moederhart elk brommend kind als familie. Doe maar stoer, jij met je grote helm en je rugzak met schoolboeken, ik rem toch wel voor je.

Vreemd, dat je kijk op mensen zo verandert als je zélf een paar mensen hebt voortgebracht. Wat 'gewoon' was is ineens zo kostbaar. Volwassenen zijn niet zomaar volwassenen, maar ook ouders van kinderen. Kinderen zijn niet alleen lastpakken, maar ook de kinderen van hun ouders. Aan elk mens dat je tegenkomt zitten onzichtbare lijntjes naar dierbaren. En wie één mens pijn doet, bezorgt in één moeite door verdriet aan veel meer mensen.

Als die gedachte eenmaal in je is opgekomen, ziet de wereld er ineens een beetje anders uit. Of ben ik het zélf, die veranderd is? Niet meer alleen maar die mopperpot achter het stuur, die soms het liefst het raampje open zou draaien om absoluut ontoelaatbare gebaren naar de fouten makende medemens te maken, maar iemand met iets meer mildheid dan voorheen.

En opeens vind ik hem niet zielig meer

Een jeugdherberg is niet bepaald de Grote Boze Wereld. En toch zie ik hem met een zekere ongerustheid vertrekken. Peter, die z'n lange been over een zwaar beladen bagagedrager zwaait, klaar voor vertrek. Negentig kilometer fietsen door vochtig weer naar een jeugdherberg aan de kust. Die negentig kilometers zitten hem hoog. Luid en vol zelfbeklag heeft hij keer op keer herhaald dat het onzin is om een werkweek te beginnen met eén dergelijke krachttoer. 'Want we komen stúk aan, mam. Kapót. Misschien kunnen we wel dagenlang niet zitten. Vind jij het nou niet vreselijk?' Ja, dat vind ik in eerste instantie zelf ook wel. Niet voor niets is Peters generatie behoorlijk verwend geraakt: daar is mijn generatie geheel en al verantwoordelijk voor. Dus klaag ik dapper mee. Pas als een vriendin nuchter heeft gezegd: 'Mens, werd jíj dan vroeger overal naartoe gebracht?' kom ik tot mezelf. Want ik werd niet overal naartoe gebracht, om de doodeenvoudige reden dat er nimmer een auto voor mijn ouderlijk huis geparkeerd kwam te staan. Mijn ouders fietsten zich een weg door het leven, en wij fietsten mee. Op een fiets die van heel wat simpeler kwaliteit was dan de van versnellingen en terugtrapremmen voorziene luxe-uitvoering van mijn zonen. Peter is verbijsterd als hij kennisneemt van mijn herziene standpunt.

'Wat bedoel je met niet ver?' wil hij weten. 'Nou gewoon,' zeg ik vaag. 'Negentig kilometer is niet naast de deur – maar het is ook het einde van de wereld niet.' Hij valt stil, en zegt dan: 'Nou ja, we kómen er ook wel!' En ondertussen volg ik braaf zijn instructies op. 'Mam, ik wil echt die spijkerbroek mee. Krijg je die nog wel droog voor morgen? En die trui, mam, die moet ook mee, hoor.' En ik knik en was en droog en zie de stapel kleding die mee moet groeien. Achter op de fiets. Want ook al heeft hij zich verzoend met de gedachte dat hij een eind moet fietsen, geestelijk heeft hij zich nog niet ingesteld op het verschil in bagageruimte tussen pakweg een auto en een fiets. Of een trein en een fiets. 'Denk je echt dat je dat allemaal meekrijgt?' informeer ik voorzichtig. En dan begint de jacht op de fietstassen. Ooit door mij aangeschaft toen ik van plan was mij werkelijk op de fiets naar de markt te begeven. Een voornemen dat min of meer bleef steken bij het kopen van twee fietstassen, die uitgevoerd waren in een liederlijk soort grijs en een nachtmerrieachtige ruit die vrolijk bedoeld was. De ene vindt hij uiteindelijk in de kelder en de andere op de vliering. Voor beide plekken kan ik hem geen verklaring geven, en dat neemt hij hoog op. 'Ik word zo móé, mam, van dat gezoek altijd hier,' zegt hij. 'Waarom liggen fietstassen in de kelder en op zolder? Waarom niet waar ze hóren: bij de fietsen?'

Het is een tekst die ik zelf had kunnen zeggen. Sterker nog, die ik dagelijks in aangepaste vorm hanteer, en het doet me genoegen dat hij de kern ervan onthouden heeft. En dan is het zover dat hij z'n lange been over de bagagedrager zwaait. En uit z'n broek barst. En onder gejoel van z'n vrienden naar binnen rent om een andere aan te trekken. En wéér de beenzwaai maakt. En dan ook écht wegrijdt. Hij zwaait. Hij roept. Hij hanteert z'n fietsbel. En dan is het stil. Heel erg stil, zonder dat lange eind zoon van me.

'Maar jij wilt toch best een sigaretje van mij, mam?'

Vlak voor de grote vakantie heeft Peter me meegedeeld dat hij Rookt. Hij is er plechtig voor op de bank gaan zitten, met z'n handen op z'n knieën, zoals je dat nog weleens ziet op oude familieportretten. 'Mam, ik moet je iets vertellen...' zijn de traditionele openingswoorden waarbij elke ouder beelden voor het geestesoog ziet flitsen die altijd in de orde liggen van: aan de drugs, van school gestuurd, gepakt bij diefstal of zwanger. Een beperkt rijtje waaraan in de loop der generaties merkwaardig weinig is veranderd. En geen mens die na zo'n inleiding verheugd zal denken: ha fijn, hij heeft een prachtig cijfer gehaald. Bezwaard ga ik tegenover hem zitten. Hij haalt diep adem en zegt dan snel: 'Ik heb gerookt.' 'O,' zeg ik. Waar blijft de flitsende, pedagogisch verantwoorde tekst waar dit moment om vraagt? Er is niets belangrijks dat me te binnen wil schieten. Dus zeg ik, een beetje treurig: 'O jee.' 'Ja,' zegt hij, 'op schoolfeestjes. En ook weleens bij iemand thuis. En een keer boven, op m'n kamer, maar toen heb ik het raam wijd opengezet. En nu krijg ik dus niet Het Cadeau als ik achttien ben, hè mam?' 'Nee, natuurlijk niet,' zeg ik afwezig. 'Jammer. Weet je, mam, een boel kinderen roken stiekem, en dan krijgen ze dus tóch Het Cadeau.'

Hij kijkt me aan met de ogen van een hond die een halve taart heeft opgegeten, maar vindt dat je blij moet zijn omdat hij de rest heeft laten staan.

'Moet ik soms blij zijn dat je het niet stiekem doet?' zeg ik met een beginnende boosheid. Hij voelt de stemming haarscherp aan. 'Túúrlijk niet, mam. Maar nou je het toch weet, kan ik net zo goed beneden roken, vind je ook niet?' Ik zwijg. 'Of eh, een sigaartje op zondag, dat is toch hartstikke gezellig? Of anders alleen op feestjes. Hoe vind je dat, mam, als ik alleen op feestjes rook?' Hij bekijkt me onzeker. Weet hij veel dat ik niet praat omdat ik een brok in m'n keel heb. Zo'n eind jongen, dat aandoenlijk bezig is om voor elkaar te krijgen wat hij zélf graag wil zonder dat hij me daarbij kwetst. 'Peter, ik weet het niet,' zeg ik, 'ik wéét het gewoon niet. Ik vind het jammer dat je rookt. Maar wat moet ik verder? Slaan? Opsluiten? Straf geven? Ik weet alleen dat ik het een rotgezicht vind om jou te zien roken, dus doe het in elk geval niet waar ik bij ben. En denk niet dat je ooit een sigaret van míj krijgt!' Nou, dat begrijpt hij. Welwillend kijkt hij me aan. 'Maar jij wilt toch best een sigaretje van mij, mam?' Ik zucht. Ik lach. We bekijken elkaar liefdevol over de tafel heen. Wat moet je nou met grote zonen die steeds maar dingen willen waarvan moeders hopen dat hun zonen ze nooit zullen willen? Een halfjaar geleden waren het biertjes. Strijd om de hoeveelheid biertjes die per avond genuttigd mochten worden.

Toen hij voor elkaar had wat hij wilde, dronk hij alleen nog maar cola. Wat gaat hij doen nu de Kwestie Sigaret aan de orde is geweest? Droplolly's kopen? Maar nee, zo simpel liggen de zaken nou ook weer niet. Hij verdwijnt op de fiets. Komt terug met een schuldbewust maar ook verheugd gezicht. 'Niet naar buiten kijken, mam,' zegt hij. En even later zie ik hem achter de maaimachine lopen. Met in z'n mondhoek een nonchalant bungelend sigaartje.

Sporten, ik kán het gewoon niet!

Niets is er dat mijn zonen zo vervult met zo'n innig medelijden als mijn manier van iets vangen. Of liever: van mijn manier van iets niet vangen. 'Mam, VANG!' en daar sta ik weer, de in elkaar geslagen handen met niks ertussen aan de borst geklemd, terwijl de tennisbal vrolijk stuiterend in een hoek van de gang verdwijnt. Dikke pret bij de heren. 'Zag je dat Robbert. Die hánden!' 'Ja, en ze maakte ook nog een sprongetje. Zo'n stom sprongetje. Terwijl het niet eens een hoge bal was!' Ze rollen over de grond van het lachen. En overeind komen doen ze alleen maar om het schouwspel nóg eens te kunnen aanschouwen. 'Mam, VANG!' En deze keer, getergd door hun vrolijke minachting, slaag ik erin de bal even in m'n handpalm te krijgen. Maar als mijn hand zich wil sluiten is de bal alweer een eind verderop. En terwijl ik moet lachen om hun uitbundige plezier, zit het me toch niet lekker. Waarom kan iemand niet vangen?

Ik heb het nooit gekund. Ook niet die enge grote ballen waar in de gymnastiekzaal trefbal mee werd gespeeld. Drie keer raden wie áltijd getroffen werd, en nóóit iets ving. In de gang in mijn eigen huis bereik ik nog een zekere populariteit met die klunzigheid. Maar in die walgelijke martelruimte, waar stemmen tien keer tussen de muren met wandrekken heen en weer galmden voordat ze verzonken in de dikke kokosmat die bij de bok lag, betekende niet kunnen vangen automatisch: niet gekozen worden. Daar stonden ze weer, de eeuwige aanvoerders, midden in de zaal. En wij, volk, op elkaar gedrukt en krimpend onder hun keurende blikken. O, als ik toch ooit eens als eerste gekozen was. Of in elk geval als één van de eerste zeven. Maar nee. Ik bleef altijd over. Nooit helemáál de laatste, want dat was een meisje dat haar bril af moest met gym, en dan zo weinig zag dat ze meestal met haar rug naar het spel stond. Eeuwige één-na-de-laatste was ik. Waar niet eens kiezend naar gewezen hoefde te worden, omdat er geen andere keuze en geen andere mogelijkheden meer waren. En daar stond ik weer.

'Loop ons dan ten minste niet in de weg.' Nou, dat probeerde ik oprecht. Mijn totale energie stopte ik in het vermijden van elk balcontact, maar evengoed werd ik altijd geraakt. Niet snel genoeg uit de voeten. Niet handig genoeg. De gebit ontregelende dreun waarmee zo'n treffer je lijf raakte, ik kan het nóg voelen. En het buiten proporties geschokt zijn. Want een vechtkind was ik nooit geweest, en dit geraakt worden lag voor mij in de sfeer van agressie. Gymnastiekzalen, ik heb er een intense afkeer aan overgehouden. Bij rondleidingen door scholen voor m'n kinderen kwam de walging weer hevig naar boven als zo'n deur voor mijn neus open werd gezwaaid, en de damp van te weinig ventilatie voor te veel transpiratie in m'n gezicht dreef.

Zonder moeite kan ik me voor de geest halen hoe het voelde, de altijd wat plakkerige, kille vloer onder m'n blote voeten, als m'n gympen weer eens zoek waren, of kapot of te klein. Later heb ik nog eens meegedaan aan zwangerschapsgymnastiek. Ook in zo'n soort zaal, met diezelfde geur. Onder het motto 'liever pijn dan hier zijn,' hield ik het na zeer korte tijd voor gezien. En met dat ballen is het hoe dan ook nooit meer goed gekomen. Tot innige vreugde van mijn zonen, dát wel!

Tot mijn verbijstering zie ik dat hij in het hoeslaken kruipt

Maandagmorgen. Nog slaperig van het doorstane weekend kijk ik somber naar de grote lap tweepersoonstextiel met ruimte erin die in de wandelgangen 'hoeslaken' genoemd wordt. Voorzien van kantjes en frutsels, en hopeloos leeg. Over de stoel hangt de grote lap tweepersoonstextiel gevuld met dons, die in de wandelgangen 'dekbed' wordt genoemd. Ik weet wat er op dit moment van me verwacht wordt, en dat is het sluiten van een gelukkig huwelijk tussen dekbed en hoeslaken. Ik zucht en sleep het dekbed naar het uitgespreide hoeslaken. Slaag er met veel gewurm in om de linkerpunt van het dekbed in de linkerpunt van het hoeslaken te krijgen. Nu de rechterpunt van het dekbed in de rechterpunt van het hoeslaken. Ook dat lukt.

Het echt erge werk moet nog beginnen. Ik doe m'n schoenen uit, ga op het bed staan en pak de twee met dekbed gevulde punten van het hoeslaken. Tussen die twee punten in zakt het dekbed droevig door, zoals de maandagse was aan een te slap gespannen lijn. Maar ik weet wat me te doen staat, en sla het dekbed dubbel, zodat ik in de ene hand de linker- én de rechterpunt heb, en in de rechterhand iets dat waarschijnlijk het midden van het dekbed is. De kunst is nu om zo te schudden dat het laken langs het dekbed naar beneden glijdt. Ik schud, maar er gebeurt niets. Ik schud harder.

De punten schieten los uit m'n hand. Ik klim van het bed af en merk dat het dekbed nu niet meer goed in de hoes zit. Ik graaf met allebei m'n handen in meters katoen, kantjes en frutsels. Het zweet begint me uit te breken. Zo moet een gladiator zich gevoeld hebben toen hij het gevecht met de hongerige leeuw aanging. Alhoewel mijn tegenstander er onschuldig genoeg uitziet.

Terwijl ik met een kwade rode kop bezig ben, komt Robbert binnen. Natuurlijk zegt hij: 'Wat doe je?' want om de een of andere reden vragen mensen altijd naar iets wat ze met hun eigen ogen kunnen zien. Ik werp hem dan ook een vernietigende blik toe en hij zegt vol begrip: 'Oh, gáát het niet? Laat mij maar even.'

Uitgeput en dankbaar leun ik tegen de kast, terwijl hij z'n schoenen uitdoet en tot mijn verbijstering in het hoeslaken kruipt. Vanaf dat moment ontrolt zich voor mijn ogen het ongelofelijke schouwspel van een groot, bewegend Ding met kantjes en frutsels. Het is geen gezicht, vooral niet omdat het Ding ook nog van alles en nog wat mompelt. Maar langzamerhand begint het hoeslaken vorm te krijgen en eruit te zien als iets dat een normaal mens wel op z'n bed wil hebben.

Aan de onderkant van het laken verschijnen een paar sportsokken, twee stevige bruine benen, en een half omhoog geschoven spijkerbroek. En uiteindelijk komt Robbert tevoorschijn, net zo verhit als ik vijf minuten eerder. Maar triomfantelijk. En op m'n bed ligt iets waarmee ik in elk geval de komende week geen problemen meer heb.

Wat ben ik lang niet meer in de speelgoedwinkel geweest

Voor een veel jonger kind moet Robbert een cadeautje kopen en daar loopt hij dan door de speelgoedwinkel, met iets in z'n ogen dat oudere mensen 'jeugdsentiment' noemen. Staat peinzend stil bij de dinky toys, en laat z'n vingers liefkozend over de felgekleurde autootjes glijden.

Inmiddels begint de nostalgie ook greep op mij te krijgen. Wat ben ik lang niet meer in deze winkel geweest. En wat kwam ik hier váák toen de kinderen nog klein waren. Verjaardagen, sinterklaas, zielige kinderziekten of zomaar om een al te regenachtige periode wat op te peppen – allemaal aanleidingen om hier in dit kinderparadijs rond te lopen. Vaak met een vaag gevoel van spijt, omdat ik alleen maar iets met de jongenshoek te maken had, en nooit met de slaappoppen, die weelderige, glanzende haren hadden, en over een huishouden beschikten met fornuizen, koelkasten en beautysets.

Ondertussen heeft Robbert iets gevonden dat hem wel iets lijkt als cadeautje. Een vreemd gekleurd monster met twee hoofden, dat er buitengewoon vechtlustig en onverslaanbaar uitziet. Uit ervaring weet ik dat kleine jongetjes uitstekend de nacht doorkomen met zoiets engs naast zich op het hoofdkussen. Gewoon te nuchter om erover te fantaseren dat zo'n monster wel eens heel Groot en Bedreigend zou kunnen worden als de nacht is aangebroken.

'Weet je het zeker?' vraag ik aan Robbert. Zelf zou ik altijd een autootje geven, gewoon om het genoegen te smaken weer eens een jongetje languit op de vloer te zien liggen, oog in oog met z'n nieuwe auto, die hij met z'n hand heen en weer beweegt terwijl z'n mond dromerig 'brrrrm vrrrmmm' zegt. Maar om zoiets leuk te vinden, moet je ouder en Ouder zijn. Robbert rekent het monster af en kijkt nog heel even rond. Het is bijna een blik van afscheid, en als hij de winkel uit loopt hoor ik hem diep zuchten.

En dan zie ik zijn brede ha-ze-is-er-ingelopen-grijns...

Niemand is er zo handig in om een slecht bericht te brengen alsof het een enorme meevaller is als Peter. 'Goh, mam, ik dacht dat ik een twee zou krijgen voor Engels, en het was een vier. Wat een bof, hè?' Als ik er eventjes niet helemaal bij ben met m'n gedachten, is de kans groot dat ik er in trap. De geroutineerde moeder in mij is in staat om een vriendelijk antwoord te geven, terwijl de gedachten ver weg met andere zaken bezig zijn. In mijn hersenen wordt dan de klank van een opgewekte stem geregistreerd en de vragende vorm, waarop eigenlijk alleen maar een even opgewekt 'ja' als antwoord van toepassing zou kunnen zijn. 'Het was een vier, wat een bof hè?' 'Ja nóú,' zeg ik van harte, terwijl ik denk: als ik nou Amsterdam heen en weer haal met deze benzine, hoef ik vandaag niet te tanken en dus niet naar de bank en dat scheelt weer een halfuur zodat ik tijd heb om even...

En dan zie ik Peters brede grijns. Zijn brede ha-ha-ze-is-er-ingelopen-grijns. En razendsnel draait het cassettebandje in m'n hoofd terug. 'Ik dacht dat ik een twee zou krijgen en het was een vier.' 'Een víér...' zeg ik, 'een vier, wat is dat voor flauwekul? Waarom moet ik daar blij mee zijn?' 'Nou, gewoon, omdat het twee punten meer is dan ik dacht. Dat is dus winst.' Z'n grijns is al heel wat minder nonchalant.

'Maar ik haal het wel weer op, hoor mam,' zegt hij, en kijkt me zo betrouwbaar mogelijk aan. Ik probeer erop te rekenen, maar het lukt niet helemaal. Hoe terecht dat is, merk ik een maand later. 'Zeg mam, dat tussenrapport van me, dat gaat toch wel meevallen!' 'O, dat is fijn,' zeg ik, door ondervinding toch een beetje op mijn hoede. 'Ja, ik dacht dat het allemaal o'tjes zouden worden. Maar het worden waarschijnlijk alleen maar t'tjes – van twijfelachtig. Dus dat is weer een meevaller.'

'Weet je,' zeg ik zo terloops mogelijk, 'eigenlijk had ik gerekend op allemaal v'tjes. Dus dat is weer een tegenvaller.' Hij bekijkt me gekwetst. 'Dacht je soms dat een vierde klas meevalt? Nou, een vierde klas valt toevallig helemaal niet mee. Nee, ik hoef geen thee. Ik ga wel leren.' Hij loopt waardig naar de deur, en ziet kans om zonder z'n pas te vertragen de sportpagina uit de kranten die op tafel liggen te vissen. Ritselend verdwijnt hij. Als hij midden op de trap is, valt het geluid van z'n voetstappen stil. Waarschijnlijk heeft hij net ontdekt dat z'n favoriete keeper een bal heeft doorgelaten. Ik zucht, moet tegelijkertijd ook lachen en voel me hoe dan ook hopeloos. Dit is een type mens op wie ik gewoon niet boos kan worden. Vooral niet omdat ik weet dat hij nu zeker weer een week vreselijk z'n best zal doen.

En dat is ook zo. Twee weken zelfs. IJverig aan de slag met boeken en schriften, en minder tijd voor de televisie doorbrengend dan ik vreesde, alhoewel altijd nog meer dan ik hoopte. En dan komt hij op een middag thuis. Lopend, z'n fiets wat merkwaardig van model veranderd, aan z'n hand meevoerend. Eén oogopslag is voldoende om te zien dat het een forse reparatierekening gaat worden. Ik kijk hem vragend aan. 'Ik had een vreselijk ongeluk kunnen krijgen, mam,' zegt hij opgewekt. 'Sturen in elkaar. Maar gelukkig is er niets ergs gebeurd. Alleen een nieuw voorwiel nodig. Wat een bof, hè mam?'

En vol walging wendt Peter zich af, wéér sperziebonen

'Vrouwen kunnen niks, en moeders nog nét iets minder. Maar omdat ze best lief zijn is dat helemaal niet erg. Eigenlijk is het juist wel leuk. Want omdat vrouwen, en vooral moeders dus, niks kunnen, valt het zo lekker op dat mannen álles kunnen. En alles, dáár hoef je geen voorbeelden van te geven, dat is logisch. Alles is om te beginnen alle dingen buiten de deur, en de technische dingen binnen de deur. De rest kunnen mannen eigenlijk ook, maar omdat ze daar niet zo'n zin in hebben, mogen vrouwen dat doen. De meeste vrouwen, en vooral moeders dus, zijn daar dan ook erg goed en handig in. En jij soms ook, mam.'

Dat is ongeveer de tekst die mijn jongste zoon, in wisselende bewoordingen, met de regelmaat van de klok over mij uitstort. Hij is dan altijd in een prima humeur. En de plaats waar dit toneelstuk voor één dame en één heer zich afspeelt, is altijd de keuken. Want dat is nog steeds de omgeving waarin hij me het liefst ziet. Zittend op een keukenstoel houdt hij de situatie scherp in de gaten. 'Branden de aardappels niet aan, mam?' dirigeert hij me van de gootsteen naar het fornuis. En ik licht goedig een deksel op, wetend dat ik de aardappels drie minuten geleden heb opgezet in ruim water. 'Nee, ze branden niet aan,' en hij glimlacht tevreden, en ook met iets superieurs. Die vrouwtjes toch, je moet ook óveral een oogje op houden, zie ik hem denken. 'Jij kookt best lekker, hoor,' zegt hij vriendelijk. En hij heeft alle reden om dat te zeggen. Want is hij niet het kind dat zwijgend en demonstratief geen hap meer tot zich neemt als hij ui, paprika, knoflook of ander wuft gedoe in z'n maaltijd bespeurt? En ben ik niet de moeder die daar absoluut en totaal niet tegen kan? En is het resultaat niet dat het menu in dit huis eruitziet als een Weense wals?

Een, twee, drie, sperzieboontjes, gehakt, jus, appelmoes. Met m'n ogen dicht kan ik het maken. Maar zelfs met m'n ogen dicht kan ik het niet meer eten. En het is dat Peter zo'n inschikkelijke natuur heeft, anders zouden er allang en met recht protesten van zijn kant gekomen zijn. Maar Robbert geniet ervan. Elke keer opnieuw.

'Mmm,' zegt hij verrukt, alsof ik hem de grootste verrassing van de wereld bereid heb, 'sperzieboontjes!' Walgend wendt Peter zich af, in bedwang gehouden door een smekende blik van mij. En af en toe is er revolutie. Dan kook ik iets dat Peter en ik lekker vinden. Iets scherps en kruidigs en vol van dittem en dattem, dat ik met een mesje uit de flesjes moet schrapen omdat het hard is geworden wegens te weinig gebruik. En consequent als hij is raakt Robbert zo'n maaltijd met geen vork aan. Behalve dan het verplichte 'hapje om de goede wil te bewijzen', dat hij demonstratief eindeloos van de ene wang naar de andere laat verhuizen.

Maar vanavond zal hij weer tevreden zijn. Geen boontjes, maar andijvie à la creme, en dat is bijna net zo lekker. Nog steeds op die keukenstoel zit hij genoeglijk te vertellen over school, een nieuw stripboek, een televisieprogramma. Want niets maakt hem zo mededeelzaam als het rustige gevoel dat hij z'n avondhap weer goed voor elkaar heeft.

‘Sssstómmm,’ hoor ik mijn zoon sissen

Van alle erge dingen die je als ouder kunt doen is één ding het ergste, en dat is stóm doen. Dat is zo verschrikkelijk dat er eigenlijk geen woorden voor zijn. Behalve dat éne natuurlijk: stom. Natuurlijk wil je, als liefhebbende ouder, je kinderen niet in verlegenheid brengen. Dus probeer je angstvallig om dat stom doen te vermijden. Maar dat valt niet mee.

Ik loop bijvoorbeeld met mijn jongste, mijn dierbare zoon, op straat. Gewikkeld in wat ik zelf een aardig gesprek vind. Op weg naar iets dat me ook voor hém leuk lijkt. Een halfbewolkte hemel boven een niet te drukke winkelstraat. Een hamburger en een milkshake in het verschiet. Betere voorwaarden voor elkaar goed verstaan zijn bijna niet te bedenken. En dan struikel ik. Gewoon een twaalf-in-het-dozijn-struikeltje, dat even een pas uit de maat veroorzaakt maar binnen seconden weer geregeld kan zijn. Maar zo simpel ligt het niet. Een ingehouden adem, een vertoornde snelle blik die ik bijna door me heen voel priemen en ik weet: ik heb stom gedaan.

En dan doe ik na dat stomme ook nog het onvergeeflijke. Ik lach. Dat stomme onnozele lachje van mensen die iets doen waar ze niets aan kunnen doen, en middels dat lachje van hun goede bedoelingen blijk willen geven. ‘Sssstómmm,’ hoor ik m’n zoon sissen. En het duurt zeker vijf minuten voordat hij weer normaal tegen me praat. Dat geeft me in elk geval even tijd om te bedenken of ik me vroeger ook zo liep te schamen voor míjn moeder. En ja, ik had het kunnen weten – was zij niet de enige moeder die ik kende die sigaretten rookte? Niet vaak, maar vaak genoeg om gesignaleerd te worden door veelbetekenend zwijgende vriendinnetjes. En was zij niet de enige moeder die haar nagels rood lakte? Ik schaamde me er dood voor. Maar omdat in die tijd geen kind op het idee kwam z'n ouders hardop als 'stom' te betitelen, hield ik het op een nukkig zwijgen. 'Jij ook altijd met je humeur,' zei ze dan. En zo was dat dan ook weer geregeld.

Mijn kinderen nemen de zaken fermer ter hand. 'Wat doe je eigenlijk áán als ik dat feest geef?' informeert m'n oudste, m'n dierbare zoon. 'Ik kóm toch helemaal niet op je feestje?' zeg ik, me bij voorbaat al verdedigend. 'Nee, maar ze zien je wél. Dus trek alsjeblieft niet die broek met die stomme ritsen aan. Of die andere broek met al die stomme zakken. Heb je trouwens geen rok? Een plooirok? En blijft je haar voortaan zo? Met die stomme pony?' Ik weet dat hij van me houdt, en dat is een hele troost.

Soms probeer ik me voor te stellen hoe ik zou moeten zijn om mijn zonen te behagen. Het antwoord is: onopvallend. Zo onopvallend dat schoolvriendjes over me zouden vallen, alsof ik een nonchalant neergegooide schooltas zou zijn. Zo niet-aanwezig dat ze op me zouden gaan zitten om naar de televisie te kijken. Zo'n absolute nonpersoon dat het niemand zou opvallen als ik stom deed. Maar gelukkig, niet iedereen denkt er zo over.

Op een dag komt mijn oudste zoon thuis met de mededeling dat een meisje in z'n klas me een leuk mens vindt. Hij snuift verachtend als hij het zegt. Smijt z'n jack op een stoel en mompelt: 'Stom kind.'

Moeders zijn bemoeials

Moeders zijn bemoeials waar het hun kinderen betreft. Niet omdat ze zo graag hun neus in andermans zaken steken, maar omdat het een gewoonte is geworden. Jarenlang hing het welzijn van de kinderen van hun bemoeienissen af. De eerste jaren viel het nog wel mee. De meeste kinderen willen best een bordje met gezond eten naar binnen werken als hun weerzin niet al te groot is. Ze op tijd hun bed in krijgen lukt ook nog wel. Slapen met open ramen. Vroeg uit de veren. Ach, het ging bijna vanzelf. Later werd het moeilijker. In de periode dat ze friet gingen ontdekken, de gevulde koek en die lekkere tussendoortjes-die-de-eetlust-niet-bederven. Stommere reclame heb ik zelden gehoord. Alsof er niks in zo'n vrolijke wikkel zit. Alsof het lucht is die je inademt en zó weer uitblaast. Alsof calorieën en het stillen van je eetlust niet veel met elkaar te maken hebben. Maar hoe dan ook: de kinderen hadden het bestaan van al die zaken ontdekt, en zou je het aan hén overlaten, dan werd gemengde sla vervangen door appelmoes, en het stukje vis door een rondo. In haar rol van bemoeial steekt de moeder daar een stokje voor. 'Ik mag ook niks,' klaagt haar kind. Zoals alle kinderen altijd zeggen dat ze niks mogen als ze een keer iets niet mogen. Nog weer later komt de tijd dat het beter is om je niet meer zo intensief met het leven van je kinderen te bemoeien. De tijd waarin ze hun hart liever elders uitstorten dan bij jou. Precies zoals je dat zelf ook deed, langgeleden. Maar, het moederoog blijft het kind nauwlettend volgen. Hij rookt, denkt de moeder treurig. Ondanks alles wat ik heb verteld, rookt hij toch. Die biertjes gaan er vlot in op zo'n gezellige zomeravond, denkt de moeder. Alweer een feestje? denkt de moeder, ik wou dat hij net zo enthousiast achter z'n boeken zat. En bleef het nou maar bij denken, maar nee, de moeder kan zich niet inhouden, en laat zo hier en daar een opmerking vallen. 'Mam... dat moet ik zélf weten!' roept het kind verbolgen. Zoals de moeder het zichzelf, als een echo uit een ver verleden, hoort roepen. 'Zou je niet eens...' begint ze een zin, en slikt net op tijd de brave hendrikken in. 'Moet je niet...,' en ze vlucht in een hoestbui. Van alle dingen die moeilijk zijn om af te leren, is het zich bemoeien met je kinderen het allermoeilijkste. Maar het zal uiteindelijk wel wennen. Net als veel andere dingen.

Peter, de man in huis, laten dweilen? Daar is maar één manier voor

De meeste mensen worden handig omdat er niets anders op zit. Er is niemand in de buurt om een vervelend karweitje even voor je op te knappen, dus ga je noodgedwongen maar zelf aan de slag. Maar het blijft behelpen, en het in één oogopslag zien dat het aandraaien van het linkerschroefje tot gevolg heeft dat het rechterradertje weer gaat draaien, is slechts voor natuurtalenten weggelegd. Voor de rest van de mensheid blijft het worstelen met de materie. Tenzij er iemand in de omgeving opduikt die zich ontpopt als een persoon die vervelende karweitjes voor je opknapt, zodat je weer terug kunt zakken in de rol van onhandige oen die het nooit zal leren. Mij is dat wonder overkomen in de vorm van Peter, die zich langzaam maar gestaag begint te ontpoppen als iemand die z'n verwarde krullenhoofd aandachtig buigt over losse contactjes en ander in geheimtaal verpakt ongerief. En ik pas me daar geraffineerd vrouwelijk bij aan. 'Peeeter, kom eens even, die lamp doet zo raar...!' En daar is hij al, nog net op tijd om het laatste geknetter en gesputter te horen waarmee de lamp, met als laatste geluid een scherp knalletje, voorgoed dooft. 'Kortsluiting,' zegt hij gedecideerd. 'Even de groep nakijken.' En ik keer terug naar de andijvie, want een vrouw moet haar plaats weten. De volgende dag zullen de rollen omgekeerd zijn, als ik het huis als kostwinner van een eenoudergezin verlaat, terwijl hij ijverig z'n vloerdweilcorvee vervult.

Het is een rolwisseling die hem nauwelijks opvalt, maar

mij des te meer. Zoveel heeft hij aan te merken op 'femi's', van wie hij door enkele forse uitlatingen in een praatshow zodanig het gevoel heeft gekregen dat ze op zijn ondergang uit zijn, dat er niet met hem over dat onderwerp te praten valt. 'Ze moeten me niet,' zag ik in de vorm van ongelovige verbazing op z'n gezicht verschijnen terwijl we zaten te kijken.

Voor een vloertje dweilen is hij best te porren, maar dan moet ik niet aankomen met een tekst als: 'Ik zie niet in waarom nou uitgerekend vrouwen vloeren moeten dweilen, terwijl mannen toch ook handen aan hun lijf hebben.' Een nonchalant: 'Zeg, eh, dweil jij eens even die vloer,' beschadigt hem weer in z'n gevoel van eigenwaarde. 'Ik ben je knechtje niet,' en hup, weer die driftig dichtgeslagen deur achter een paar verontwaardigde spijkerbroekbillen. Na het nodige geëxperimenteer met woorden blijkt: 'Heb jij vandaag nog even tijd voor de vloer?' de beste benadering. Hij knikt, hij dweilt en hij voelt zich niet in een hoek gedreven. Maar met de techniek is zoveel omzichtigheid niet nodig. Techniek is onverdacht. 'De televisie is stuk' is als opmerking voldoende om hem naar de gereedschapskist te doen grijpen. En mijn bewonderende dankbaarheid komt op hem volkomen natuurlijk en oprecht over. O, de subtiliteiten tussen mannelijke en vrouwelijke wezens, zelfs als het een moeder en haar zoon betreft! Je raakt er niet op uitgekeken.

‘Mam, die broeken van mij zijn niet meer om aan te zien’

De heren delen mij mede dat het maar treurig gesteld is met hun garderobe. Ze zijn er op een speciale manier voor gaan zitten om mij dat te vertellen. Naast elkaar op de bank. De benen iets uit elkaar, het bovenlichaam wat voorover gebogen en de armen vanaf de ellebogen losjes rustend op de bovenbenen. Hun blauwe ogen kijken mij trouwhartig aan. O, wat lijken ze op elkaar, en wat zijn ze het roerend met elkaar eens. Zoals gewoonlijk geeft Peter in grote lijnen de situatie weer, terwijl Robbert hem aanvult met snel bedachte slimmigheidjes.

‘Schoenen,’ zegt Peter, alsof hij de titel van een boek voorleest. ‘Ik heb eigenlijk maar één paar schoenen. En als die nat zijn...’ ‘Heeft hij één paar natte schoenen. Dat is dus erg ongezond,’ zegt Robbert snel. Peter kijkt opzij, weifelend tussen dankbaarheid en irritatie omdat hij al zo snel in de rede is gevallen. Robbert kijkt onschuldig terug. ‘Eén paar schoenen is gewoon te weinig,’ zegt Peter. ‘Ze slijten ook sneller dan twee paar,’ zegt Robbert. ‘Dat is waar,’ zeg ik en de heren brengen de nuance ‘ontspanning’ in hun houding aan. ‘Dus ik krijg er een paar schoenen bij?’ zegt Peter. ‘Nou, het klinkt alsof dat wel nodig is,’ zeg ik. ‘Dus ik ook,’ zegt Robbert neutraal. ‘Want ik heb ook maar één paar schoenen.’ ‘Wat bedoel je met één paar,’ zeg ik, agressiever dan ik bedoel. ‘Nou, gewoon, één paar?’ zegt hij, ‘één paar loafers. Die zwarte.’ ‘En waar zijn dan die dure sportschoenen, die blauwe, die je zo nodig moest hebben omdat iedereen in jouw klas ze ook heeft?’ ‘O,’ zegt hij, en door z'n luchtigheid klinkt wat benauwdheid door, 'die zijn zoek.' 'Zoek,' herhaal ik onnozel. 'Overal gezocht,' hij maakt een luchtig bedoelde armbeweging, 'echt overal. Zelfs in de linnenkast.'

Ik kijk hem blanco aan, en dat verontrust hem duidelijk. Hij ziet me liever kwaad dan met een gezicht waarvan hij niet kan doorgronden wat voor stemming erachter schuilt. 'Dus eh... Peter en ik krijgen allebei schoenen omdat we maar één paar hebben?' rondt hij het gesprek af. Ik zucht. 'Niet vandaag,' zeg ik. 'Morgen is ook goed,' verklaart hij welwillend.

'Een broek,' leest Peter opnieuw een denkbeeldige titel voor. 'Je hebt zeker maar één broek,' veronderstel ik mat. 'Eigenlijk drie. Maar één is die witte die in een dag vuil is, dus die telt niet mee. En de andere is te krap.' Dat had ik zelf ook al droevig geconstateerd. Peter vat mijn zwijgen positief op. 'Dan is het handig als we die broek en die schoenen tegelijk gaan kopen!' zegt Peter. 'Dat scheelt jou tijd, mamma. Je hebt het al zo druk,' vult Robbert aan. 'En mam, die broeken van mij zijn ook niet meer om aan te zien.' 'Nee,' zeg ik. 'Wat nee?' probeert hij onschuldig. 'Geen broek voor jou,' zeg ik wreed. 'Ik heb eigenlijk een jasje nodig,' zegt Peter zonder veel hoop. 'Nee,' zeg ik. Hij zwijgt berustend. Dan staan ze op. De onderhandelingen zijn duidelijk afgelopen. Ontspannen wandelen ze de kamer uit. Zo moet het ongeveer gaan bij onderhandelingen tussen werkgevers en vakbondsbestuurders.

Ik zie hem denken: wat kunnen moeders hinderlijk zijn

'Mam, ik ga vrijdag stappen,' zegt Peter nonchalant. Ik sta in de keuken met m'n handen in warm water en bedenk me net wat een lekker gevoel dat is in een onverwarmd, herfstig huis. Die overpeinzing belet me trouwens niet om in een tuttige moederrol te stappen. 'Mam, mag ik vrijdag stappen,' zeg ik, en droog m'n handen af. Bij een zeventienjarige is het afwachten hoe zo'n tekst valt. Net zoals hij probeert hoe ver hij met mij als moeder kan gaan, probeer ik hoe ver ik met hem als zoon kan gaan.

Vandaag is hij in een brave-zoon-bui. 'Mam, mág ik vrijdag stappen?' herhaalt hij zoet. 'We gaan naar Amsterdam.' O, was ik nu maar niet op een Amsterdams avondblad geabonneerd, dat dagelijks breeduit vertelt hoe jongens andere jongens binnen enkele minuten veranderen van vrij en onververd in wrakhout, klaar voor het ziekenhuis of erger. Toegegeven, de vele tientallen keren per jaar dat ik in Amsterdam kom, heb ik nooit iets dergelijks met eigen ogen aanschouwd. Maar het bestaat, en de dreiging van de mogelijkheid dat zoiets gebeurt met iemand die ik zeventien jaar lang gekoesterd en bemind heb, maakt het woord Amsterdam tot iets beladens. Zeker in verband met een avondje 'stappen'.

'Zou je dat nou wel doen?' stel ik een beslissing uit op de meest zeurderige manier die mogelijk is. Hij zucht, en ik geef hem gelijk, terwijl ik toch datzelfde benarde gevoel in m'n borst blijf houden. 'We gaan om zeven uur weg,' zegt hij kordaat. Nu zucht ik. Turend over de generatiekloof zie ik hem in de verte staan. Trui, spijkerbroek, blond puberhoofd met trouwhartige ogen. Beetje balend, want wat kunnen moeders hinderlijk zijn.

'Dit is niet iets bespreken. Dit is iets meedelen,' zeg ik koppig. 'Dat is waar,' vindt hij onmiddellijk royaal. 'Mam, kunnen we om zeven uur weg?' 'Dat hangt er vanaf of je gaat,' zeg ik. Bedenkend dat dit nu een situatie bij uitstek is die om een vader vraagt. Een manspersoon die zegt: 'Ben je nou gek, Amsterdam?' Of: 'Waarom eigenlijk niet?' En die vervolgens de consequenties van de beslissing dapper met mij deelt. Maar dat is verlangen naar een makkelijke oplossing.

'Ik wil er nog even over nadenken,' zeg ik. Dat had hij wel gedacht. Hij knikt wat vermoeid en sjokt de keuken uit. Mij alleen latend met een aanrecht vol zelfverwijt. Waarom kan ik niet gewoon spontaan op zoiets reageren?

'Stappen in Amsterdam? Schat, wat enig! Natuurlijk moet je dat doen.' Trouwens, is stappen in een andere plaats zoveel veiliger? Zeventien jaar, dan moet je toch onderhand op jezelf kunnen passen. Zeventien jaar moeder, dan moet je toch langzamerhand een kind los kunnen laten. O, er klopt allemaal niks van. Ik vind met m'n verstand het ene, voel met m'n hart het andere. En het toneel van de strijd is een aardige puber, die waarschijnlijk allang heeft begrepen dat moeder er nog niet aan toe is om overstag te gaan.

Soms denk ik: ik moet nu toch eens gaan ópvoeden!

Al zeventien jaar lang mag ik mijzelf moeder noemen, en nog steeds weet ik niet wat opvoeden nu eigenlijk is. Toen ik Peter verwachtte, kreeg ik tegen het einde van m'n zwangerschap last van slapeloosheid. Woelend in het veel te warme bed, in een zomer waarin de temperatuur recordhoogten bereikte, brak het klamme angstzweet mij uit. Nog even en ik zou moeder zijn. Verantwoordelijk voor een kind. Van mij zou het afhangen of het voor galg ofwel voor rad zou opgroeien, president-directeur van de Nederlandsche Bank zou worden of welzijnswerker in de derde wereld. Mijn beleid zou bepalen of hij een stiekeme 'kat-in-het-donker-knijper' zou worden, of zo'n eerlijke 'recht-door-zeeër'.

De nacht werd nog warmer dan ze al was, en m'n hart fladderde als een verontruste vogel. Gelukkig zorgde de natuur voor enig uitstel. Een pasgeborene voedt men. Het woordje 'op' komt daar pas na een tijdje aan te pas.

Ik schipperde de babytijd door: later werd de baby het jaloerse oudere broertje van een baby die doorlopend huilde, terwijl ik toch dezelfde dingen deed waarmee ik met de oudste zo'n succes had geboekt. Ik probeerde me aan m'n jongste aan te passen en hoopte dat hij van zijn kant dezelfde inschikkelijkheid zou willen betrachten. Maar van opvoeden was nog geen sprake.

Tijdens hun lagereschooltijd schoot het af en toe als een vlijmend zwaard door me heen: ik moet nu toch echt eens gaan opvoeden. Maar dan belde de bakker aan of de telefoon ging, waarna dat gevoel weer voor een tijdje naar de achtergrond verdween.

Was ik consequent in de wijze waarop ik met m'n kinderen omging? Ik ben bang van niet. Alleen op punten waarbij mijn eigenbelang in het geding kwam regeerde ik met ijzeren vuist. Want in de loop der jaren was me duidelijk geworden dat het van groot belang was om mijzelf als ouder te verdedigen tegen m'n kinderen. Omdat zij over zoveel wapens beschikken in de vorm van afhankelijkheid, aanhankelijkheid, grote ogen, lieve stemmetjes, onvermoeibaarheid en een aan het voortbestaan van de soort ontleend egoïsme. Terwijl ik niet anders tot mijn beschikking had dan kringen om m'n ogen van vermoeidheid, geduld met slijtplekken, en de neiging om te lachen waar ernst verwacht mocht worden. Ze werden ouder en kwamen op de middelbare school terecht. Twee pubers die op de volwassenheid afstevenen. Als ik naar ze kijk overvalt de gedachte me soms ineens weer: moet ik nu echt niet eens gaan opvoeden?

Robbert wil muizen. Geen witte muizen, maar huismuizen!

Terwijl ik kook begint Robbert over de prijs van muizen. 'Wat voor muizen?' vraag ik, terwijl m'n geoefende oog ziet dat de boontjes alweer een kwartier later gaar zullen zijn dan de aardappelen. 'Gewoon, muizen,' zegt hij. 'Witte muizen?' probeer ik. Want voordat ik aan het raden sla wil ik wel graag weten waarover ik het heb. Hij wordt ongeduldig. 'Nee, gewoon huismuizen.' Ik zet de deksel terug op de pan en bekijk hem sprakeloos. Een nieuwe wereld gaat voor me open. Als een huismuis een prijs heeft is vanaf nu alles in het leven mogelijk. 'Drie gulden,' zegt Robbert. En in één adem: 'Mag ik er eentje kopen?' 'Een huismuis,' zeg ik. 'Je wilt een huismuis kopen? Voor drie gulden?' Hij begint iets in z'n ogen te krijgen van een arts die vermoedt dat er méér achter die blauwe plekken zit dan 'van-de-trap-gevallen'. 'Waarom zég je dat zo raar?' wil hij weten. 'Peter heeft een huismuis. In een hokje. Elf gulden kost zo'n hokje. Mag ik een huismuis en een hokje?' Ik schenk een kop thee in en ga tegenover hem aan de keukentafel zitten.

'Nou moet je even heel goed luisteren,' zeg ik. 'Twee keer per jaar, Robbert, twee keer per jaar, wemelt het hier van de huismuizen. En weet je wat ik dan doe? Dan bel ik de Enge-Dieren-Dienst. En ik dank de hemel op m'n blote knieën als ze dan eindelijk komen. Want weet je wat ik denk, Robbert, als ik een muis zie? Dan denk ik: weg met dat kreng!'

Hij bekijkt me gekwetst, maar niet verbaasd. 'Eigenlijk heb ik twee muizen nodig,' zegt hij. 'Want ik wil ermee gaan fokken. Daar kan ik grof geld mee verdienen. Als ze in een winkel drie gulden kosten kan ik ze verkopen voor de helft. Ik hoef alleen maar twee muizen, en zo'n hok. Da's drie plus drie plus elf. Da's zeventien gulden. En wat voer. En dan hoef ik alleen maar te wachten en het geld stroomt binnen. Grof geld, mam. Doe je mee?'

Ik sta op, giet de aardappelen af en prik moedeloos in de keiharde boontjes. 'En hoe zit het nou met die muizen?' 'Ze ontsnappen,' zeg ik, 'ze knagen zich door dat hok van elf gulden heen en dan gaan ze al die kindertjes krijgen in het keukenkastje en op zolder. Ik peins er niet over. Trouwens, wat is de lol van een muis?' 'Je kan met ze spelen,' zegt hij. 'Je kan ze door een doolhof laten lopen.'

'Hoe duur?' zeg ik. 'Wat bedoel je?' 'Nou, zo'n doolhof. Hoe duur?' 'Dat maak ik zelf. Je vindt het dus goed?' 'Nee,' zeg ik ferm. Robbert haalt z'n schouders op. 'Dan niet,' zegt hij. 'Trouwens, er is natuurlijk ook niet écht iets aan muizen.' En fluitend verdwijnt hij naar boven.

Tot m'n verbazing denk ik: wat kan mij die muis ook schelen...

En natuurlijk ga ik voor de bijl. Nog geen week geleden heb ik de strijd om de Muis gewonnen van Robbert. De zoon die zich zo bedrieglijk nonchalant en sportief weet op te stellen als er een plan van hem niet doorgaat. Natuurlijk, hij zou het bezit van een muis op prijs stellen. Maar als moeder niet wil houdt het op. Wat verrukkelijk als je kind een redelijk wezen blijkt te zijn. Drie dagen later zegt hij peinzend: 'Werkende moeders hebben nooit erg veel tijd voor hun kinderen, hè mam?' Mam voelt nattigheid en houdt het op een voorzichtig: 'Mmmm.' 'Nou, het is niet érg, hoor mam. Ik bedoel, kinderen van werkende moeders zijn veel zelfstandiger dan kinderen van gewone moeders. Dat zeg jij toch altijd zelf. Hè mam?'

Mam zegt dat inderdaad zelf. Meer omdat ze het hoopt dan omdat ze het weet. Maar daar gaat het nu niet om. Dit gesprek heeft een dubbele bodem, maar wat zich daartussen verscholen houdt is me op dit moment nog een raadsel.

'Weet je,' zegt hij, 'als moeders er niet altijd zijn is het leuk voor kinderen om iets te hebben. Iets dat er wél altijd is.' 'Een muis,' zeg ik treurig. Hij veert overeind. 'O, dus dat vind jij ook?' 'Je hebt een hond,' zeg ik. 'Je hebt een kat. Je hebt een broer. Je hebt een moeder die vaak thuis is.'

'Die zijn allemaal te groot,' zegt hij. 'Ga je mee als ik die muis koop?'

'Je koopt geen muis,' zeg ik.

'Ik mag nooit iets,' zegt hij, en verlaat de kamer.

Het huis trilt nog geruime tijd na van de smak waarmee hij de deur achter zich heeft gesloten. De volgende dagen wordt er niet over Muis gesproken.

Totdat het zaterdag is, ik wakker word en tot m'n eigen verbazing denk: wat kan die muis me ook schelen, als hij dat nou leuk vindt. Robbert is verheugd en nieuwsgierig. 'Waarom zeg jij eerst nee, en dan ja?' wil hij weten. Nee méén ik, en ja zeg ik omdat het me niet genoeg kan schelen om nee te blijven zeggen,' zeg ik. Zoiets had hij wel gedacht. Opgewekt pratend loopt hij met me naar de dierenwinkel.

Nee, muizen verkopen ze daar allang niet meer. 'Ze ontsnappen,' zegt de juffrouw, 'en dan krijgen ze duizend kleintjes en het wordt één grote ellende. Maar we hebben dwerghamstertjes en die zijn eigenlijk veel leuker.' En dat zijn ze ook. De liefste miniatuurdiertjes die ik ooit heb gezien. We kopen er twee en als ze kinderen krijgen, weten we dat de ene een mevrouw en de andere een meneer is. Thuis zet Robbert ze vertederd in hun glazen huisje. 'Leuk, hè mam,' zegt hij stralend, 'dat het er straks een heleboel zijn.'

Ik huiver. In deze kamer heeft zich iets gruwelijks afgespeeld

Terwijl ik aan het interviewen ben gaat de telefoon. Robbert, met een klein verdrietig stemmetje. Er is iets heel ergs gebeurd. Toen hij zo-even in z'n kamer kwam lag de bak waarin z'n babyhamsters zaten op z'n kant. Houtwol eruit, hamsters weg en Fitah tevreden ronkend ernaast. Hij heeft overal gezocht, maar nergens in een hoek achter de kast zag hij twee babyhamstertjes, bevend van angst en met de pootjes om elkaar heen geslagen, zoals je dat zo leuk in tekenfilms kunt zien.

Niks Tom en Jerry, maar gewoon een grote, dikke, hebberige kat die met een luie poot de bak omwipte, om twee gratis, in bont verpakte snacks te kunnen nuttigen.

Dat allemaal zie ik voor me, terwijl ik m'n spullen pak, afscheid neem en me naar de auto spoed.

Thuis tref ik aan wat ik al vreesde aan te zullen treffen. Robbert met dikke, betraande ogen, die me zwijgend voorgaat op de zoldertrap. De bak ligt er nog precies bij zoals Robbert beschreven heeft. Een troosteloos gezicht, dat mengsel van houtwol, water en hamstervoer. De kat is weg.

Ondertussen zijn we op de rand van z'n bed gaan zitten. Doodstil. Zonder het afgesproken te hebben luisteren we met gespitste oren. In de hoop ergens een zacht geritsel, een teken van leven te horen. Maar de kamer zwijgt terug.

Dan schiet Robbert overeind. 'Misschien zitten we wel op ze...!' en koortsachtig begint hij het bed af te halen. Ik doe mee. Mijzelf verplaatsend in een kleine hamster lijkt het me een goede schuilplaats. Mijzelf verplaatsend in de kat heb ik weinig hoop dat de hamsters ook maar de directe omgeving van het bed gehaald hebben. Ik huiver, en zoek stiekem naar stille sporen van het gruwelijke dat zich in deze kamer heeft afgespeeld. Een stukje vacht. Een oor. Iets moet er toch over zijn. Rotkat. Daar trek je nu elke dag een duur blik voor open.

We zitten weer naast elkaar op het bed. Robbert zacht snikkend. Het is lang geleden dat ik hem zo zag. Als ik nu een arm om hem heen sla, zal hij die driftig van zich afschudden. Dus doe ik niks. Wat kan ik ook. Op een dag zal hij om nieuwe hamsters vragen, en dat zal waarschijnlijk niet eens zo gek lang duren. Maar ik ben blij dat die gedachte nu niet in hem opkomt. Verdriet moet je niet wegkopen. En trouwens – een dier is toch geen consumptieartikel? Alhoewel je dat in ons huis niet zou zeggen.

‘Mag ik Mies even?’

De telefoon rinkelt. Ik worstel mezelf vanuit een diepe slaap naar een verward halfwakker zijn, en neem op. M’n ‘hallo’ moet niet erg uitnodigend klinken. ‘Mag ik Mies?’ vraagt een vrouwenstem. Zo te horen een oude mevrouw, met het gezellige in haar stem van ‘ik ga eens lekker een praatje met Mies maken’. ‘Mies woont hier niet,’ zeg ik. ‘Oh nee?’ zegt ze verbaasd. ‘Nee,’ zeg ik, en probeer in het schemerdonker, op het klokje te ontdekken hoe laat het is. ‘Wat heb ik dan gedraaid?’ vraagt de vrouw. Ik noem m’n nummer. ‘Goh, dat is mal,’ zegt ze. ‘Zegt u het nog eens?’ Ik zucht, en noem opnieuw m’n nummer. Op het klokje zie ik nu dat het kwart over zes is. ‘Een beetje langzamer graag,’ zegt de vrouw, ‘ik bel helemaal uit Den Haag.’ Dat is, in een tijd dat je rechtstreeks kunt bellen met Moskou, Singapore en de rest van de wereld, een verbijsterende mededeling. Maar gehoorzaam herhaal ik in een tergend langzaam tempo m’n telefoonnummer. Ze is het duidelijk aan het opschrijven, herhaalt alles wat ik zeg, en gaat bij het derde cijfer al de mist in. ‘Vier,’ zeg ik. ‘Négen?’ zegt ze hoopvol. ‘Vier.’ ‘Is álles een vier?’ ‘Nee, het vierde is een vier. Ik bedoel het derde. Ik begin wel opnieuw,’ zeg ik, en ontdek dat ik ineens m’n nummer niet meer weet. ‘Ja, ik zit klaar,’ zegt de vrouw. ‘Weet u wel hoe laat het is?’ zeg ik, maar daar gaat ze niet op in. Een oude mevrouw, die allang niet veel slaap meer nodig heeft, en die als het licht wordt denkt dat nu de hele wereld wel wakker zal zijn. Een beetje dovig is ze ook, want nu gaat het bij het tweede cijfer al mis. 'Maar waarom schrijft u mijn nummer op,' zeg ik, 'u moet mij toch niet hebben? Op deze manier krijgt u Mies nooit te pakken!' 'Het is makkelijk,' zegt ze, 'dan kan ik het vergelijken met wat ik fout heb gedraaid.' Het duurt zeker nog vijf minuten, dan heeft ze m'n nummer. 'Als u het niet erg vindt,' zeg ik met het beetje venijn dat ik op dit vroege moment in m'n stem kan leggen, 'dan ga ik nu proberen om nog een beetje te slapen. Mies zal trouwens ook wel slapen.' 'Wie?' vraag de vrouw. Ik zucht, wens haar een goedemorgen en leg neer. Het is kwart voor zeven, ik heb slaap en ben wakker tegelijk. Als ik eindelijk een beetje wegdommel gaat de telefoon. Ik schiet woedend overeind en grijp de hoorn. 'Mag ik Mies even...' zegt de vrouw vriendelijk.

Geld op zak en toch niks geleend

Mam', zegt Robbert, 'kan ik wat van je lenen?' Hij zit op de bank met z'n tweede kop thee. Een uitzondering die mij bij het inschenken al het gevoel gaf dat er een bepaalde reden voor moest zijn. 'Lenen?' zeg ik, terugvallend op de beproefde manier van het herhalen-om-tijd-te-winnen. Meestal raakt hij op slag geïrriteerd als ik die tactiek toepas. Behalve als er belangrijke zaken op het spel staan, zoals lenen bijvoorbeeld. Geduldig zegt hij dan ook: 'Ja, mam, gewoon lenen.' 'Hoeveel?' vraag ik neutraal. Hij noemt een bedrag dat ongeveer is wat ik wel verwachtte. Vrijdagavond uitgaansavond, op zo'n bedrag kom je dan al gauw terecht. 'Wanneer krijg ik het terug?' vraag ik. 'Oh,' zegt hij vaag. 'Volgende week of zo.' 'Lijkt me onwaarschijnlijk,' zeg ik, 'want ik krijg eerst nog het geld dat je vorige week van me leende.' 'Oh dát,' zegt hij vaag. 'Nou, léén je me nou wat of niet?' 'Nee,' zeg ik. We zwijgen, gezamenlijk verbaasd over zoveel moed van mijn kant. 'Waarom niet?' 'Omdat ik het onzin vind om uit gewoonte geld uit te lenen,' zeg ik. 'Een kéértje, oké. Maar als het elke week gebeurt kan je gewoon niet met geld omgaan.' 'Als het elke week gebeurt héb ik gewoon te weinig,' zegt hij. 'Dan moet je zien dat je wat verdient,' zeg ik. Hij zakt onderuit. 'De kelder...,' zegt hij, 'de dakgoten. De zolder. De tuin. Jeetje mam, zoals jij altijd klusjes uit je mouw schudt.' 'Bof jij even,' zeg ik vriendelijk. Hij kijkt op z'n horloge. 'Als ik nou morgen klus, kan je het dan nu voorschieten mam?' 'Nee,' zeg ik hardvochtig. 'Voorschieten is ook lenen. Ik begrijp niet hoe mensen aan dat woord zijn gekomen. Ik zie me al bij een bank binnenlopen: "Meneer, kunt u me even wat geld voorschieten, ik wil een huis kopen."' 'Haha, leuk...' zegt hij, en komt traag overeind. 'Oké, de kelder dan maar. Waar zijn de vuilniszakken?' Even later hoor ik hem druk in de weer. Af en toe roept hij: 'Mam, mag ik dit weggooien?' En soms komt hij iets laten zien: 'Moet je kijken wat een gave sleutelset ik heb gevonden.' Na drie uur kan ik niet anders zeggen dan dat m'n kelder er kraakhelder uitziet. Robbert zelf een stuk minder. Hij rent naar boven en is na een kwartier weer terug met een glimmend gezicht en natte haren. Even later fietst hij de tuin uit. Geld op zak en toch niks geleend. Ik heb er een tevreden gevoel over.

En in de winkel stond ineens een Jongen-van-Nu, mijn zoon

Robbert heeft een jas van z'n vader geleend en daar sta ik toch even sprakeloos naar te kijken. Want een zeventienjarige zoon in een jack is iets heel anders dan een zeventienjarige zoon in een jas. Dat vindt hij zelf eigenlijk ook wel.

Peinzend staat hij voor de spiegel, en overweegt hardop de mogelijkheid om deze jas in het vervolg de zijne te zullen noemen. 'Wat je leent moet je teruggeven,' vind ik opvoedkundig. 'Pappa heeft nog een andere jas,' zegt hij neutraal. 'En deze dus ook,' zeg ik, net zo neutraal. We bekijken elkaar zwijgend en hij laat het onderwerp varen.

Wat later verdwijnt hij en door het raam zie ik hem op zijn brommer wegrijden. Mét jas, maar dat is nauwelijks een verrassing voor me. Ik ga aan m'n werk en kijk pas weer op als hij naast me staat. 'Moet je kijken, mam.' Hij wijst naar beneden, z'n vinger volgend komt mijn oog terecht bij z'n felgroene honkbalschoenen waar in de linker een lichtgevende groen met zilveren veter prijkt en in de rechter een lila met zilver. 'Leuk hè?'

Nou vind ik dat soort dingen al m'n hele leven leuk. Als een ekster schiet ik altijd af op alles wat glimt en glittert. Maar deze zoon was nooit zo. Die hulde zich het liefst in keurig sportief. Totdat hij ineens de wens te kennen gaf zo'n raar gebleekt jeanspak te willen hebben. Ik wist niet hoe snel ik met hem in het winkelcentrum moest komen, bang dat deze hoogst merkwaardige wens vervlogen zou zijn voordat ik zo'n pak aan het lijf van m'n eigen zoon kon zien. Maar hij bleef standvastig. Z'n donkerblauwe kledingstukken bleven in de paskamer, en in de winkel stond ineens een Jongen-van-Nu.

Dat die stap betekende dat hij zich in het modegebeuren had begeven, drong pas later tot me door. Want wie koopt wat IN is, loopt al snel in iets wat UIT is.

Geen kritischer koper trouwens dan dit kind van me, dat trui of broek mee naar de deur van de winkel neemt om te kijken wat het effect van het daglicht is. Geen lach kan eraf. Passen, zich van alle kanten bekijken, stof tussen de vingers voelen, knie- en armoefeningen doen ter controle van de bewegingsvrijheid.

Als hij eindelijk besluit dat het gekocht mag worden, zijn de juffrouw en ik bijna dankbaar.

Want zó'n klant krijg je niet elke dag tevreden...!

Waarom kan ik geen jongens uit elkaar houden?

De giftige blik die hij op me afvuurt als ik het voor de zoveelste keer doe. 'Dag Jerry!' zeg ik tegen het laatste eind jongen dat ineens midden in de kamer staat. 'Géért!' bijt Robbert me toe. Z'n gezicht vertoont een glimlach omdat hij zich een beetje moet gedragen met een vriend erbij, maar z'n ogen schieten vuur. 'Mijn moeder is niet zo goed in namen,' zegt hij verontschuldigend tegen de jongen, die aardig genoeg is om te kijken alsof het hem spijt dat hij niet even, uit beleefdheid, Jerry kan zijn. Maar ja, hij is nou eenmaal Geert, daar helpt verder niks aan. En voor de zoveelste keer zeg ik dat het me spijt. Wat ook werkelijk zo is. Waarom kan ik geen jongens uit elkaar houden? Het was vroeger al zo, met zwemles. Onveranderlijk stond ik het verkeerde jongetje toe te juichen, tot razernij van Robbert en Peter, die even later nat, bibberend en verwijtend voor me stonden. Nog steeds zó op al die andere jongetjes lijkend dat ik me nog een tijdje bleef afvragen of het écht wel die van mij waren. Maar ja, natte jongetjes lijken altijd op elkaar, troostte ik mezelf dan. Maar wat moet nú het excuus zijn. De heren die ik bij tijd en wijle in m'n huis tegenkom, lijken helemaal niet op elkaar. De enige overeenkomst is dat ze namen hebben die ik niet bij het daarbij behorende gezicht kan onthouden. En Robbert heeft gelijk, het komt niet erg hartelijk over als je na zoveel jaar nog steeds vergissingen maakt op dat gebied. Het vervelende is alleen dat het langzamerhand een punt is geworden. Zodra er meer dan één brommer het tuinpad op rijdt, komt er iets zenuwachtigs over me. Iets wat lijkt op examenkoorts, of zoals dat tegenwoordig heet, faalangst. Straks gaat de kamerdeur open, en daar zal Robbert weer staan met dat gezicht van: nou zullen we het krijgen...! Ik kijk naar de jongens naast hem en ken ze allemaal. De namen ook, dus laat ik het nou eens goed doen. 'Há Geert,' zeg ik joviaal. Robbert kijkt ongelovig en verbaasd, en daar word ik overmoedig van. 'Hallo Ray!' 'Mámmmmmm!' sist Robbert, en Ray die eigenlijk Martijn heet, lacht me maar eens vriendelijk toe. 'Míjn moeder weet het ook nooit,' zegt er soms één, als troost. Maar van Robbert hoor ik andere verhalen. Alle moeders van álle jongens kennen altijd álle namen. En dat niet alleen, ook nog de school, de hobby, de vakanties, kortom álles onthouden ze. Het verbaast me niks. Ik ben niet voor niets al m'n hele leven jaloers op ándere moeders!

'Hoe zie ik eruit?' vroeg ik

Wat is het toch heerlijk als je kinderen een beetje mens worden! En dan heb ik het niet over het feit dat je niet meer bij elke stap over een autootje struikelt, bij elke maaltijd appelmoes moet serveren, elke vakantie aan de rand van een zwembad moet doorbrengen, en elke week de ouders van alle vriendjes op hoeft te bellen om te vragen of het jack van je kind toevallig bij hen aan de kapstok terecht is gekomen. Nee, de grootste zegening van ouder wordende kinderen is dat ze niet meer alles zeggen wat in hen opkomt, en daarmee regelmatig ernstig letsel aan je zelfvertrouwen toebrengen. Nooit zal ik de keer vergeten dat ik mij mooi had aangekleed voor een feest. Dagen had ik erover nagedacht wat ik aan zou trekken, uren had ik staan passen, maar het was niet voor niets geweest. Toen ik de trap afdaalde was ik buitengewoon tevreden over het resultaat. Ik mocht er wezen, en dat is een gevoel dat me niet dagelijks begeleidt. De eerste die ik beneden in de gang tegenkwam was Peter. Hij monsterde mij van boven tot beneden met de snelle blik die mannen aangeboren schijnt te zijn, en zei niks. Alleen een licht optrekken van een wenkbrauw verried een onuitgesproken kritiek die mij op slag wantrouwend maakte. 'Hoe zie ik eruit?' vroeg ik, en kon mijn tong wel afbijten. Wat maakte het uit wat hij ervan vond, het was toch geen kinderpartijtje waarvoor ik was uitgenodigd. Voordat hij antwoord kon geven kwam zijn broer de gang in. Die nam er de tijd voor om mij te bekijken, zodat ik mij vrij ongemakkelijk begon te voelen tegenover die twee jongetjes in mijn eigen gang. Had ik ze maar opzij geduwd. Had ik het pand maar verlaten toen het nog kon. Maar nee, ik stond daar als een slachtklaar lam, wachtend op de klap. 'Hou je dat áán?' zei Robbert. Drie kwartier te laat arriveerde ik op het feest, in kleren die ik niet aan wilde hebben en in een verre van feestelijk humeur. Terwijl ik toch in die jaren gewend had kunnen zijn aan de meedogenloze kritiek van mijn zonen, die afwisselend bestond uit een koel uitgesproken 'Hou je dat áán...?' en een nonchalant vragend: 'Ga je daarmee de straat op...?' Vele kledingstukken zijn als gevolg van die twee vragen na één keer dragen nooit meer door mij aangetrokken. Terwijl ik ze toch zo verheugd had gekocht. Dat mijn zonen nu alleen nog maar bemoedigend: 'Gaat best hoor, mam!' zeggen als ik met iets nieuws verschijn, is in dat licht bezien een vooruitgang waarvoor ik niet dankbaar genoeg kan zijn.

'Commando's,' zegt Peter dromerig, 'mariniers...'

Nog een week en dan wordt Peter gekeurd voor dienst. In een officiële envelop kwam een lijst van formulieren binnen die hij mee moet nemen naar de keuring. Allemaal bewijzen wil dienst hebben van het feit dat m'n zoon geboren is, ouders heeft, woont waar hij zegt dat hij woont, een gebit heeft, op school heeft gezeten, Nederlander is en nog veel meer. En natuurlijk is geen van de papieren te vinden in de administratieve chaos die er om me heen heerst. Dus brengen we een dag door met het wroeten in bureauladen, die zo volgepakt zijn dat ze pas opengaan nadat we er met ons hele gewicht aan zijn gaan hangen. Wat we vinden zijn oude brieven, en foto's van vakanties die we allang vergeten zijn. 'Wat een lang haar had ik,' zegt Peter vertederd, en 'wat was jij dik, mam!' en 'goh, wat kijken pappa en jij hier leuk naar elkaar'. Ik stop de foto's in een grote envelop, en schrijf er ALBUM, op met een uitroepteken erachter. Peter snuift, maar zegt niets. Geen kast kun je opendoen of er komt een envelop met ALBUM! erop uitvallen. In sommige zaken is hij z'n vertrouwen al op zeer jonge leeftijd kwijtgeraakt en het inplakken van foto's in een album is er daar één van.

Als het avond is hebben we het trouwboekje gevonden en heeft de tandarts beloofd een saneringsbewijs op te sturen.

'Zo, dat is twee,' zegt Peter, 'de rest ritsel ik wel.' 'Vergeet dat ritselen maar,' zeg ik, 'alles bij je hebben of je zit zó in Nieuwersluis.'

Hij lacht zorgeloos. 'Welk onderdeel zal ik nou eens kiezen?' zegt hij. Hij gaat onderuit zitten op de bank en kijkt alsof hij een enige vakantie aan het plannen is. 'Wat bedoel je met kiezen?' zeg ik. 'Nou, je mag toch zeker wel kiezen waar je terechtkomt?' 'Ik geloof niks van dat kiezen,' zeg ik, 'maar áls je mag kiezen, ga dan bij de koks. Dat is leuk als je kunt koken.' 'Koken is niet spannend,' zegt hij vernietigend. 'O nee,' zeg ik, 'dan moet je maar eens heel vies koken voor een kantine vol soldaten. Moet je zien wat er dan gebeurt.'

We zwijgen. Het is duidelijk dat we zitten te praten over iets waarvan we geen van beiden ook maar iets afweten. 'Commando's...' zegt hij dromerig, 'mariniers...' Ik kijk naar z'n gezicht en probeer het nu eens niet als dat van een kind te zien, maar van een bijna-volwassene. Iemand die binnenkort gaat leren hoe de Vijand efficiënt tegemoet getreden moet worden.

Ik heb mannen ontmoet die dienst de leukste tijd van hun leven vonden en een klein gevoel van medelijden kon ik toch niet onderdrukken, als ik naar zo'n uitspraak luisterde. Andere mannen deden alles om er vanaf te komen. En de meesten zagen het als iets waar je doorheen moest. Niet verschrikkelijk leuk, maar ook niet heel erg. Hoe Peter het zal vinden kan ik met geen mogelijkheid voorspellen. Maar het kan nooit zo enig zijn als hij nu, met die dromerige glimlach, zit te bedenken.

Ik zal een beetje voor je zingen, moeder

Wat vreemd dat van je drie kinderen nou juist ik deze nacht naast je bed zit. Alsof er tussen jou en mij niet de meeste problemen waren. Alsof wij niet het verst uit elkaar groeiden. En toch zit ik hier, terwijl het buiten donker is en ik luister naar je ademhaling. Niet langer dan een hartslag adem je in, niet langer dan een hartslag stoot je je adem weer naar buiten. Het zal niet lang meer duren, heeft de zuster gezegd, en ik streel door de dekens heen je been en je arm. Zo mager als bijna niet mogelijk is. Ik zal een beetje voor je zingen, moeder. Heel zachtjes, dat vind je vast wel prettig. Het liedje dat je voor mij zong toen ik aan het begin was, zal ik zingen nu jij aan het einde bent. 'Slaap kindje slaap...' Verbeeld ik het me, of zie ik iets in je gezicht veranderen nu je m'n stem hoort? Je ligt zo netjes toegedekt. Veel te netjes, je spitse schouder steekt boven het laken uit. De zuster weet vast niet dat je zo'n koukleum bent. Ik wel. Ik trek het laken lekker omhoog, zoals ik dat zelf fijn vind. 'Daar buiten loopt een schaap...' Echt stil is het hier niet, 's nachts. Elk moment weer hoor ik het verdwaasde gejammer van een vrouw die nog half in een angstige droom verward zit. En als ik geen mensenstemmen hoor, zijn er de geluiden van elektrische apparaten. Of is het de verwarming? 'Een schaap met witte voetjes...' De tijd gaat zo langzaam voorbij, maar voor jou bestaat hij al helemaal niet meer. Zoals je nu ligt lag je gisteren ook al. Nu, met de schaduwen van de nacht op je gezicht herken ik je bijna niet meer. Je mond is zo vreemd vertrokken.

Eigenlijk wil ik daar niet naar kijken. Ik schuif het laken voorzichtig zó dat ik alleen je neus, je ogen en je spierwitte haren zie. Ik ben zo boos op je geweest. Zo teleurgesteld in wat ik van je hoopte en verwachtte. Dat zal bij jou niet veel anders zijn geweest, maar – typisch voor jou en mij – uitgepraat hebben we nooit iets. En toen je, alweer zolang geleden, dement werd, kón het niet meer. '...die drinkt z'n melk zo zoetjes.' En nu ben ik bij je, en ik zal niet weggaan voordat het voorbij is. Ik voel je kou door de dekens heen, en probeer je een beetje warm te wrijven. Wat een verkrampte handjes heb je. En je adem kan ik nu bijna niet meer horen. Zo zacht. Zo stil. Zoveel tussenpozen. Zoals jij nu langzaam de dood in glijdt, rustig, ongestoord en zonder pijn, zo is het goed. 'Slaap, kindje, slaap...'

En dan opeens staat dat kleine boompje volop in het licht, en al het water is voor hem

Een klein boompje plant je niet vlak naast een grotere boom, want zelfs iemand die weinig van de natuur weet kan op z'n vingers natellen wat er dan gaat gebeuren. De grotere boom vang het meeste licht, en zijn grotere wortels halen de meeste voeding uit de grond. Zodat het kleine boompje lang niet zo snel groeit als de boom in wiens schaduw hij staat. Logisch, wat valt daar nou aan uit te leggen.

Maar hoe zit dat nou bij mensen? Die worden verliefd, gaan een verbintenis aan en krijgen een kind. Het eerste boompje is geplant. Het wordt gekoesterd en omringd met zorg en liefde. Dan, na een paar jaar, wordt het volgende boompje geplant. Terwijl de mensen die een bos aanleggen uitgaan van de gedachte 'niet te dicht bij elkaar', gaan ouders uit van de gedachte 'niet te vér van elkaar.' Want, gaat hun redenering dan verder, 'als er te veel afstand is tussen de oudste en het daaropvolgende kind hebben ze zo weinig aan elkaar.

En zo komt het jongere boompje tamelijk dicht bij dat grotere boompje te staan. Aan het grotere boompje wordt verteld hoe leuk het is dat er nu een kleiner boompje is. En het oudere boompje buigt zich quasibelangstellend over het jongere en zegt na dat het 'leuk' en 'lief' is. Maar jaloers is het ook, en vaak niet weinig bezorgd. Zal het nog wel genoeg licht krijgen, en water? Nou, dat komt allemaal best in orde, maar toch is het moeilijk om toe te zien hoe dat kleine boompje almaar begoten wordt, omdat het zelf met z'n worteltjes niet genoeg voedsel uit de grond kan halen.

Ondertussen groeien ze allebei. Het grotere boompje wordt groter, en het kleinere boompje ook, maar dat valt minder op, want hoe goed het ook groeit, het blijft toch het kleinste boompje van de twee. Dat brengt zo z'n eigen moeilijkheden met zich mee. Soms kan het grotere boompje zo tekeergaan met die takken, en met die ritselende blaadjes zoveel drukte en lawaai maken, dat het voor het kleinere boompje bijna een storm lijkt. Die moet dan echt een beetje in een rare kronkel groeien om ook eens wat licht te krijgen.

En dan, op een dag, wordt de grotere boom verplant. Staat zomaar ineens op een eigen plek, ver van dat kleinere boompje af. En dat staat ineens helemaal in het licht, en de zon en al het water is voor hém. En het reikt z'n takken naar die wijde hemel en groeit en bloeit als nooit tevoren. En kijkend en zich verbazend vraagt degene die de boompjes plantte zich af, of ze misschien toch wat verder uit elkaar hadden moeten staan. Maar ja, dát is nakaarten...!

Dan haal ik diep adem en slik maar eens...

Als hij thuiskomt gaat hij op die ene plek op de bank zitten. Beetje achterovergeleund, z'n lange benen een heel eind de kamer in. Zo kan hij een hele tijd zitten. Mijn oudste zoon, die weer eens een dag of tien verlof heeft van dienst en daarom naar huis is gekomen. Ik schenk kopjes thee voor hem in en kijk naar z'n gezicht. Is het een kindergezicht met volwassen trekken, of het gezicht van een volwassene die nog niet zo lang geleden midden in z'n tienertijd zat?

Ik kom er niet helemaal uit. Zoals ik er ook niet achter kan komen hoe hij zich nu eigenlijk voelt. Alles lijkt zoals het altijd was, ik op de ene stoel, Robbert op de andere en Peter op de bank. Hetzelfde, en toch op een niet te benoemen manier anders. Hij loopt mee naar de keuken als ik ga koken.

'Hoe gaat het met jou, mam?' zegt hij. Dat is dus de derde keer binnen een paar uur dat die vraag uit z'n mond komt. Ik vertel dat het goed gaat, en lepel gesnipperde uitjes in de pan. 'Ruikt lekker, mam,' zegt hij. Als hij vroeger zo bij me in de keuken stond, was er iets aan de hand. Zakgeld op en toch een dringende uitgave in het verschiet.

'En met jou?' vraag ik. 'Oh...' kauwend knikt hij heftig van 'ja'. 'Het gekke is alleen... ik voel me hier niet meer zo thuis. Snap jij dat nou, mam? Ik vind het hartstikke leuk om naar huis te gaan. Maar als ik hier ben... het is niet meer thuis thuis.' Ik kijk hem aan. Hij heeft z'n grote ogen opgezet, zoals altijd als hij iets zegt waarvan hij bang is dat het een ander misschien zal kwetsen.

'Lijkt me een rotgevoel,' zeg ik. 'Nou precies. Dát bedoel ik nou. En ik begrijp het ook niet zo goed. Dit is toch waar ik woon.' Ik haal diep adem en dan slik ik maar eens. Rotuien ook, krijg je altijd tranen van in je ogen.

Ik probeer, net zo moeizaam naar woorden zoekend als hij even tevoren, uit te leggen dat ik denk dat het niet zo gek is wat hij voelt.

Het grootste deel van de tijd is hij dáár, in dienst, wat je nauwelijks 'thuis' kunt noemen. En dan is er ééns in die vijf weken die plotselinge omschakeling. Niet meer deel van een groep, maar een éénling die merkt dat z'n moeder en z'n broer hun eigen leven hebben doorgeleefd tijdens z'n afwezigheid.

'En voordat je hebt kunnen wennen moet je alweer weg,' zeg ik. Hij knikt langzaam, spoelt en droogt z'n handen, en zegt: 'Ik ga even naar het nieuws kijken.' Ik kijk hem na en verbaas me erover dat iemand zoveel eenzaamheid kan uitstralen.

Niet meer kleine kinderen hebben een boel ruimte nodig

Best prettig als je kinderen niet meer klein zijn. Als er geen veters meer gestrikt hoeven te worden, en als de controle op tandenpoetsen achterwege kan blijven. Zo'n niet meer klein kind maakt zelf z'n boterhammen klaar, en als jij vermoeid richting bed verdwijnt, zit dit niet meer kleine kind fit en opgewekt voor de televisie, niet van plan de eerstkomende uren te gaan slapen. Eén en al voordeel, die niet meer kleine kinderen, zou je zeggen. Maar helaas, zo simpel ligt het nou ook weer niet. Want niet meer kleine kinderen hebben om de een of andere reden een boel ruimte voor zichzelf nodig. Liefst het hele huis als ze het voor elkaar kunnen krijgen. Als ik net de keuken heb opgeruimd daalt er een niet meer klein kind de trap af, dat een vrije dag heeft en dus lekker uit kon slapen. Vriendelijk geeuwend wenst hij me goedemorgen, waarna hij alles wat ik zojuist heb weggezet weer tevoorschijn haalt plus het ochtendblad waaraan ik net wilde beginnen. 'Thee?' vraag ik. Nou, dat wil hij wel. En als ik toch in de keuken ben, kan er dan misschien een sinaasappeltje voor hem uitgeperst worden? En hij knikt nog eens vriendelijk over de krant heen, en ik pak de sinaasappelen onder het motto 'bezig is bezig', ook al had ik me het verloop van dit uur anders voorgesteld. En dan ineens is hij weer verdwenen, en als ik de keuken binnenkom kan ik voor de tweede keer op een ochtend de vleeswaren, de kaas en de hagelslag opbergen. Slecht opgevoed, oh zeker, en wat heb ik daar een spijt van. Maar om etenswaren op tafel te laten staan totdat het zingen onder de douche is afgelopen en hij na veel gedoe met gel weer beneden is, gaat me aan m'n huisvrouwenhart. En zo is een dag met een niet meer klein kind in de buurt in feite één strijd om Vrouwenrechten en Eigen Grenzen. Van zeggen: 'Wil je alsjeblieft ergens anders televisie kijken, ik probeer te lézen' tot 'zou je zo vriendelijk willen zijn een nieuwe rol wc-papier neer te leggen als je de vorige hebt opgemaakt?' gelardeerd met 'als je bijtijds belt dat je niet komt eten hoef ik de boel niet eindeloos warm te blijven houden' en 'wil je de krant weer een beetje op volgorde leggen, ik moet 'm nog lezen.' Van m'n niet meer kleine kinderen hou ik net zoveel als indertijd van m'n kleine kinderen. Maar dat ik er nog steeds m'n handen aan vol heb, valt toch wel tegen.

Grote mannen in een zandbak

Geen film op de televisie of Robbert zit ernaar te kijken. Heerlijk vindt hij dat. En verschrikkelijk vind ík dat. Maar de tekst: 'Waarom ga je niet liever een boek lezen?' heb ik in een motvrije zak weggeborgen op de bovenste plank van de kast. Samen met dierbare babysokjes en een half versleten beer. Allemaal zaken die hun diensttijd achter de rug hebben en nu mogen uitrusten. Want als er één les is die ik heb geleerd, dan is het dat je alleen met je volwassen kinderen om kunt gaan als je ze niet bij alles wat ze doen vertelt dat jij dat zelf nou héél anders zou aanpakken. En ook een heel stuk beter/handiger/verstandiger... vul zelf maar in. Dat van dat boek heb ik nu zo langzamerhand vaak genoeg gezegd. Het huis staat en ligt vol met boeken. En ik ben allang blij dat ik hem af en toe met zo'n bundel papier aantref, zodat ik tenminste weet dat hij nog steeds van het bestaan ervan op de hoogte is. Maar de echte hartstocht is televisie, en omdat we nu eenmaal in hetzelfde huis wonen en ik af en toe wel eens iets samen met hem wil doen, ga ik soms in een stoel naast hem zitten om met hem mee te kijken. Dat vindt hij gezellig maar ook een beetje ongemakkelijk. Want de momenten waarop ik moet lachen zijn door de regisseur absoluut niet leuk bedoeld. En als het wel leuk moet zijn heb ik het lang niet altijd tijdig genoeg door. Kijkend naar Robberts films verbaas ik me erover dat het eigenlijk altijd dezelfde film is, ook al staan er steeds andere namen op de aftiteling. De film heet *Ik Wil Hebben Wat Jij Hebt*, en speelt zich af in een grote zandbak die de ene keer New York, de andere keer Chicago, maar ook weleens het Wilde Westen wordt genoemd. Grote mannen spelen in die film kinderen die ruzie hebben om een emmertje, en elkaar daarom met een schepje op het hoofd slaan. Moeders in de rol van politieagenten of sheriffs komen aangesneld en proberen de vechtjassen uit elkaar te halen. Het enige verschil met de kinderzandbak is dat het schepje in de film een mes, een pistool of een machinegeweer is. Maar het gaat altijd om dezelfde ruzie. De laatste tijd zie ik ook het televisiejournaal op die manier. Wéér is er die grote zandbank, en wéér wil de een hebben wat van de ander is. Het vuistje met het schepje erin gaat dreigend omhoog. Alleen is het nu allemaal echt en daardoor heel griezelig. Riep er af en toe maar eens iemand: 'Jongens, binnenkomen... éten...!'

De man zet zijn handen in zijn zij en eist keuzes

Op vakanties verheugde ik mij alleen maar heel lang tevoren. Als we onze reisbestemming uitzochten en ik naar foto's keek van wolkeloze luchten en blauwe zeeën. Daar zag ik mijzelf dan met man en kinderen, zo'n gelukkig gezinnetje dat zo harmonieus vakantie viert. Dat het zelden werd wat ik mij ervan voorstelde, huisje viel tegen, buren hadden dag en nacht transistor aan, huilend kind op het strand omdat hij vanwege een oorontsteking niet te water mocht, was tot daar aan toe. Het allerergste van de hele vakantie waren de voorbereidingen, met als absoluut dieptepunt het Inpakken Van De Auto. Terugdenkend aan die jaarlijks terugkerende ellende besef ik dat het Inpakken Van De Auto bedreigender is voor een relatie dan Die Andere Vrouw. Want daar staat de echtgenoot, een naderende driftbui afgetekend op zijn gezicht, dingen in de auto te proppen. Naast hem op de grond ligt een onvoorstelbare berg spullen die ook nog mee moet. Bovendien wordt elk voorwerp dat van de berg naar de achterbak verhuist, onmiddellijk aangevuld door geruisloos naderbij sluipende kinderen die bedacht hebben dat hun ridderkasteel, hun voetbal en de legodoos eigenlijk ook mee moeten. Het onvermijdelijke gebeurt, de man zet zijn handen in zijn zij en eist Keuzes. Wat moet mee en wat niet, nu meteen zeggen, overtollige zooi terugbrengen naar de slaapkamers en geen gezeur want anders gaan we helemaal niet. Hij transpireert, de engel. Je vraagt bedeesd of hij koffie wil maar dat wil hij pas als alles ingepakt is. De kinderen slepen half huilend de helft van hun spullen het huis weer in, met elkaar ruziënd omdat ze vinden dat de ander veel meer mee neemt en dat is niet eerlijk. Ondertussen voel ik mij schuldig, want ik heb tassen vol kleren voor de kinderen ingepakt. Voor als het warm is, voor als het een beetje warm is, voor koele avonden, voor regenbuien en voor als we een keer uit eten gaan, ze moeten toch iets netjes bij zich hebben. Mijzelf heb ik ook niet overgeslagen, alleen de man heeft nog helemaal niks voor zichzelf ingepakt. 'Ik ga wel zo,' zegt hij met een dramatisch gebaar, want daar is hij goed in. Wonderlijk genoeg breekt toch het moment aan dat je de straat uit rijdt. Je durft je niet hardop af te vragen of het gas wel uit is en de voordeur op slot, maar het knaagt wel aan je. 'Leuk hè, vakantie...,' zegt de jongste onzeker. En gelukkig, de man kan in elk geval nog steeds lachen.

Over kelders en zolders

'Zeg mam...' zegt Robbert, 'weet jij wel van wanneer dit blik is?' en hij houdt een wat gedeukt blik met doperwten omhoog. We staan in de kelder, die hij zal gaan witten. Maar voordat het zover is moeten er honderdenéén dingen uit verwijderd worden. Want kelders en zolders zijn in mijn leven plekken waar je alles stalt wat je niet meer hebben wilt maar waar je ook geen afstand van wilt doen. Geleid door een 'je-kunt-nooit-weten'-gevoel blijf ik voorwerpen bewaren waarvan ik zeker zou kunnen weten dat ik er nooit meer iets mee zal doen. Totdat het moment komt dat ik het niet langer kan aanzien, en dat duurt láng bij mij. Maar met de kelder is het zover, en dus ben ik met Robbert en een stapel lege dozen en vuilniszakken in de kelder afgedaald. En daar staat hij, blik doperwten in de lucht en een uitdrukking van afgrijzen op z'n gezicht. 'Geen idee,' zeg ik. 'Van 1978, mam,' zegt hij. 'Negentienachtenzeventig!' 'Goh,' zeg ik peinzend, 'toen was ik nog getrouwd.' Want dat is in de jaartelling van mijn leven een vast punt. Dingen gebeurden vóór of ná de scheiding. 'Wat doet dát er nou toe,' zegt Robbert, '1978, je gaat dóód als je dat eet.' 'Maar we eten het toch niet?' zeg ik. 'Waarom bewaar je het dan?' zegt hij. Ik zucht. 'Ik bewaar het niet,' zeg ik geduldig, 'ik heb het alleen niet weggegooid.' Zulke uitspraken maken hem altijd verschrikkelijk nijdig, maar hij beheerst zich en gooit het blik in een kartonnen doos. 'De rest zal wel net zo oud zijn,' zeg ik. Hij pakt één voor één de blikken van de plank. Achtenzeventig, zesentachtig, zesenzeventig. Vreemde verzameling eigenlijk, als je het zo hoort. Evengoed is het de eerste keer dat ik erachter kom dat er jaartallen op blikken staan. 'Nou de frisdranken,' zegt hij grimmig. Maar dat ziet er heel wat beter uit. Geen pak is ouder dan vier jaar. 'Ze zijn toch niet open geweest?' probeer ik zwakjes als ik zie dat hij ze stuk voor stuk in de kartonnen doos zet. Maar hij kíjkt alleen maar naar me. Voor mijn ogen raken de planken in sneltreinvaart leeg. Tjonge, dat schiet op, ik zou er vrolijk van worden als ik niet wist dat het ergste nog komen moet: planken vol vaasjes, potjes, kopjes, gedeeltes van lang vergeten serviezen. Weg ermee of 'je kunt nooit weten'? Nou ja, ik kan ze altijd op de zolder zetten.

Wat moet ik in hemelsnaam aan?

Zonen willen dat hun moeder er leuk uitziet. Dat klinkt plezierig, maar is het niet. Want wat is leuk? Jaren geleden zou ik met Peter naar een schoolvoorstelling gaan. Doodzenuwachtig was hij, al dagen tevoren. 'Mam, je trekt toch niet iets géks aan...?' vroeg hij angstig. Voor zover ik weet heeft er nog nooit in m'n leven iets geks in m'n kast gehangen, maar evengoed zei ik braaf: 'Nee, natuurlijk niet.' 'En je doet niet die grote oorbellen in, hoor mam. Dat vind ik zo ordi.' Die opmerking komt áán. Wát ordi! – toevallig zijn het m'n beeldigste oorbellen, voor veel te veel geld gekocht in een klein boetiekje waar mij verteld werd dat er geen andere bellen als deze bestonden. En elke keer als ik ze draag is er wel iemand die zegt: 'Wat een mooie oorbellen.' Dus zeg ik een beetje op m'n ziel getrapt dat iedereen ze heel erg mooi vindt. 'Ik niet,' zegt hij simpel. En omdat we tenslotte samen naar die uitvoering gaan, is het niet meer dan redelijk dat ik ze die avond niet zal dragen. Als de grote dag eindelijk is aangebroken, sta ik veel te vroeg voor m'n klerenkast. Wat moet ik in hemelsnaam aan? Ik haal het ene kledingstuk na het andere tevoorschijn en probeer ze te bekijken door de ogen van een tienerzoon. Wat een ellende, er is ineens niets meer wat ik ook maar in de verste verte aanvaardbaar vind. Te lang, te kort, te wijd, te strak, te hoog gesloten of juist te laag. Het is eigenlijk allemaal niks. Hoe heb ik deze rampkleren ooit kunnen aanschaffen. Ik verkleed me drie keer, en gok uiteindelijk op een mantelpakje dat me het uiterlijk geeft van de directrice van een strenge meisjesschool. Ik weet niet eens of die nog bestaan, maar het pakje wél, dus trek ik het aan. In m'n oren van die nuffige kleine knopjes die je nauwelijks ziet. Zo, saaier kan ik niet bedenken. Ik werp een laatste treurige blik op m'n spiegelbeeld en daal landerig de trap af. Peter staat al op me te wachten en de enige voldoening die het mantelpak me geeft is de opluchting die ik over z'n gezicht zie trekken. 'Leuk, mam. Je ziet er leuk uit!' 'Dank je,' zeg ik waardig. Als ik in de schouwburg m'n jas uittrek zie ik in één oogopslag dat ik bij de saaisten hoor met m'n mantelpak. Wat een leuke kleren zie ik om me heen. Wijd, strak, hoog gesloten of juist heel laag, en allemaal een stuk opwindender dan wat ik zelf aanheb. Ik kijk verwijtend naar Peter, die stralend terug kijkt en 'gezellig hè?' zegt. In de pauze wijst Peter mij de moeder van een vriendje aan. 'Nee, dáár...' zegt hij, 'die mevrouw met die mooie oorbellen.' Ik kijk en kan m'n ogen niet geloven. Dus ze hadden tóch twee paar in die boetiek!

Meisjesschoenen bij de voordeur

Hoe vindt de moeder, ik dus, het eigenlijk dat er ineens van zo'n kleine maat meisjesschoenen bij de voordeur staan. Het werk van Robbert, dat is duidelijk. 'Je moet je schoenen uittrekken want mijn moeder háát dweilen.' Zoiets zal hij vast en zeker gezegd hebben, ook al is het nooit in mij opgekomen om dat aan wie dan ook te vragen. Boven die meisjesschoenen hangt een spijkerjasje van een maat zoals ik die in jaren niet in m'n huis heb gehad. Twee bomen van zoons, met kledingstukken die bij zo'n maat horen. En nou ineens dat jasje. Als ik de kamer binnenkom zitten ze bij de televisie. Robbert uitgezakt zoals altijd. En op de stoel naast hem een wezen waarvan ik in één oogopslag zie dat ze in die schoenen en in dat jasje past. Leuk smoeltje zonder een spoor van make-up. Lange haren die nonchalant over haar schouders vallen. Hij neemt niet graag vriendinnen mee naar huis, Robbert, dus dat ze daar zit wil heel wat zeggen. Denk ik. We wisselen wat vriendelijkheden uit, en dan ga ik de krant maar eens lezen, waarbij ik af en toe naar dat hoekje bij de televisie kijk. Leggings. Een colbertjasje. En een maatje zoals ik van m'n leven niet heb gehad en niet zal krijgen ook. En niet in het minst verlegen. Ik denk aan de eerste keer dat Robberts vader me meenam naar z'n huis. De zenuwen. Mijn uitsloverij om vooral toch maar te behagen. En de kat-uit-de-boom-kijkerij van de zijnen. Als ze weg is maakt Robbert voordat ik een woord kan zeggen duidelijk dat vriendinnetjes er niet zijn om besproken te worden. Ook goed, zoveel had ik trouwens niet te zeggen. Een paar weken later, als ik uit ben geweest en in de eerste uren van de nacht thuiskom, staan de schoentjes weer braaf onder het jasje bij de voordeur. En omdat het huis beneden verlaten is, neem ik aan dat ze boven zijn, waar een diepe rust heerst. Hoe vindt de moeder, ik dus, zo'n verrassing? Wat ik er ook van vind, het is nu in elk geval te laat om tot welke actie ook over te gaan. Dus ga ik naar bed, waar ik vele uren later wakker word van de zware stamp-stamp voetstappen van Robbert en een oh zo lichte stap achter de zijne. De moeder, ik dus, hoopt dat Robbert haar wel een lekkere grote badhanddoek zal geven voor na het douchen. En een uurtje later treffen we elkaar in de keuken, waar Robbert probeert gewoon te doen en het vriendinnetje volstrekt zichzelf is. En ik, de moeder dus? Ik zoek bij mezelf en vind boosheid noch afkeuring en als ik aan mezelf als eenentwintigjarige terugdenk, hoogstens wat jaloezie. Dat ik er vanavond, morgen, met Robbert een paar woorden over wil wisselen is duidelijk. Maar niet nu. Dus gaan we gezellig maar een hapje eten.

Beroofd

Om één uur in de nacht wordt er aan de voordeur gebeld. Omdat Robbert bij Madelon logeert heb ik wat vroeger dan anders alles afgesloten. Hier een knip, daar een slot, zoals ik me dat heb aangewend in de periode dat het vrouw-alleen-zijn me wat angstig maakte. De avond was precies zoals ik leuk vind. Kranten, muziek die ik graag hoor, een beetje televisie. Niks bijzonders. Bijna met tegenzin heb ik de lampen uitgedaan, en net nu ik onder aan de trap sta gaat de bel. Terwijl ik sta te aarzelen tussen 'net doen alsof ik niets gehoord heb' en toch maar even gaan kijken, heeft Terrie zich al luid blaffend tegen de tussendeur gegooid. Het huis is ineens vol onrust en lawaai. Omdat ik eigenlijk toch wel nieuwsgierig ben, stap ik kordaat naar de voordeur, Terrie als een dolgedraaide speelgoedhond om me heen. Door het glas heen zie ik Robbert met een opgezet gezicht waar de tranen overheen lopen. Ruzie met Madelon, denk ik terwijl ik rommel met sleutels en grendels. Hij stapt naar binnen. Ik zie dat z'n rechteroog half dicht zit. Geen ruzie met Madelon, denk ik opgelucht. Want als ik iemand taxeer op nooit een klap uitdelen is zij het wel. 'Beroofd' zegt Robbert, en loopt langs me heen naar binnen, waar hij op de bank neervalt en woedend z'n tranen wegveegt. Ik roep dingen waar iemand in zo'n situatie nauwelijks iets aan heeft. 'Wil je iets drinken?' 'Er moet iets kouds op je oog.' 'Wat is er nou precies gebeurd?' 'Moeten we de politie niet bellen?'

Maar hij wil niks, en zeker niet de politie bellen want

wat schiet hij daar nou mee op. Z'n oog is dik en z'n geld is weg en hij heeft die rotzak niet eens een klap terug gegeven, wat hem van alles nog het meeste dwarszit. En bij stukjes en beetjes komt het verhaal. Hoe hij door die donkere straat liep, op weg naar z'n afspraak met Madelon. Hoe hij eerst met z'n pincode geld had gehaald omdat hij toevallig toch langs de bank kwam en de volgende ochtend een cadeau voor haar verjaardag wilde kopen. Nou ja, en in die donkere straat dus, hij had echt niemand horen aankomen, werd hij ineens op z'n schouder getikt. Hij had zich omgedraaid en daar stond iemand van een jaar of dertig. 'Heb je geld?' zei de man, en hij had natuurlijk 'nee' gezegd, en voordat hij wist wat er gebeurde had hij die dreun op z'n oog te pakken, en die vent was z'n zakken al aan het doorzoeken, pakte z'n portemonnee en haalde al het geld eruit. 'Hij gaf me m'n portemonnee nog terug ook,' zegt Robbert, 'en ik zei dank je! In plaats van dat ik 'm... ik had 'm...' Ik kijk naar hem zoals hij op de bank zit. Verslagen door het feit dat hij zich heeft laten beroven. Product van mijn opvoeding waarvan de hoofdtoon was: niet vechten, daar schiet je niets mee op! Nu, anno 1992, vraag ik me af of je je kinderen niet beter kunt leren hoe ze zich moeten verdedigen.

Een dochter is anders dan een zoon

Een vriendin zegt dat ze er toch wel moeite mee had, de eerste keren dat haar zoon met z'n meisje in zijn jongenskamer sliep. Er was van tevoren over gepraat, dat wel. Háár ouders waren zelfs op bezoek geweest om tijdens koffie met iets erbij te praten over deze grote stap in het leven van hun kinderen. Daar maakte haar zoon achteraf ruzie over. 'Het lijkt wel alsof jullie de bruiloft al aan het regelen zijn,' zei hij boos. 'Hebben jullie soms ook al over de naam van jullie kleinkind gepraat?' Tja, dat uitgebreide praten erover was misschien achteraf gezien niet zo'n goed idee geweest. Want toen op die eerste avond van de eerste keer dat het meisje zou blijven logeren, haar zoon geeuwend opstond en nonchalant in het algemeen zei: 'Nou, welterusten dan maar', was er een diepe stilte gevallen, omdat de ouders en de andere kinderen op elkaar wachtten met een nonchalant 'ja, welterusten' terugwensen. En het meisje was dieprood en zeer ongelukkig achter haar zoon aan de kamer uit gelopen. Nog even aarzelend of ze nou iedereen een hand moest geven of niet. En iedereen liep die avond op z'n tenen door het huis en als er een deur te hard werd dichtgedaan riepen de anderen meteen 'sssst'. 'De andere kinderen keken wel mooi uit toen het in hun leven zover was dat er samen geslapen ging worden. Die kwamen om kwart voor twaalf 's avonds even bij moeder in de keuken en zeiden bestudeerd onverschillig: 'Zeg, Loeki kan hier zeker wel blijven slapen?' Waarna zij net zo bestudeerd onverschillig 'ja natuurlijk' zei. Alleen toen het met haar dochter zover was had ze er even moeite mee. Want je mag het wel van niemand meer zeggen tegenwoordig, maar een dochter is toch anders dan een zoon. En zij kan het weten want ze heeft er van allebei twee. Maar het was al zolang áán tussen de dochter en haar vriendje, en ze waren zelfs al een keer samen met vakantie geweest. En bovendien ook nog allebei twintig. En toch, in je eigen huis, je eigen dochter...! 'Hoe vond jij dat nou?' vraagt ze aan mij en ik zeg naar waarheid dat het me verbaast hoe weinig emoties het heeft opgeroepen bij me: het vriendinnetje van Robbert dat blijft logeren. 'Weet je,' zeg ik, 'ik merk hoe verschrikkelijk gezellig ze het samen hebben. Ik hoor ze boven m'n hoofd praten en lachen. Het is allemaal zo vanzelfsprekend en ongedwongen dat ik er werkelijk geen vervelende gedachten over kan hebben.' En m'n vriendin zegt met iets van spijt in haar stem: 'Was het bij ons ook maar zo gegaan...!'

Fietsenleed

Dat de eerste grote-jongens-fiets die ze kregen het begin zou zijn van zoveel ellende heb ik niet kunnen vermoeden. En ook niet dat het zo lang zou duren. De eerste tijd viel het nog wel mee. Trots op zoiets prachtigs gingen ze met hun fiets om alsof het een kostbaar kleinood was. Maar in de loop van het eerste jaar veranderde dat al. Tjonge, wat konden die zonen van mij met een geweldige vaart tegen stoepranden opknallen. En wat moesten ze erom lachen. En wat waren die banden vaak lek. Eerst wilde hun vader nog weleens in het weekend met een teiltje water naar de fietsenschuur stappen. Het traditionele tafereel van een vader die een binnenband stukje bij beetje onder water houdt, en twee nieuwsgierige jongetjes die ademloos kijken of er al luchtbelletjes te zien zijn. Maar de hoeveelheid lekke banden nam zo toe dat de fietsen steeds vaker op moedeloos platte banden in de schuur stonden. Ook dat was in het begin alleen nog maar een probleem van de kinderen zélf. Maar toen ze nog wat meer de hoogte in groeiden, en een fiets het vervoermiddel naar en van school betekende, veranderde de zaak. En het ongelukkige moment brak aan dat hun jongensogen peinzend op mijn rijwiel bleven rusten. 'Mam, éventjes maar... ik ben zo laat en m'n band is lek!' En mam, die nooit een dergelijke smeekbede kon weerstaan, zei ook nu weer 'ja'. Zonder er echt op te letten of het 'even' wel echt 'even' was. Wat ze met mijn fiets uitvoerden weet ik niet, maar negen van de tien keer stond hij net zo moedeloos lek te wezen als de fietsen van de jongens. Totdat ik deze in een opwelling van woede naar een fietsenman sjouwde. Nou, dát was snel bekend bij de heren, dat er weer een berijdbaar vervoermiddel in de schuur stond. En voordat ik er zelf een meter op had kunnen rijden, was de band weer lek, het slot kapot, het wiel verbogen of de ketting eraf. Was het mens dat altijd maar haar boodschappen met de auto deed een Lui mens? Welnee, ze slaagde er alleen niet in haar fiets tegen haar kinderen te beschermen. En nu ineens is alles anders. De jongens voor het grootste deel van de tijd het huis uit, fietsschuurtje opgeruimd. Nieuwe pomp gekocht. Fiets na laten kijken. Er zijn gouden tijden aangebroken voor Terrie en mij. In het fietsmandje mag hij mee naar het bos, en als we daar zijn leven we ons eens lekker uit. Want dat kan nu, eindelijk...!

'Mam, oefen nou vast een beetje'

Af en toe maakt André Hazes mij luidruchtig wakker. 'Want zij gelooft in mij...!' buldert hij in mijn oren. Ik draai me om en trek het dekbed over mijn oren. Maar het maakt weinig uit. 'Zij ziet toekomst in ons allebei...' gaat hij meedogenloos verder. Op de gang zingt Peter met hetzelfde volume mee. Net uit zijn bed en nu al tot zo'n krachttoer in staat. Niet dat het mij verbaast, want Hazes is al jarenlang zijn favoriet. Hij kan alle teksten van zijn idool dromen en dat laat hij het liefst merken door snel een zin te declameren, een fractie voordat Hazes hem zingt. Omdat het volume op stormkracht tien staat moet ik mijn verzoek om een beetje rust in huis er bovenuit schreeuwen. Het enige voordeel is dat ik in elk geval goed wakker ben. En dan krijg ik kaarten voor zijn jubileumconcert in Ahoy. Leuk, want ik ben langzamerhand van veel Hazesliedjes gaan houden. Als ik samen met Peter in de auto zit op weg naar Rotterdam, bereidt hij zich serieus op de komende gebeurtenissen voor. 'Mam, oefen nou vast een beetje, anders kan je straks niet meezingen!' zegt hij. Alsof hij een kind lesgeeft, draait hij keer op keer hetzelfde nummer. 'Nou jij, mam!' Maar als mam koppig blijft weigeren, zingt hij niet in het minst uit het veld geslagen 'De Vlieger' uit volle borst in zijn eentje mee. Een paar uur en een lang voorprogramma later staat Hazes op het immens grote Ahoytoneel. Peter stáát al, zwaaiend met zijn armen, de zaal loeit enthousiast, als een wild maar goedgehumeurd beest. Het enige vervelende is dat het beest niet meer tot bedaren te brengen is. Elke regel die Hazes zingt wordt door de zaal meegebruld. De ene helft zet een beetje te vroeg in, de andere helft te laat en daar tussenin schijnt Hazes te zingen, ook al kan ik niet verstaan wát. Maar het heeft ook wel iets geks, die enthousiast zingende en met lichtjes zwaaiende massa. Peter blijft ondertussen proberen mij actief bij het optreden te betrekken. 'Die kan jij ook meezingen,' schreeuwt hij als Hazes 'Een beetje verliefd' inzet. Ik probeer het oprecht, maar raak bij 'het was warm en druk, ik zat naast een lege kruk...' het spoor bijster. Ondertussen gaat het optreden door als een goederentrein waarvan de rem niet werkt. Tot ik uit Peters in mijn oor gedeclameerde '...de hoogste tijd, u wordt bedankt voor weer een avond gezelligheid' begrijp dat het afgelopen is. Deze keer ben ik het die in de auto Hazes aanzet. Want ik wil nu de liedjes weleens horen die ik deze avond uit zijn bewegende mond heb zien rollen.

'Daar gaat m'n kind!'

Het is langgeleden dat ik naar Peter heb zitten kijken terwijl hij sliep. Een volwassen kind dat op kamers woont tref je nu eenmaal zelden slapend aan, maar vandaag is alles een beetje anders. Mijn zevenentwintigjarige zoon is operatief van zijn amandelen verlost en daar ligt hij nu, doezelig van de narcose, midden in een prettig gesprek gewoon in slaap gevallen. Zijn langzamerhand toch wel volwassen hoofd heeft ineens heel kinderlijke trekjes. De manier waarop hij met zijn hand een stukje wang omhoog duwt, en de lichte frons tussen zijn wenkbrauwen omdat slapen tenslotte niet niks is. Ik vind er veel van het kind van toen in terug. In die tijd zat ik dagelijks aan de rand van zijn bed. Verhaaltje vertellen, luisteren naar zijn kinderbelevenissen, slokje water geven, troosten na een enge droom. Allemaal allang niet meer nodig, behalve bij een zeldzame gelegenheid als deze. Vanochtend heb ik hem naar dit ziekenhuis gebracht. Hij lag in bed met een blauw hemdjasje met drukknopen aan en verheugde zich niet echt op de komende gebeurtenissen. Toen ik zijn bed zag verdwijnen, met twee verpleegsters als beschermengelen aan hoofd- en voeteneinde, voelde ik toch een soort 'daar gaat m'n kind!' Ik liep er, ongezien door hem en de verpleegsters, een beetje beschaamd nog een heel eind achteraan. Deed alsof ik gewoon maar een beetje door de gang wandelde, want ik wilde niet dat hij het zou merken. Toen verdween zijn bed door klapdeuren die zich automatisch openden en sloten. Weg zoon en ik een beetje lamlendig naar huis, wachtend op het beloofde telefoontje dat alles goed was gegaan. Dat kwam snel, zodat ik gauw weer naast zijn bed zat, met een bosje rozen. Weer dat blauwe hemd, een interessant ogend infuus aan zijn hand en zijn gezicht een stuk bleker dan een paar uur eerder. En toen viel hij dus in slaap. Naar hem kijkend verbaasde ik mij erover dat er zekere moedergevoelens naar boven kwamen. Een mengeling van ontroering en tederheid en hem willen beschermen. Af en toe deed hij even z'n ogen open, dan lachten we naar elkaar, en hij zei ook een keer dat hij wel erg saai was. Dat vond ik ook, zei ik, en hij viel weer in slaap. Morgen haal ik hem. De waterijsjes liggen al in de koelkast. Milkshakes lijken hem ook wel helend, zei hij voordat ik bij hem wegging. En ik weet dat ik een week voor de boeg heb waarin hij zich schaamteloos zal laten verwennen. Veel meer dan voor zo'n amandel nodig is. Maar dat moeder-en-zoon-spelletje vind ik af en toe best leuk om mee te spelen. Als het niet te lang duurt.

'Geniet er toch van, kind, het gaat zo snel voorbij'

Dat mijn oudste zoon wat leeftijd betreft al aardig de dertig nadert is iets wat mij mateloos verwondert. Hoe kan dat nou... Nog maar zo kort geleden zat hij met dat lichtblauwe jasje aan in de kinderwagen blij naar zijn *Donald Duck* te kijken. Nu draagt hij een das, leest de beursberichten en bekijkt zichzelf argwanend in de spiegel, zoals ieder mens van zijn leeftijd doet. Want dertig is een magisch getal: eronder kun je nog doen alsof je niets te maken hebt met het voortschrijden van de jaren, maar eenmaal erboven wordt je al snel duidelijk dat De Tijd een genadeloos spel met je speelt. Zoals vaak wanneer ik naar mijn kinderen kijk, probeer ik mijzelf terug te zien op dezelfde leeftijd. Negenentwintig was ik toen Peter geboren werd, en eenendertig toen Robbert kwam. Ik vond dat zelf keurige getallen, en ik had bedacht dat je op die leeftijd meer kans hebt een geduldige en toegewijde moeder te zijn dan wanneer je zo jong in de kinderen zit. Zoals zoveel theorieën sneuvelde ook deze geruisloos. Want ik was het tegendeel van een geduldige moeder. Driftbuien kon ik krijgen van zoekgeraakte wantjes, vetertjes die in de knoop zaten en bovenal van het gezanik om dit, nee dát, of nee toch dit, maar ook dát, maar dan wel een beetje méér maar ook weer niet zóveel...! Zelfs de meest lastige volwassene zou zich niet het oeverloze gezeur van het doorsnee-kind durven veroorloven. Dat kinderen er zelf totaal niet mee zitten komt door hun onbegrensde vertrouwen in de Liefde van hun ouders. En gelijk hadden die van mij. Want hoe boos ook, zodra ik ten einde raad de hand hief om nu toch maar eens een tik te geven, deed het probleem zich voor op welke plek je zo'n kinderlijfje moet raken. Daar kwam ik niet uit. De geheven hand zakte langzaam, terwijl tot mij doordrong dat elk plekje van mijn kinderen even kwetsbaar en mij bovendien even dierbaar was. 'Als je het wéér doet zal je eens wat meemaken!' dreigde ik dan nog machteloos. En ze knikten, feilloos wetend dat het gevaar voorlopig geweken was. Nog maar net dertig was ik in die periode, en niets aan mijzelf beviel mij. Mijn haren zaten nooit zoals ik wilde, mijn ogen hadden groter moeten zijn, mijn wimpers langer en aan mijn buik zag je de twee zwangerschappen af. Als ik nu naar foto's uit die tijd kijk, voel ik vooral spijt omdat ik er zo goed uitzag en er nooit één dag blij mee ben geweest. 'Geniet er toch van, kind, het gaat zo snel voorbij!' zei mijn moeder vaak tegen mij. Wat zij ermee bedoelde en hoe enorm haar gelijk was, ben ik pas heel veel later gaan begrijpen.

Mijn zoon heeft nu een pad gemaakt voor zijn geliefde

Als er iemand van voorpret geniet is het wel mijn zoon Peter. Eerst heeft hij waxinelichtjes gekocht en het moeten er een paar honderd geweest zijn. Ik denk dat hij er met een brede grijns op zijn gezicht mee thuis is gekomen. Heel zorgvuldig heeft hij met een rij lichtjes vanaf de voordeur een pad gemarkeerd naar de bank in de woonkamer. Dat is een heel eind, en waxinelichtjes zijn klein. Maar deze zoon, die als kind zo ongeduldig was en ging stampvoeten als iets niet meteen voor elkaar kwam, zet nu met oeverloos geduld lichtje na lichtje neer. Wie het pad tussen de lichtjes volgt, komt vanzelf bij de gele bank terecht en dat is ook precies de bedoeling. Met argusogen kijkt hij of het er wel uitziet zoals hij wil. Jammer dat hij de lichtjes nog niet kan aansteken, omdat ze anders te snel op zijn, maar dat komt straks wel. Hij kijkt op zijn horloge, er is meer tijd in het pad gaan zitten dan hij had verwacht. En het moeilijkste komt nog: hoe maak je een hart van lichtjes? Hij weet precies hoe het eruit moet zien, mooi afgerond van vorm zoals de harten die je op Valentijnsdag in de bloemenwinkels ziet. Hij hurkt op de grond. Wat was ik er graag bij geweest om naar hem te kijken terwijl hij een zo mooi mogelijk hart maakt. En dan begint het aansteken van de lichtjes, en na de eerste tien weet hij al dat het spectaculair is wat hij heeft bedacht.

Als het helemaal is zoals hij wil, loopt hij naar de keuken. Natuurlijk weet hij dat de champagne koel staat te worden in de koelkast, maar voor alle zekerheid inspec-

teert hij het nog even. Twee glazen staan klaar op het aanrecht. Nu moet ze toch langzamerhand komen! Het geluid van een sleutel in het slot. Hij loopt naar de voordeur en doet hem open. "Wauw!" zegt ze en zet haar eerste stappen op het verlichte pad. Ze is een beetje sprakeloos van alle lichtjes en harten en ik denk dat ze een brok in haar keel voelt. Als ze op de bank zit loopt hij over het pad naar haar toe. En knielt op één knie, een ouderwetse houding die perfect past bij het plechtige moment, en dan vraagt hij of ze met hem wil trouwen. En zij zegt 'ja'.
Ze drinken champagne en daarna bellen ze hun ouders om het te vertellen. En deze moeder zit met de telefoon in haar handen en moet heel erg slikken en dan nog eens, voordat ze 'wat ben ik daar blij om!' kan zeggen.

Tijd genoeg om een hoed te kopen

Het probleem is dat je je meisje op een originele manier ten huwelijk moet vragen. Want dat weten we van de televisie. Je knielt op de middenstip van een voetbalveld en vraagt je geliefde om haar hand. Je doet het in een live-uitzending op de televisie, hangend aan een helicopter of via je snorkel in de Middellandse Zee. Je kunt het niet zo gek bedenken of het is al een keer gebeurd. En terwijl je aan de ene kant gewoon moet doen, want dan doe je al gek genoeg, moet je aan de andere kant steeds origineler zijn. En dat valt niet mee. De hindernis van het op een ongewone manier zijn meisje vragen, heeft Peter achter zich liggen. Nu moet er op een bijzondere manier getrouwd worden, en daar kan een mens nachten van wakker liggen. In alle kasteeltjes van Nederland hebben ze inmiddels wel een keer vrienden zien trouwen. Rondvaartboten zijn uit. Paleis Noordeinde lukt niet. Ze hebben het nu over een in onbruik geraakte fabriek waar het zo leuk schijnt te zijn. Ze praten ook over een origineel diner waarvoor de gasten zelf de gerechten moeten aandragen. Ook iets van de laatste jaren. Je kunt niet uitgenodigd worden voor een partijtje of je krijgt meteen een hoeveelheid werk op je dak geschoven. Het etiket voor een wijnfles ontwerpen. A4'tjes vullen met originele teksten. Buitenissige gerechten bereiden en meeslepen. Het staat mij oprecht tegen. Eten zal ik gedurende het diner toch wel over mijn avondjurk krijgen, maar moet dat al op de heenweg gebeuren? Want ik ken Jean, die pan moet op schoot om in de bochten recht gehouden te worden, en omdat hij royaal is zit het ding tot het deksel vol. 'Word ik uitgenodigd of doe ik de catering?' vraag ik nuffig aan het paar. Nu ik het zo stel vindt mijn schoondochter eigenlijk ook wel dat je je gasten niet met pannetjes op kunt laten draven, en dat is fideel van haar. Werkelijk, ik leer haar in deze tijden van voorbereidingen steeds meer waarderen, en dan ook nog mee mogen om de trouwjurk te kopen, bij mij kan ze geen kwaad meer doen! Ondertussen is nog steeds niet bekend waar huwelijksvoltrekking en feest zich gaan afspelen, en de tijd dringt, want ze hebben korter dan een jaar te gaan, en om de een of andere reden moet je tegenwoordig alles járen vooruit plannen. Enfin, er is in elk geval tijd genoeg om een hoed te kopen. Want hoe smekend Jean ook kijkt, die zet ik op mijn hoofd, op de dag dat mijn zoon trouwt.

‘Een witte sluier, stáát dat wel?’

Op een drukke zaterdagmiddag vlak voor de kerst staat er ineens een bruid voor me, in een winkel waar achter een tule gordijn een hele rij witte bruidsgewaden hangt. Ze is samen met de verkoopster een tijd bezig in een paskamer van fors formaat, terwijl haar moeder en ik aan een tafel zitten te wachten totdat het gordijn opengaat. En daar komt ze tevoorschijn. Een lief, aandoenlijk blij koppie boven een beeld van een jurk, die ik nu dolgraag zou beschrijven, maar dat mag niet omdat de jurk een verrassing moet blijven voor de bruidegom. Op weg naar huis, als de jurk is besteld, drukt ze mij telkens opnieuw op het hart dat ik vooral niet aan Peter mag vertellen hoe de jurk eruitziet. Ik beloof het, en merk als we thuis zijn dat het niet meevalt om woord te houden. Want Peter is slim in het uithoren van mensen. ‘Is die sleep niet onhandig?’ zegt hij met grote onschuldige ogen. ‘En een witte sluier, stáát dat wel?’ Een halfuur later, als we het allang over iets anders hebben: ‘Krijgt ze het niet te koud met die blote schouders?’ Het zijn vragen waarop elk antwoord fout is, dus heb ik een standaard glimlach bij de hand. ‘Jammer,’ zegt hij berustend, ‘dan zie ik het wel in juni. Maar dat roze... ik weet niet of ik dat wel zo leuk vind.’ Voor het eerst maak ik van dichtbij mee hoeveel drukte je kunt maken rondom een bruiloft. En hoe lang van tevoren je moet beginnen met plannen wil je zeker weten dat je ‘ja’ kunt zeggen op de dag die jou het beste uitkomt, en met je gasten kunt gaan eten in het restaurant dat jij het leukste vindt. Ze zijn er dagelijks mee bezig, en hun gastenlijst groeit volgens mij met de dag. Het laatste getal dat ik hoor is 176, en ik vraag mij af hoe het mogelijk is om zoveel mensen te kennen. Er moet een boot gehuurd worden om de gasten van het ene adres naar het andere te vervoeren. Of anders een bus. De bruidstaart moet een boel verdiepingen hebben, en ik pleit voor veel marsepeinen rozen erop, want er zijn weinig dingen die ik zo lekker vind. Ik kom op de dag van de bruiloft toch wel de bruid helpen met aankleden? Want dat hoort zo, zegt mijn zoon. En ernstig: 'Die grote hoed krijgt ze toch anders nooit goed op haar hoofd...?'

Wat is het voorbijgevlogen...!

'Mis je ze...?' Het is altijd een vrouw die dat vraagt. Mannen halen het niet in hun hoofd om zoiets te vragen. Vrouwen wel. Die weten precies wat ze zelf voelen, en daarom willen ze ook graag weten wat een andere vrouw voelt. Dat is geen sensatiezucht, of ziekelijke nieuwsgierigheid, maar een heel reëel verlangen om op de hoogte te blijven van de mogelijkheden. Als je kinderen de deur uit zijn kun je stuk zijn van verdriet. Maar het kan ook als een soort opluchting komen: na al die jaren waarin je energie en aandacht naar de kinderen gingen eindelijk weer eens tijd voor jezelf! Je kunt het ook filosofisch bekijken: zo is het leven nou eenmaal... vanaf het moment dat ik hem voor het eerst in m'n armen hield, wist ik dat het ogenblik zou komen dat hij de deur uit zou gaan en zelfstandig zou worden. Allemaal manieren om dat ene feit te ondergaan: je kinderen zijn volwassen geworden en gaan hun eigen leven leiden. En omdat we willen weten of wat wijzélf voelen hetzelfde is als wat een andere vrouw voelt, vragen we ernaar. Heel gewoon: 'Mis je ze...?' Nou is het vreemde van iemand missen dat je het niet altijd weet. Aan de ontbijttafel zittend, uitgeperst sinaasappeltje in een glas voor me, ochtendkrant wijd uitgespreid, want ik heb nu immers alle ruimte, kan soms ineens de herinnering me overvallen. Wat was het vroeger drúk om deze tijd. Wat moest er veel gebeuren tussen acht uur en tien voor halfnegen. En wat is het nu rustig. Tjonge, wat is het nu rustig. En ik kijk om me heen en kan me die tijd van toen al bijna niet meer voorstellen. Maar is dat 'missen'? Ik ben in een ritme gegleden dat me goed bevalt. Geen wonder, ik heb immers alle tijd gehad om uit te zoeken hoe ik het wil hebben nu ik alleen woon. Bijna m'n hele wensenpakket heb ik voor elkaar gekregen, met als punt één: geen rommel in de woonkamer. Ik eet wanneer en wat ik zelf wil. Maar soms denk ik met een glimlach terug aan altijd maar weer die kruimige aardappels, de boontjes en de appelmoes. Is dat 'missen'? En dan ineens zijn ze er weer, en ze vullen het huis met hun mannenstemmen. Televisie aan. Radio aan. Van boven galmt de nieuwste hit door het huis. Anderhalve dag later is het voorbij. Zwaaien bij het station. Alleen naar huis rijden. Snel alles opruimen zodat het weer is zoals ik wil. Thee. Een diepe zucht. Ach ja. Natuurlijk mis ik ze. En wat is het voorbijgevlogen...!

Lees ook andere recent verschenen Singel Pockets:

Alex Verburg, *Het huis van mijn vader*

Floris van Zevenhoven groeit op in het ordelijke Holland van de jaren vijftig en zestig. Hij is de op een na jongste in een groot gezin met een energieke moeder en een schrijvende vader. In de kleinste dingen vindt hij zijn geluk: het draaiorgel dat elke vrijdagmiddag langs de huizen gaat, de geborgenheid van de zondagochtend of de ritjes in vaders oude Citroën. Maar als hij elf is verandert zijn leventje voorgoed. De dood van zijn vader en de liefde van een volwassen man ontregelen zijn bestaan en doen hem voorgoed zijn onschuld verliezen.

* Zowel het tijdsbeeld als de coming of age van Floris is prachtig beschreven. [...] Op een manier die bijna klassiek aandoet. – *Trouw*
* Een meeslepend debuut met liefde en zorg geschreven. [...] Zelden zijn de jaren zestig zo intiem en beeldend opgeroepen. – *Nederlandse Bibliotheek Dienst*

Lisette Lewin, *Een hart van prikkeldraad*

In 1941 ontmoet Greetje van der Plas, opgegroeid in het streng christelijke vissersdorp Katwijk, een Duitse officier. In een fractie van een seconde neemt ze een fatale beslissing, die haar leven voor altijd zal veranderen. Hij introduceert haar in een exclusief gezelschap Duitsers en hun vriendinnen, dat in een villa in de duinen losbandige feesten viert.

Na de bevrijding vlucht ze naar Amsterdam en neemt een valse identiteit aan. Ze breekt harten, ontwricht huwelijken. Wraak is haar levensmotto. Wie haar afwijst, kan dat lelijk opbreken.

In 1953, bijna dertig jaar oud, blikt ze terug. Zonder wroeging, nuchter, overpeinst ze wat ze in de levens van anderen heeft aangericht.

* Fascinerend boek. – *Martin Ros*
* Een prachtig boek. Boeiend, uitputtend gedocumenteerd, messcherp en ontroerend. – *Eindhovens Dagblad*

Anna Enquist, *Kerstmis in Februari. De vroege gedichten*

'Poëzieminnend Nederland mag blij zijn met Enquist' schreef Jaap Goedegebuure. Om dat plezier nog te vergroten verschijnt nu in Singel Pocket een bloemlezing van haar eerste drie bundels *Soldatenliederen* (1991), *Jachtscènes* (1993) en *Een nieuw afscheid* (1994). Met deze bundels presenteerde Enquist zich als een dichter van krachtige verzen. Op een heel directe manier schrijft zij over existentiële onderwerpen als angst, verlies, strijd, bittere waarheid en felle hartstocht.

Anna Enquist ontving de C. Buddingh'-prijs voor *Soldatenliederen* en de Lucy B. en C.W. van der Hoogtprijs voor *Jachtscènes*.

* Briljante dichtbundel. – *De Telegraaf* over *Soldatenliederen*
* Het is krachtige en prachtige poëzie. – *Vrij Nederland* over *Jachtscènes*
* Gepassioneerd en subtiel. [...] En dat is een fascinerende combinatie. – *Trouw*